P9-DXT-514

Im zweiten Band nun tritt Joseph leibhaftig auf: Er »war siebzehn Jahre alt und in den Augen aller, die ihn sahen, der Schönste unter den Menschenkindern«. »Mit siebzehn, das ist wahr, kann einer schöner sein als Weib und Mann, schön wie Weib und Mann, schön von beiden Seiten her und auf alle Weise...« Und Joseph hat dazu noch Verstand, ihm ist es gegeben, »das Geistige und seine Künste in sich einzubeziehen«, sie zu ergreifen und in sich aufzunehmen, so daß zwischen beiden »kein Gegensatz und fast kein Unterschied mehr bestand«. Daher ist es nur zu verständlich, daß Jaakob diesen Sohn über alles liebt. »Seit dem Tage, der ihm das Kind der Rechten... geschenkt, war Jaakob nur auf das eine aus: diesen Spätgekommenen vor die Früheren zu setzen...« Und als Joseph dem Vater Rahels Schleiergewand abgeschwatzt hat und sich seinen Brüdern darin zeigt, ist ihr Zorn so ungeheuer, weil sie daraus zu ersehen meinen, daß der Vater nicht zögern werde, ihm, dem Elften, zu gegebener Zeit das Erstgeburtsrecht und damit den Segen zuzusprechen. Trotz unzweideutiger Gegenzeichen glaubt Joseph, »das alle Menschen ihn mehr liebten denn sich selbst und daß er also keine Rücksicht auf sie zu nehmen brauchte«. Darum verschont er seine Brüder auch nicht mit dem Erzählen seiner Träume und steigert ohne es im mindesten zu ahnen, ihre Wut zu Haß. Um ihrem Protest gegen die Bevorzugung durch den Vater Ausdruck zu verleihen, beschließen die Brüder weg zu gehen: »Hinweg allesamt vom Vaterherde in freiwillige Verbannung.« Und als Jaakob geraume Zeit später Joseph zu ihnen schickt, damit er sich vor ihnen »neige« und sie versöhne, Joseph aber im Kleid der Mutter vor ihnen erscheint, fallen sie über ihn her, schlagen ihn halbtot und werfen ihn gefesselt in einen leeren Brunnen. Ismaelitische wandernde Händler befreien ihn, kaufen ihn den Brüdern ab und nehmen ihn als Sklaven mit sich nach Süden. Dem Vater erzählen die Brüder, ein wildes Tier habe Joseph getötet, und Jaakob zerreißt seine Kleider und »trägt Leid um Joseph«.

Thomas Mann
Joseph und seine Brüder
Der zweite Roman:
Der junge Joseph

Fischer
Taschenbuch
Verlag

Der Text wurde anhand der Erstausgabe,
S. Fischer Verlag, Berlin 1934,
neu durchgesehen

33.–36. Tausend: Februar 1998

Veröffentlicht im Fischer Taschenbuch Verlag GmbH,
Frankfurt am Main, Mai 1991

Lizenzausgabe mit freundlicher Genehmigung
des S. Fischer Verlages GmbH, Frankfurt am Main

Umschlaggestaltung: Buchholz / Hinsch / Hensinger
Umschlagabbildung: G. Rouault, ›Der vornehme Pierrot‹, 1941

Gesamtherstellung: Clausen & Bosse, Leck
Printed in Germany
ISBN 3-596-29436-3

Inhalt

DER JUNGE JOSEPH

Erstes Hauptstück: Thot

Von der Schönheit

Da heißt es nun: Joseph war siebzehn Jahre alt, da er ein Hirte des Viehs ward mit seinen Brüdern; und der Knabe war bei den Kindern Bilha's und Silpa's, den Weibern seines Vaters. Das ist richtig, und was hinzugefügt wurde im Schönen Gespräch: daß er vor ihren Vater gebracht habe, wo ein bös Geschrei wider die Brüder war, davon kennen wir Proben. Ohne Schwierigkeit ließe sich ein Gesichtswinkel finden, unter dem gesehen er ein unausstehlicher Bengel war. Es war der Standpunkt der Brüder. Wir teilen ihn nicht, oder verlassen ihn sofort, nachdem wir ihn einen Augenblick eingenommen; denn Joseph war mehr. Die Angaben aber, exakt wie sie sind, bedürfen eine nach der anderen der Erläuterung, damit die Sachlage deutlich werde und recht aufgehe, was eng zusammengeschrumpft durch Gewesenheit.

Joseph war siebzehn Jahre alt und in den Augen aller, die ihn sahen, der Schönste unter den Menschenkindern. Offengestanden sprechen wir nicht gern von Schönheit. Geht nicht Langeweile von dem Wort und Begriffe aus? Ist Schönheit nicht ein Gedanke erhabener Blässe, ein Schulmeistertraum? Man sagt, sie beruhe auf Gesetzen; aber das Gesetz redet zum Verstande, nicht zum Gefühl, das sich von jenem nicht gängeln läßt. Daher die Ödigkeit vollkommener Schönheit, bei der es nichts zu verzeihen gibt. Wirklich will das Gefühl etwas zu verzeihen haben, sonst wendet sich's gähnend ab. Das bloß Vollkommene mit Begeisterung zu würdigen, bedarf es einer Ergebenheit für das Gedachte und Vorbildliche, die Schulmeistersache ist. Es ist schwer, dieser gedachten Begeisterung Tiefe zuzuschreiben. Das Gesetz bindet auf äußerlich lehrhafte Weise; innere Bindung bewirkt nur der Zauber. Schönheit ist magische Gefühlswirksamkeit, immer halb wahnhaft, sehr schwankend und zerstörbar eben als Wirkung. Setze einem schönen Körper ein garstiges Haupt auf, und auch der Körper wird nicht mehr schön sein in irgendeinem gefühlswirksamen Sinne – höchstens im Dunkeln, aber dann handelt sich's um Betrug. Wieviel Betrug, Gaukelei, Fopperei ist einschlägig ins Gebiet des Schönen! Und warum? Weil es zugleich und auf einmal das Gebiet der Liebe und des Verlangens ist; weil das Geschlecht sich einmischt und den Begriff der Schönheit bestimmt. Die anekdotische Welt ist voll von Geschichtchen, wie als Weiber verkleidete Jünglinge Männern die Köpfe verdrehten, Fräuleins in Hosen die Leidenschaft von ihresgleichen entfachten. Die Entdeckung genügte, jedes Gefühl zu dämpfen, da die Schönheit unpraktisch geworden war. Menschenschönheit als Gefühlswirksamkeit ist vielleicht nichts als Geschlechtszauber, Anschaulichkeit der Geschlechtsidee, so daß man besser von einem vollkommenen Mann, einem höchst weiblichen Weibe als von einem schönen redete und nur mit verständiger Überwindung eine Frau die andere, ein Mann den anderen schön heißen wird. Fälle, in denen Schönheit über die Eigenschaft des offenbar Unpraktischen triumphiert und unbedingte Gefühlswirksamkeit bewährt, sind in der Minderheit, kommen aber nachweislich vor. Hier tritt das Moment der Jugend ins Spiel, also ein Zauber, den das Gefühl mit Schönheit zu verwechseln sehr geneigt ist, so daß Jugend, wenn nicht gar zu störende Gebrechen ihre Anziehung lähmen, meistens einfach als Schönheit empfunden wird – und zwar auch von ihr selbst, wie ihr Lächeln unmißverständlich bekundet. Ihrer ist die Anmut: eine Erscheinungsform der Schönheit, die ihrer Natur nach zwischen dem Männlichen und Weiblichen eine schwebende Mitte hält. Ein Jüngling von siebzehn ist nicht schön im Sinne vollkommener Männlichkeit. Er ist auch nicht schön im Sinne einer bloß unpraktischen Weiblichkeit – die wenigsten würde das anziehen. Aber soviel ist zuzugeben, daß Schönheit als Jugendanmut seelisch und ausdrucksweise immer ein wenig ins Weibliche spielt; das liegt in ihrem Wesen, ihrem zarten Verhältnis zur Welt und dem Verhältnis der Welt zu ihr begründet und malt sich in ihrem Lächeln. Mit siebzehn, das ist wahr, kann einer schöner sein als Weib und Mann, schön wie Weib und Mann, schön von beiden Seiten her und auf alle Weise, hübsch und schön, daß es zum Gaffen und Sichvergaffen ist für Weib und Mann.

So war es mit Rahels Sohn, und darum heißt es, daß er der Schönste war unter den Menschenkindern. Das war eine übertreibende Lobpreisung, denn seinesgleichen gab und gibt es die Menge, und seit der Mensch nicht mehr das Amphibium oder Reptil spielt, sondern seinen Weg zum Körperlich-Göttlichen schon recht weitgehend verfolgt hat, ist es nichts Ungewöhnliches, daß ein Siebzehnjähriger so schlanke Beine und schmale Hüften, einen so wohlgestalteten Thorax, eine so goldbraune Haut der beifälligen Anschauung entgegenstellt; daß er weder zu lang noch zu gedrungen, sondern genau angenehm von Wuchs erscheint, daß er auf halbwegs göttliche Weise zu gehen und zu stehen weiß und seine Bildung zwischen Zartheit und Kraft eine schwebende Anmutsmitte hält. Es hat auch nichts Außerordentliches, daß auf einem solchen Körper kein Hundskopf, sondern etwas sehr Gewinnendes, mit annähernd göttlichem Menschenmund Lächelndes sitzt – das kommt alle Tage vor. Aber in Josephs Welt und Kreise war es nun gerade seine Person und Gegenwart, die die Gefühlswirksamkeit des Schönen übte, und allgemein fand man, daß auf seine Lippen, die bestimmt zu voll gewesen wären ohne ihre Bewegung im Sprechen und Lächeln, Huld vergossen habe der Ewige. Diese Huld war angefochten, es gab hie und da Widerwillen dagegen, aber der Widerwille leugnete nichts, und man kann nicht sagen, daß er sich eigentlich von dem herrschenden Gefühle ausgeschlossen hätte. Vieles spricht jedenfalls dafür, daß der Haß der Brüder im wesentlichen nichts anderes war als die allgemeine Verliebtheit mit verneinendem Vorzeichen.

So viel von Josephs Schönheit und seinen siebzehn Jahren. Daß er ein Hirte des Viehs war mit seinen Brüdern, nämlich mit den Kindern Bilha's und Silpa's, will auch erläutert, nach einer Seite ergänzt, nach der anderen eingeschränkt sein.

Jaakob, der Gesegnete, war ein Fremdling im Lande, ein Ger, wie man sagte, ein Gast und ansehnlich Geduldeter, – nicht weil er so lange außer Landes gelebt hatte, sondern von Hause aus, nach Erbe und Stand, als Sohn seiner Väter, die ebenfalls Gerim gewesen waren. Seine Würde war nicht die eines haussässigen Bürgers von städtischem Herrengeschlecht; Weisheit und Reichtum, sie beide zusammen, und das Gepräge, das sie seiner Person und Haltung verliehen, waren ihre Quelle, nicht seine Lebensform, die halb locker und, wenn auch gesetzlich, so doch, wie man sagen möchte, von einer geordneten Zweideutigkeit war. Er wohnte in Zelten vor Hebrons Mauerbereich, wie er ehedem vor Sichems Toren gewohnt, und mochte sich aufheben eines Tages, um wieder andere Brunnen und Weiden zu suchen. War er also ein Bedu und Kainssprosse mit dem Zeichen der Unstetheit und der Räuberei an der Stirn, ein Greuel und Schrecken Städtern und Bauern? Das ganz und gar nicht. In der Todfeindschaft gegen Amalek unterschied sein Gott sich nicht von den Landesbaalen, – er, Jaakob, hatte es mehrfach bewiesen, indem er sein Hofvolk bewaffnet hatte, damit es, zusammen mit den Städtern und rindviehhaltenden Bauern, das kamelzüchtende, mit Stammeszeichen bemalte Gelichter der südlichen Wüste zurückschlage, das anschwärmte, um zu plündern. Doch war er auch wieder kein Bauer – mit Bewußtsein und ausdrücklich nicht; es hätte seinem religiösen Selbstgefühl widersprochen, das nicht mit dem von der Sonne geröteter Schollenbesteller übereinstimmte. Und außerdem hatte er als Ger und geduldeter Schutzbürger kein Recht auf Landbesitz, seine Wohnstätten ausgenommen. Er hatte ein wenig Ackerland in Pacht, bald dies, bald jenes Stück, ein ebengebreitetes oder ein abschüssig felsiges, mit fruchtbarer Erde zwischen dem Gestein, die Weizen und Gerste trug. Er ließ es von den Söhnen und Knechten bestellen – auch den Sämann und Schnitter also machte Joseph zuweilen, nicht nur den Hirten, wie übrigens jedermann weiß. Doch war diese lose Wirtschaft nur wenig bestimmend für Jaakobs Dasein, ein Nebenbei, an dem er ohne Herzlichkeit festhielt, um ein wenig Bodenständigkeit hervorzukehren. Was ihm in Wahrheit Lebensschwere verlieh, war sein beweglich wimmelnder Reichtum, es waren die Herden, für deren Erträgnisse er allen Überfluß eintauschte an Korn und Most, Öl, Feigen, Granatäpfeln, Honig und auch an Silber und Gold –, und dieser Besitz bestimmte sein Verhältnis zu Städtern und Landleuten, ein vertragsreiches und vielfach geregeltes Verhältnis, das seine Lockerheit bürgerlich festigte.

Zum Unterhalt der Herden bedurfte es geschäftsfreundlicher Beziehungen zu den Ansässigen, den handeltreibenden Städtern und den Bauern, die ihnen fronten oder zinsten. Weiderechte mußten gütlich und gültig gegen die und die Abgaben vereinbart werden mit den Leuten Baals, wenn Jaakob nicht unstet und flüchtig leben wollte, als Wanderräuber, der den Besitzenden ins Gehege brach und ihnen die Äcker verwüstete: verbriefte Befugnisse, sein Gewimmel zu treiben in die Stoppeln und es rupfend dahingehen zu lassen über das Brachland. Dieses aber nahm ab zu der Zeit in den Bergen hier; schon lange war Friede und Segenszeit, nicht lagen die Reisestraßen stille, der landbewuchernde Städter ward fett vom Karawanenhandel, von Stapel-, Umschlags- und Geleitgeldern für Waren, die vom Lande Mardugs über Damask auf der Straße östlich des Jardên durch diese Gegend ans große Meer und von da ins Land des Schlammes oder in entgegengesetzter Richtung gingen; er häufte den Grundbesitz, den er durch Hörige und Schuldsklaven bewirtschaften ließ und dessen Erträge ihn fett machten außer den Handelsvorteilen, so daß er, wie Ischullanu's Söhne den Laban, durch Kapitalvorschüsse auch freie Bauern sich unterwerfen mochte; die Besiedelung nahm zu und die Beackerung; es blieb nicht allzuviel Weiderevier, und so kam es, daß das Land den Jaakob nicht trug, wie einst die Auen von Sodom den Abram und Lot zusammen nicht getragen. Er mußte sich teilen; größere Mengen seiner Bestände rupften vertraglich nicht hier, sondern fünf Tagereisen nördlicher im Lande, dort, wo Jaakob vordem gesiedelt hatte, im quellreichen Tale von Schekem, und dort hüteten meist die Lea-Söhne, von Ruben bis Sebulun, während nur die vier von Bilha und Silpa nebst den beiden Rahelsreisern beim Vater wohnten, also daß es wie mit den Bildern des Tierkreisgürtels war, von denen auch nur sechs auf einmal sichtbar, die anderen sechs aber dem Auge entzogen sind, worauf als auf Gleichnis und Abbild hinzuweisen Joseph sich nicht nehmen ließ. Damit ist nicht gesagt, daß nicht auch die Fernen herangekommen wären, wenn es bei Hebron besondere Arbeit gab, zum Beispiel zur Erntezeit – es ist sogar wichtig. Aber meistens waren sie fern um vier bis fünf Tagereisen. Das ist ebenso wichtig, und darum heißt es, der Knabe Joseph sei bei den Kindern der Mägde gewesen, es ist die Erklärung.

Die Arbeit nun aber, die Joseph mit den Brüdern auf Feld und Weide leistete, tat er nicht alle Tage, – man darf sie nicht allzu ernst nehmen. Nicht jederzeit war er ein Hirte des Viehs oder öffnete den Acker zur Wintersaat, wenn er weich war vom Regen, sondern nur dann und wann tat er das, zwischendurch, wenn es ihm einfiel, nach seinem Belieben. Jaakob, der Vater, gönnte ihm viel freie Zeit zu höheren Beschäftigungen, die gleich zu kennzeichnen sein werden. In welcher Eigenschaft aber war er mit jenen, wenn er es war, – als ihr Gehilfe oder ihr Aufseher? Das blieb den Brüdern auf anstößige Weise zweifelhaft, denn angewiesen von ihnen als der Jüngste, und zwar barsch genug, leistete er ihnen zwar leichte Dienste, hielt sich aber in ihrer Mitte nicht recht als ihresgleichen, nicht als Zugehöriger und Einverstandener ihrer Sohnesgemeinschaft gegen den Alten, sondern als dessen Vertreter und Sendling, der sie bespähte, so daß sie ihn ungern bei sich sahen, sich aber auch wieder ärgerten, wenn er nach Belieben zu Hause blieb.

Was tat er dort? Er saß mit dem alten Eliezer unter dem Gottesbaum, der großen Terebinthe nahe dem Brunnen, und trieb die Wissenschaften.

Von Eliezer sagten die Leute, er gleiche dem Abram von Angesicht. Sie konnten das im Grunde nicht wissen, denn niemand von ihnen hatte den Chaldäer gesehen, noch war irgendein Bild und Gleichnis seines Äußeren durch die Jahrhunderte überliefert, und die behauptete Ähnlichkeit Eliezers mit ihm konnte nur umgekehrt zu verstehen sein: Wenn man sich von der Person des Urwanderers und Freundes Gottes ein Bild zu machen suchte, so mochten Eliezers Züge wohl dabei zur Hilfeleistung taugen: und zwar nicht sowohl, weil sie groß und würdig waren wie seine Gestalt und Haltung, sondern vielmehr noch, weil ihnen etwas ruhig Allgemeines und göttlich Nichtssagendes eigentümlich war, das es erleichterte, sein Bild auf ein ehrwürdig Unbekanntes der Vorzeit zu übertragen. Er war von Jaakobs Jahren, etwas älter als dieser, und trug sich ähnlich wie er, halb beduhaft, halb nach der Art der Leute von Sinear, mit Fransenfalbeln auf seinem Kleide, an dessen Gürtelschärpe sein Schreibzeug steckte. Seine Stirn, soweit das Kopftuch sie frei ließ, war klar und ohne Runzeln. Die noch dunklen Brauen liefen von der breiten und wenig vertieften Nasenwurzel in schmalen und flachen Bogen zu den Schläfen, und darunter waren die Augen so geartet, daß die oberen und unteren, fast wimperlosen Lider, schwer und gleichsam geschwollen, wie Lippen wirkten, zwischen denen die schwarzen Augäpfel gewölbt hervortraten. Mit breitem Rücken senkte die engnüstrige Nase sich gegen den schmalen Schnurrbart, der, von den Mundwinkeln abwärtslaufend, dem weißgelben Barte des Untergesichts auflag und unter dem, gleichbreit von Winkel zu Winkel, der rötliche Bogen der Unterlippe hing. Der Ansatz des Bartes an den Wangen, die ihn, mit vielen kleinen Sprüngen in der gelblichen Haut, überwölbten, war ganz besonders ebenmäßig, so daß man den Eindruck gewinnen konnte, als sei dieser Bart an den Ohren befestigt und man könne ihn abnehmen. Ja, noch mehr, das ganze Gesicht erweckte die Vorstellung, es sei abnehmbar, und darunter möchte erst Eliezers eigentliches Gesicht sich befinden: dem Joseph als Knaben schien es in manchen Augenblicken so.

Über Eliezers Person und Herkunft waren verschiedene irrtümliche Nachrichten in Umlauf, denen weiter unten entgegengetreten werden soll. Er war Jaakobs Hausvogt und Ältester Knecht, lese- und schreibkundig und Josephs Lehrer, das sei hier genug.

»Sage mir, Sohn der Rechten«, fragte er ihn wohl, wenn sie miteinander im Schatten des Unterweisungsbaumes saßen: »aus welchen drei Gründen schuf Gott den Menschen als letztes nach allem Gewächs und Getier?«

Dann mußte Joseph antworten:

»Am allerletzten schuf Gott den Menschen erstens, damit niemand sagen könne, er habe mitgewirkt bei den Werken; zum zweiten um des Menschen Demütigung willen, damit er sich sage: ›Die Schmeißfliege ging mir voran‹, und drittens, damit er sich alsobald zum Mahle setzen könnte, als der Gast, für den alle Vorbereitungen getroffen.«

Hierauf erwiderte Eliezer zufrieden: »Du sagst es«, und Joseph lachte.

Aber das war das wenigste. Es war nur ein Beispiel statt vieler für die Übungen des Scharfsinns und des Gedächtnisses, denen der Junge sich zu unterziehen hatte auch für die Ur-Schnurren und Histörchen, die Eliezer ihm schon in zartem Alter überlieferte und mit deren Wiedergabe Joseph dann huldreichen Mundes die Leute bezauberte, die ohnedies närrisch vor Bewunderung waren ob seiner Schönheit. So hatte er am Brunnen den Vater zu unterhalten und abzulenken versucht durch die Nachricht und Fabel vom Namen, und wie Ischchara, die Jungfrau, ihn dem lüsternen Boten abgefragt. Denn nicht sobald hatte sie damals den wahrhaften und unverstellten erfahren, als sie ihn angerufen hatte und kraft seiner aufgefahren war, unversehrt an ihrer Jungfräulichkeit, indem sie Semhazai, dem Begehrlichen, ein Schnippchen schlug. Droben hatte der Herr sie sehr beifällig aufgenommen und zu ihr gesprochen: »Da du der Sünde entflohen bist, wollen wir dir unter den Sternen deinen Platz anweisen.« Und das war der Ursprung des Bildes der Jungfrau. Semhazai, der Bote, aber hatte nicht mehr empor gekonnt, sondern müssen im Staube bleiben bis auf den Tag, da Jaakob, Jizchaks Sohn, zu Beth-el den Traum von der Himmelsleiter geträumt. Erst auf dieser Leiter und Rampe hatte er wieder heimsteigen können, tief beschämt, daß er es nicht vermochte außer in eines Menschen Traum.

War das Wissenschaft zu nennen? Nein, es war kaum halb wahr und dem Geist nur ein Schmuck, war aber geeignet, das Gemüt vorzubereiten auf die Empfängnis des Strengeren und heilig Genauen. So erlernte Joseph von Eliezer das Weltall, nämlich das himmlische, dreigeteilte, das sich aus oberem Himmel, aus des Tierkreises himmlischer Erde und dem südlichen Himmelsmeer vorbildlich zusammensetzte; denn genau entsprach ihm das irdische, das ebenfalls in drei Teile – Lufthimmel, Erdreich und irdischen Ozean – zerfiel. Dieser, so lernte er, umlief die Erdscheibe wie ein Band, war aber auch unter ihr, so daß er zur Zeit der großen Flut durch alle Spalten brechen und seine Wasser mit denen des herabstürzenden himmlischen Meeres vereinen mochte. Aber das Erdreich war anzuschauen ganz wie das Festgestampfte und die himmlische Erde dort oben als ein Bergland mit zwei Spitzen, dem Sonnen- und Mondgipfel, Horeb und Sinai.

Sonne und Mond bildeten zusammen mit fünf anderen Wandelnden die Siebenzahl der Planeten und Befehlsträger, die in sieben Kreisen unterschiedlichen Umfanges am Damme des Tierkreises dahingingen, so daß dieser einem siebenstufigen Rundturme glich, dessen Terrassenringe emporführten zum obersten Nordhimmel und Herrschersitz. Dort war Gott, und es funkelte sein heiliger Berg wie von feurigen Steinen, so wie Hermon im Schnee herfunkelte über das Land von Norden. Auf den weiß schimmernden Herrscherberg der Ferne, den man überall und auch von dem Baume aus sah, wies Eliezer hin bei seiner Lehre, und Joseph unterschied nicht, was himmlisch und was irdisch war.

Er lernte das Wunder und das Geheimnis der Zahl, die Sechzig, die Zwölf, die Sieben, die Vier, die Drei, die Göttlichkeit des Maßes und wie alles stimmte und einander entsprach, so daß es ein Staunen war und eine Anbetung des großen Einklanges.

Zwölf waren es der Tierkreisbilder, und sie bildeten die Stationen des großen Umlaufs. Das waren die zwölf Monate zu dreißig Tagen. Aber dem großen Gange entsprach der kleine, denn teilte man auch ihn in die zwölf Abschnitte, so war da ein Zeitraum, sechzigmal so groß wie die Sonnenscheibe, und das war die Doppelstunde. Sie war der Monat des Tages und erwies sich als ebenso sinnreich teilbar. Denn der Durchmesser der Sonnenscheibe war genau so oft in der an den Tagesgleichen sichtbaren Sonnenbahn enthalten, wie das Jahr Tage hatte, nämlich dreihundertsechzigmal, und an eben diesen Tagen dauerte der Aufgang der Sonne von dem Augenblick an, da ihr oberster Rand überm Horizont erschien, bis zu dem, da die Scheibe vollkommen war, den sechzigsten Teil einer Doppelstunde. Siehe, das war die Doppelminute; und wie aus Sommer und Winter der große Kreislauf wurde, aus Tag und Nacht der kleine, so kamen von den zwölf Doppelstunden zwölf einfache je auf den Tag und die Nacht und sechzig einfache Minuten auf je eine Stunde des Tages und der Nacht.

War das Ordnung, Harmonie und Wohlsein?

Merke nur weiter, Dumuzi, wahrhafter Sohn! Mache deinen Sinn hell, scharf und heiter!

Sieben waren es der Wandelnden und der Befehlsübermittler, und ein Tag war jedem zu eigen. Aber sieben war auch die Zahl des Mondes im besonderen, der da den Weg der Götter, seiner Brüder, bahnte: nämlich die Zahl seiner Viertel, die siebentägig waren. Sonne und Mond waren zwei, wie alles in Welt und Leben und wie Ja und Nein. Darum konnte man die Planeten anordnen als zwei und fünf – mit wieviel Recht auch von seiten der Fünf! Denn diese stand in schönstem Verhältnis zur Zwölf, insofern fünfmal zwölf die schon als heilig erwiesene Sechzig ergaben, in dem allerschönsten aber auch zur heiligen Sieben, denn fünf und sieben waren zwölf. War das alles? Nein, man gewann bei dieser Anordnung und Sonderung eine fünftägige Planetenwoche, und zweiundsiebzig ihrer Art kamen aufs Jahr; fünf aber war die Zahl, mit der man die Zweiundsiebzig vervielfachen mußte, damit sich die herrliche Dreihundertsechzig ergab, – Summe zugleich der Tage im Jahr und Ergebniszahl jener Teilung der Sonnenbahn durch die längste Linie, die auf der Scheibe zu ziehen.

Das war glänzend.

Man konnte die Planeten aber auch anordnen als drei und vier, mit der erhabensten Befugnis von beiden Seiten her. Denn drei war die Zahl der Regenten des Tierkreises, Sonne, Mond und Ischtar. Sie war überdies die Weltzahl, sie bestimmte oben und unten die Gliederung des Alls. Auf der anderen Seite war vier die Zahl der Weltgegenden, denen die Tageszeiten entsprachen; sie war auch die Zahl der von je einem Planeten verwalteten Teile, in welche die Sonnenbahn zerfiel, und obendrein die des Mondes und des Ischtarsterns, welche vier Zustände zeigten. Was aber ergab sich, wenn man die Drei mit der Vier vervielfältigte? Es ergab sich die Zwölf!

Joseph lachte. Eliezer aber erhob seine Hände und sprach: »Adonai!«

Wie fügte es sich, daß, wenn man die Tage des Mondes mit der Zahl seiner Zustände, nämlich vier, teilte, sich wieder die siebentägige Woche ergab? Das war Sein Finger.

Mit all diesem spielte Jung-Joseph unter des Alten Aufsicht wie mit Bällen und unterhielt sich gewinnbringend. Er sah ein, daß der Mensch, dem Gott Verstand gegeben, damit er das Heilige, aber nicht ganz Stimmende verbessere, die dreihundertsechzig Tage mit dem Sonnenjahr ausgleichen müsse, indem man zum Schlusse fünf Tage einschaltete. Das waren böse und arge Tage, Drachen- und Fluchtage winternächtigen Gepräges; erst wenn sie vorüber waren, erschien der Frühling, und Segenszeit waltete. Die Fünf gewann hier ein unleidliches Ansehen. Aber sehr übel war auch die Dreizehn, und warum? Weil die zwölf Mondmonate nur dreihundertvierundfünfzig Tage hatten und von Zeit zu Zeit Schaltmonate eingeschoben werden mußten, die dem dreizehnten Tierkreiszeichen, dem Raben, entsprachen. Ihre Überschüssigkeit stempelte die Dreizehn zur Unglückszahl, wie auch der Rabe ein heilloser Vogel war. Darum wäre Benoni-Benjamin beinahe gestorben, da er durch den Paß der Geburt gleichwie durch den Hohlweg zwischen den Gipfeln des Weltberges ging, und fast erlegen im Kampf gegen die Macht der Unterwelt, weil er Jaakobs Dreizehnter war. Aber Dina war angenommen worden als Ersatzopfer, und sie verdarb.

Es war gut, das Notwendige einzusehen und Gottes Gemütsart dabei zu durchdringen. Denn sein Zahlenwunder war nicht ganz tadellos, und der Mensch mußte es verständig ins gleiche bringen; auf der Berichtigung aber lag Fluch und Unheil, und selbst die Zwölf, sonst immer so schön, wurde ominös dabei, denn sie war es, mit der man die dreihundertvierundfünfzig Tage des Mondjahrs auf die dreihundertsechsundsechzig des Mond-Sonnenjahres bringen mußte. Nahm man aber dreihundertfünfundsechzig als Zahl der Tage an, so fehlte immer, wie Joseph ausrechnen mußte, ein Viertel Tag, und diese Unstimmigkeit schwoll im Gange der Umläufe, so daß deren eintausendvierhundertundsechzig ein ganzes Jahr daraus machten. Das war die Periode des Hundssternes; und Josephs raumzeitliche Anschauung wuchs nun ins Übermenschliche, sie drang von kleinen Kreisen zu immer ungeheureren vor, die sie weit umliefen, zu geschlossenen Jahren von schaudervoller Ausdehnung. Schon der Tag war ein kleines Jahr mit seinen Zeiten, mit Sommershelle und Wintersnacht, und beschlossen waren die Tage im großen Kreislauf. Aber dieser war nur vergleichsweise groß, und eintausendvierhundertundsechzig davon schlossen sich umfassend zum Hundssternjahre. Die Welt aber bestand aus dem übergewaltigen Ab- und Rundlauf größter – oder vielleicht auch wieder noch nicht endgültig größter – Jahre, von denen ein jedes seinen Sommer und Winter hatte. Dieser trat ein, wenn alle Gestirne sich im Sternbilde des Wasserschöpfers oder der Fische trafen, jener, wenn sie es im Zeichen des Löwen oder des Krebses taten. Mit einer Flut begann jeder Winter, und jeder Sommer mit einer Feuersbrunst, also daß zwischen einem Anfangs- und einem Endpunkt alle Weltumläufe und großen Kreisgänge sich vollzogen. Jeder davon umfaßte vierhundertzweiunddreißigtausend Jahre und war die genaueste Wiederholung aller vorangegangenen, da ja die Gestirne in dieselbe Lage zurückgekehrt waren und im großen und kleinen die gleichen Wirkungen herbeiführen mußten. Darum hießen die Weltumläufe »Erneuerungen des Lebens«, auch wohl »Wiederholungen des Gewesenen«, auch wohl »Ewige Wiederkehr«. Außerdem war ihr Name »Olâm«, »Das Äon«; Gott aber war der Herr der Äonen, El olâm, der durch die Äonen Lebende, Chai olâm, und Er war es, der dem Menschen hatte olâm ins Herz gegeben, nämlich die Fähigkeit, die Äonen zu denken und sich damit in gewissem Sinne ebenfalls zu ihrem Meister aufzuschwingen...

Das war ein stolzer Unterricht. Joseph unterhielt sich in großem Stil. Denn was wußte Eliezer nicht sonst noch alles! Geheimnisse, die das Lernen zu einem großen und schmeichelhaften Vergnügen machten, eben weil es Geheimnisse waren, die auf Erden nur eine kleine Anzahl verschwiegener Erzgescheiter in Tempeln und Bauhütten wußte, nicht aber der große Haufe. So wußte und lehrte Eliezer, die babylonische Doppelelle sei die Länge des Pendels, das sechzig Doppelschwingungen in der Doppelminute mache. Joseph, so geschwätzig er war, sagte es niemandem weiter; denn es erwies aufs neue die Heiligkeit der Sechzig, die, mit der schönen Sechs vervielfältigt, die hochheilige Dreihundertundsechzig ergab.

Er lernte die Längen- und Wegesmaße und leitete sie von seinem eigenen Gange und vom Gange der Sonne auf einmal ab, was nicht vermessen war, wie Eliezer ihn versicherte, denn der Mensch war das kleine All, das dem großen genau entsprach, und so spielten die heiligen Zahlen des Umlaufs ihre Rolle in dem ganzen Gebäude des Maßes und in der Zeit, die Raum wurde.

So wurde Hohlraum und damit Gewicht; und Joseph lernte die Werte und Zahlungsschweren in Gold, Silber und Kupfer nach der gewöhnlichen und der königlichen, der babylonischen und der phönizischen Norm. Er übte sich in kaufmännischen Berechnungen, verwandelte Kupfer- in Silberwerte, tauschte einen Ochsen gegen die Mengen von Öl, Wein und Weizen ein, die seinem Metallwert entsprachen, und war so quicken Geistes dabei, daß Jaakob, wenn er zuhörte, mit der Zunge schnalzte und sprach:

»Wie ein Engel! Ganz wie ein Engel des Araboth!«

Zu alldem lernte Joseph das Notwendigste von den Krankheiten und Heilstoffen, vom menschlichen Körper, der sich nach der kosmischen Dreizahl aus festen, flüssigen und luftförmigen Stoffen zusammensetzte. Er lernte die Körperteile den Tierkreisbildern und den Planeten zuzuordnen, das Nierenfett als überwertig zu schätzen, da das von ihm umlagerte Organ mit denjenigen der Zeugung in Zusammenhang stand und den Sitz der Lebenskraft bildete, die Leber als Ausgangspunkt der Gemütserregungen zu erkennen und sich an der Hand eines in Felder geteilten und vielfach beschriebenen Tonmodells das Lehrsystem einzuprägen, nach welchem die Eingeweide ein Spiegel des Zukünftigen und eine Quelle verlässiger Omina waren. – Dann lernte er die Völker des Erdkreises.

Es waren ihrer siebzig oder wahrscheinlich zweiundsiebzig, da dies die Zahl der Fünferwochen des Jahres war, und die Art einiger von ihnen, zu leben und anzubeten, war ungeheuerlich. In erster Linie galt dies von den Barbaren des letzten Nordens, die das Land Magog bewohnten, weit über Hermons Höhen und noch über das Land Chanigalbat, nördlich vom Taurus, hinaus. Aber entsetzlich war auch der äußerste Westen, Tarschisch genannt, wohin, jeder Furcht bar, Männer von Sidon gelangt waren, indem sie das Große Grüne in unendlich vielen Tagen der Länge nach durchschifft hatten. Auch nach Kittim, das meinte Sizilien, waren, versessen auf Ferne und Austausch, die Leute von Sidon und Gebal auf diesem Wege gedrungen und hatten dort Niederlassungen gegründet. Viel hatten sie getan, den Erdkreis bekannt zu machen: nicht gerade, damit der weise Eliezer Lehrstoff erhalte, sondern in dem Drang, Außensitzende zu besuchen und ihnen ihre Purpurstoffe und künstlichen Stickereien aufzuschwatzen. Es gab Winde, die sie gleichsam von selbst nach Cypern oder Alaschia und nach Dodanim, das war Rhodos, führten. Ohne allzu wilde Fährlichkeiten waren sie von da nach Muzriland und Ägypten vorgestoßen, von wo eine dem Handelsgeist holde Meeresströmung ihre Schiffe in die Heimat zurücktrug. Aber die Leute Ägyptens selbst hatten Kusch unterworfen und der Wissenschaft aufgetan, die Negerländer nilaufwärts gen Mittag. Sie hatten sich ein Herz gefaßt, waren ebenfalls zu Schiffe gegangen und hatten die Weihrauchländer am untersten Roten Meere ausfindig gemacht, Punt, das Reich des Phönix. Im äußersten Süden lag Ophir, das Goldland, der Kunde nach. Was den Aufgang betraf, so war ein König in Elam, den man noch nicht hatte befragen können, ob er nach seiner Himmelsrichtung über sich selbst hinauszublicken vermöchte. Wahrscheinlich nicht.

Dies ist nur ein Auszug von dem, was Eliezer dem Joseph unter dem Gottesbaum einprägte. Der Jüngling aber schrieb alles auf nach der Anweisung des Alten und las es, den Kopf auf der Schulter, sich selber vor, bis er es auswendig wußte. Das Lesen und Schreiben war selbstverständlich die Grundlage von allem und begleitete alles; denn es wäre sonst nur ein verwehendes Hörensagen und Wiedervergessenwerden gewesen unter den Menschen. Darum mußte Joseph sehr gerade hocken unter dem Baum, die Knie gespreizt, und in seinem Schoße das Schreibzeug halten, die Tontafel, in die er mit dem Griffel keilförmige Zeichen grub, oder die geklebten Blätter aus Schilfgewebe, das geglättete Stück Schaf- oder Ziegenhaut, darauf er mit dem faserig zerkauten oder spitz zugeschnittenen Rohr seine Krähenfüße aneinanderreihte, indem er es in den roten und den schwarzen Napf seiner Tuschtafel tauchte. Abwechselnd schrieb er die Landes- und Menschenschrift, die zur Befestigung seiner täglichen Redeweise und Mundart taugte und in der sich Handelsbriefe und -aufstellungen nach phönizischem Muster am säuberlichsten zu Blatt bringen ließen, – und auch wieder die Gottesschrift, die amtlich-heilige von Babel, die Schrift des Gesetzes, der Lehre und der Mären, für die es den Ton gab und den

Griffel. Eliezer besaß zahlreiche und schöne Muster davon, Schriftstücke, die die Sterne betrafen, Hymnen an Mond und Sonne, Zeittafeln, Wetterchroniken, Steuerlisten sowie Bruchstücke großer Versfabeln der Urzeit, die erlogen waren, doch mit so kecker Feierlichkeit in Worte gebracht, daß sie dem Geiste wirklich wurden. Diese handelten von der Welt- und Menschenschöpfung, von Mardugs Kampf mit dem Drachen, von Ischtars Erhöhung aus dienender Stellung zur Königsherrschaft und ihrer Höllenfahrt, vom Gebärkraut und Lebenswasser, von den erstaunlichen Befahrnissen Adapa's, Etana's und jenes Gilgamesch, dessen Leib Götterfleisch war und dem es dennoch auf keine Weise gelang, das ewige Leben zu erwerben. Dies alles las Joseph mit dem Zeigefinger und schrieb es ab in züchtiger Haltung, ungebückt, nur die Lider gesenkt. Er las und schrieb von Etana's Freundschaft mit dem Adler, der ihn gegen den Himmel Anu's trug; und so hoch gelangten sie in der Tat, daß das Land unter ihnen wie ein Kuchen und das Meer wie ein Brotkorb war. Als aber beides ganz verschwunden gewesen, hatte den Etana leider die Furcht gepackt, und mitsamt dem Adler war er in die Tiefe gestürzt – ein beschämender Ausgang. Joseph hoffte, daß er sich anders halten würde als Held Etana, gegebenen Falles; doch besser als dessen Geschichte gefiel ihm die des Waldmenschen Engidu und wie die Dirne aus Uruk, der Stadt, ihn zur Gesittung bekehrte: wie sie den Viehischen lehrte, mit Manier zu essen und zu trinken, mit Öl sich zu salben und Kleider zu tragen, kurz, einem Menschen und Städter zu gleichen. Das zog ihn an, er fand es vorzüglich, wie die Dirne den Steppenwolf zustutzte, nachdem sie ihn durch ein Liebesleben von sechs Tagen und sieben Nächten für die Verfeinerung empfänglich gemacht. Die Babelsprache ging ihm in dunkler Pracht von den Lippen, wenn er diese Reihen aufsagte, so daß Eliezer den Saum küßte von seines Schülers Kleid und ausrief:

»Heil dir, Sohn einer Lieblichen! Deine Fortschritte sind glänzend, und wirst über ein kleines der Mazkir sein eines Fürsten und eines großen Königs Erinnerer! Gedenke an mich, wenn du in dein Reich kommst!«

Danach schlenderte Joseph wieder hinaus zu den Brüdern aufs Feld oder auf die Weide, um ihnen leichte Dienste zu leisten als Jungknecht. Sie aber sprachen, indem sie die Zähne bloßlegten:

»Seht, da kommt er geschlendert, der Laffe mit Tintenfingern, und hat Steine gelesen von vor der Flut! Will er so gut sein, die Geißen zu melken, oder will er nur lauern, ob wir vielleicht Stücke Fleisches herausschneiden den Tieren für unseren Kochtopf? Ach, käme es nur auf unsere Lust an, ihn zu verprügeln, er sollte nicht leer ausgehen, wie es nun leider geschehen muß von wegen der Furcht Jaakobs!«

Von Körper und Geist

Führt man die schwere Trübung des Verhältnisses zwischen Joseph und seinen Brüdern, wie sie sich im Laufe der Jahre herausbildete, vom Einzelnen aufs Allgemeine, von den Reibereien und Mißhelligkeiten des Tages auf ihre grundlegenden Ursachen zurück, so stößt man auf Neid und Dünkel als erste und letzte Gründe; und wer Gerechtigkeit liebt, wird es schwer haben zu entscheiden, ob diesem, ob jenem Laster, ob also, persönlich gesprochen, dem Einen oder der Schar, die auf immer bedrohlichere Art gemeinsame Sache gegen ihn machte, die Hauptschuld an allem Unglück zuzuschreiben sei. Gerechtigkeit eben und der redliche Wunsch, sich jeder Parteilichkeit, zu der er versucht sein könnte, zu entschlagen, wird einen solchen vielleicht bestimmen, den Dünkel hier als der Übel erstes und als Quelle des Unheils zu rügen; aber dann wird wiederum Gerechtigkeit es sein, die ihn zu gestehen anhält, daß nicht oft in der Welt es so viel Anlaß zum Dünkel – und damit freilich auch zum Neide – gegeben hat wie hier und damals.

Es ist selten, daß Schönheit und Wissenschaft sich auf Erden zusammenfinden. Wohl oder übel ist man gewöhnt, die Gelehrsamkeit als häßlich, die Anmut aber als geistlos, und zwar – was eben zur Anmut gehört – als geistlos mit gutem Gewissen vorzustellen, da sie Schrift, Geist und Weisheit nicht nur nicht nötig hat, sondern sogar Gefahr liefe, durch sie entstellt und zerstört zu werden. Die exemplarische Überbrückung der Kluft nun aber, die zwischen Geist und Schönheit gesetzt ist, die Vereinigung beider Auszeichnungen im Einzelwesen erscheint als Aufhebung einer Spannung, die man als im Natürlich-Menschlichen begründet anzusehen gewohnt ist, und läßt ganz unwillkürlich an Göttliches denken. Das unbefangene Auge ruht auf solchem Vorkommnis göttlicher Spannungslosigkeit notwendig mit reinstem Entzücken, während es ganz danach angetan ist, die bittersten Empfindungen auszulösen bei solchen, die Grund haben, sich durch sein Licht verkürzt und verdunkelt zu finden.

So war es hier. Das glückliche Einverständnis, das gewisse Erscheinungen in Menschenherzen erregen und das man sachlich ihre Schönheit nennt, machte im Falle von Rahels Erstgeborenem sich mit solcher Unverbrüchlichkeit fühlbar; man fand ihn – ob wir nun diesem Enthusiasmus ganz zu folgen vermögen oder nicht – dermaßen hübsch, daß seine Anmut frühzeitig und ein gutes Stück ins Land hinein sprichwörtlich wurde. Und ihr war es gegeben, das Geistige und seine Künste in sich einzubeziehen, es mit heiterem Eifer zu ergreifen, in sich zu nehmen und es, geprägt mit ihrem Siegel, dem Siegel der Anmut, wieder aus sich zu entlassen, so daß zwischen beiden, zwischen Schönheit und Geist, kein Gegensatz und fast kein Unterschied mehr bestand. Wir sagten, die Aufhebung ihrer natürlichen Spannung habe göttlich anmuten müssen. Das ist wohl zu verstehen. Nicht ins Göttliche hob sie sich auf – denn Joseph war ein Mensch, dazu ein recht fehlbarer, und zu gesunden Verstandes, um das nicht jederzeit im Grunde wohl zu wissen; aber sie hob sich im Göttlichen auf; nämlich im Monde.

Wir waren Zeugen einer Szene, sehr kennzeichnend für die körperlich-geistigen Beziehungen, die Joseph zu diesem zauberhaften Gestirne pflegte – hinter dem Rücken seines Vaters, wie sich versteht, welcher, hinzukommend, nichts Eiligeres zu tun gehabt hatte, als die Entblößung zu rügen, mit der sein ein und alles der nackten Schönheit dort oben liebäugelnd begegnet war. Mit dem Wesen des Mondes aber verband sich dem Jungen mehr als nur der Gedanke des Schönheitszaubers: auch und ebenso enge verband sich ihm damit die Idee der Weisheit und des Schrifttums, denn der Mond war das Himmelsbild Thots, des weißen Pavians und Erfinders der Zeichen, des Sprechers und Schreibers der Götter, Aufzeichners ihrer Worte und Schutzherrn derer, die schrieben. Schönheits- und Zeichenzauber auf einmal und als Einheit also war es gewesen, was ihn damals berauscht und seinem einsamen Kult das Gepräge gegeben hatte, – einem etwas abwegigen, wirren und zur Ausartung geneigten Kult, wohl geeignet, den Vater zu beunruhigen, aber ebendarum leicht ins Trunkene hinüberspielend, weil die Gefühle des Körperlichen und Geistigen auf eine entzückende Art darin durcheinandergerieten.

Ohne Zweifel hegt und besitzt jeder Mensch, mehr oder weniger bewußt, eine Vorstellung, einen Lieblingsgedanken, der die Quelle seines heimlichen Entzückens bildet und von dem sein Lebensgefühl gespeist und aufrechterhalten wird. Diese reizende Idee war für Joseph das Zusammenwohnen von Körper und Geist, Schönheit und Weisheit und das wechselseitig einander verstärkende Bewußtsein beider. Chaldäische Reisende und Sklaven hatten ihm erzählt, wie zum Zwecke der Menschenschöpfung Bel sich den Kopf habe abschlagen lassen, wie sein Blut sich mit Erde vermischt habe und aus dem blutigen Erdklumpen Lebewesen seien erschaffen worden. Er glaubte das nicht; aber wenn er sein Dasein empfinden und sich auf eine heimliche Art seiner freuen wollte, so erinnerte er sich jener blutigen Vermengung des Erdigen mit dem Göttlichen, fühlte sich, eigentümlich beglückt, selbst als von solcher Substanz und bedachte lächelnd, daß das Bewußtsein des Körpers und der Schönheit verbessert und verstärkt sein müsse durch das Bewußtsein des Geistes sowie dieses durch jenes.

Was er glaubte, war, daß der Geist Gottes, den die Leute von Sinear »Mummu« nannten, über den Chaoswassern gebrütet und durch das Wort die Welt erschaffen hatte. Er dachte: Man denke! Durch das Wort, das freie und auswärtige Wort war die Welt entstanden, und selbst heute noch – mochte ein Ding auch vorhanden sein, so war es in Wahrheit doch eigentlich erst vorhanden, wenn ihm der Mensch im Worte Dasein verliehen und es benannt hatte. Sollte da nicht auch ein hübscher und schöner Kopf von der Wichtigkeit wörtlicher Weisheit sich überzeugen?

Wie sehr aber mußten solche Neigungen und ihre von Jaakob aus mehreren, gleich anzuführenden Gründen geförderte Pflege den Joseph absondern von den Söhnen Lea's und der Mägde, und wieviel Keime zur Hoffart hier, zur Mißgunst dort trug diese Absonderung in sich! Es widersteht unserm Griffel, die Brüder und Stammhalter, deren Namen noch heute jedes Kind mit Recht nach der Reihenfolge ihrer Geburt auswendig lernt, in Bausch und Bogen als recht gewöhnliche Burschen zu bezeichnen. Wenigstens auf ein paar von ihnen, wie auf Jehuda, der ein verwickelter und geplagter Charakter war, aber auch auf den grundanständigen Ruben träfe das übrigens nur unvollkommen zu. Erstens jedoch konnte von Schönheit bei denen so wenig, die dem Joseph an Jugend näher waren, wie bei denen, die schon hoch in den Zwanzigern standen, als er siebzehn zählte, im entferntesten die Rede sein, obgleich sie rüstige Leute waren und namentlich die Lea-Sprossen, allen voran Re'uben, aber auch Schimeon, Levi und Jehuda, sich eines athletischen Wuchses erfreuten; und was nun gar Wort und Weisheit betraf, so gab es keinen unter ihnen, der sich nicht geradezu eine Ehre daraus gemacht hätte, nicht das geringste davon zu halten und zu verstehen. Von Bilha's Naphtali hieß es wohl früh schon, daß er »schöne Rede zu geben wisse«, aber dies Urteil beruhte auf volkstümlich bescheidenen Ansprüchen, und Naphtalis Redegabe lief alles in allem auf eine ziemlich untergeordnete Zungenfertigkeit hinaus, die wissenschaftlich ungegründet war und mit Höherem nichts zu tun hatte. Sie waren allesamt, was Joseph, um recht in ihrer Gemeinschaft aufzugehen, auch hätte sein müssen: Hirten und gelegentlich, an zweiter Stelle, auch feldbestellende Bauern, – höchst achtbar in beiden Eigenschaften und voller Aufsässigkeit gegen denjenigen, der sich mit des Vaters Erlaubnis einbildete, es auch sein zu können, aber nur nebenbei und gleichsam mit der linken Hand, indem er gleichzeitig den

Schreiber und Tafelleser spielte. Bevor unter ihnen der Spitzname für Joseph aufkam, unter dem sie ihn am bittersten haßten: »Der Träumer von Träumen«, nannten sie ihn spottend Noah-Utnapischtim, den Erzgescheiten, den Leser von Steinen von vor der Flut. Er seinerseits, um ihnen zu antworten, nannte sie »Hundsköpfe« und »Leute, die nicht wissen, was Gut und Böse ist«, – nannte sie so ins Gesicht hinein, gedeckt einzig und allein durch die Furcht Jaakobs, ohne die sie ihn braun und blau geprügelt hätten. Wir würden das ungern gesehen haben; aber seine schönen Augen sollten uns nicht verleiten, die Antwort weniger tadelnswert zu finden als den Spott. Im Gegenteil; denn wozu nützt Weisheit, wenn sie nicht einmal vor Hochmut zu schützen vermag?

Und wie verhielt Jaakob, der Vater, sich zu alldem? Er war kein Gelehrter. Er sprach natürlich neben seiner südkanaanäischen Mundart das Babylonische, dieses sogar besser als jenes, aber das Ägyptische nicht, schon deshalb nicht, weil er, wie wir ihm anmerkten, alles Ägyptische mißbilligte und verabscheute. Was er von diesem Lande wußte, ließ es ihm als die Heimat der Fronfuchtel und der Unmoralität auf einmal erscheinen. Die staatliche Dienstbarkeit, die dort offenbar das Leben bestimmte, beleidigte seinen ererbten Sinn für Unabhängigkeit und Selbstverantwortung, und der Tier- und Totenkult, der drunten in Blüte stand, war ihm ein Greuel und eine Narrheit, – dieser in noch höherem Grade als jener, denn aller Dienst am Unterirdischen, das aber schon sehr früh, schon beim Irdischen begann, schon beim Samenkorn, das in der Erde fruchtbar verweste, war ihm gleichbedeutend mit Unzucht. Er nannte das schlammige Land dort unten nicht »Keme« oder »Mizraim«, er nannte es »Scheol«, die Hölle, das Totenreich; und seine geistlich-sittliche Abneigung erstreckte sich auch auf das übertriebene Ansehen, in dem, wie man hörte, alles Schreibertum dortzulande stand. Seine eigene Übung auf diesem Gebiet ging kaum etwas weiter als bis zur Zeichnung seines Namens, wenn er ihn unter rechtliche Verträge zu setzen hatte, wobei er ihn aber meistens auch nur stempelte. Weiteres der Art überließ er dem Eliezer, seinem

Ältesten Knecht, und mochte es tun; denn die Fertigkeiten unserer Diener sind unsere Fertigkeiten, und Jaakobs Würdenschwere beruhte auf solchen nicht. Sie war freien, ursprünglichen und persönlichen Wesens, sie gründete sich auf die Macht seines Fühlens und Erlebens, das ein kluges und bedeutendes Erfüllen von Geschichten war; sie entstammte einer natürlichen Geistigkeit, die, jedem spürbar, von ihm ausstrahlte, und war das Übergewicht eines Mannes von Eingebung, Traumkühnheit, Gottesunmittelbarkeit, der eigentlicher Schreibwissenschaft leicht entraten mochte. Es wäre wenig schicklich, einen Vergleich anzustellen, auf den Eliezer selbst in seinem Leben nicht verfallen wäre. Aber wäre es wohl seine Sache gewesen, den Traum von der Himmelsrampe zu träumen oder mit Gottes Hilfe im Naturbereiche Entdeckungen zu machen, wie die des Sympathiezaubers zur Erzeugung gesprenkelten Kleinviehs? Nie und nimmer!

Warum denn nun aber begünstigte Jaakob Josephs literarische Ausbildung durch den Schreibknecht und sah mit Wohlgefallen einer Belehrung zu, deren Gefahren für den Jungen und sein Verhältnis zu den Brüdern ihm nicht entgehen konnte? Das hatte zwei Gründe, Gründe der Liebe alle beide, der eine ehrgeiziger Art, der andere von sorgend-erzieherischer. Lea, die Verschmähte, hatte wohl gewußt, was sie sagte, als sie sich selbst und ihres Leibes Söhnen bei Josephs Geburt prophezeit hatte, nun würden sie alle vor Jaakob zu Nichtsen werden und leicht wie Luft. Seit dem Tage, der ihm das Kind der Rechten, Dumuzi, das Reis, den Sohn der Jungfrau, geschenkt, war Jaakob nur auf das eine aus: diesen Spätgekommenen vor die Früheren zu setzen, an ihre Spitze, an den obersten Platz und ihm, der doch nur Rahels Erster war, die Erstgeburt überhaupt zuzuspielen. Sein Zorn, als Re'uben sich mit Bilha so schlimm vergangen hatte, war echt genug gewesen, sehr echt und aufrichtig zweifellos, außerdem aber auch etwas gespielt und im Ausdruck zweckmäßig verstärkt. Joseph hatte es nicht gewußt, oder nur halb gewußt, aber als er damals dem Vater das Vorgefallene mit kindlich-boshaften Worten enthüllt hatte, war Jaakobs erster

Gedanke gewesen: Jetzt kann ich dem Großen fluchen, und der Platz für den Kleinen wird frei! Ebenweil er sich bewußt war, so gedacht zu haben, und auch wohl aus Scheu vor der Erbitterung derer, die nach Ruben kamen, hatte er nicht gewagt, die Gelegenheit gleich aufs letzte auszunutzen und Joseph ausdrücklich an des Missetäters Stelle zu setzen. Vielmehr ließ er die Dinge in der Schwebe, indem er, abwartend, seinem Liebling den Ehrenplatz, den Platz des Erbes und der Erwählung, gleichsam offenhielt. Denn um die Erberwählung, den Segen Abrams handelte es sich, den Jaakob trug, den er an Esau's Statt vom Blinden empfangen hatte und bei dessen Weitergabe auch er es nicht mit so rechten Dingen wünschte zugehen zu lassen, daß sie zu falschen würden. War es nur irgend einzurichten, so sollte das hohe Gut Josephs sein, der sichtbarlich, im Fleische wie im Geist, besser taugte, es zu empfangen, als der zugleich schwere und leichtsinnige Ruben; und jedes Mittel war recht, um seine höhere Eignung auch nach außen, auch anderen, auch den Brüdern selbst offenkundig zu machen, zum Beispiel die Wissenschaft. Die Zeiten änderten sich: bisher hatten Abrams geistliche Erben Gelehrsamkeit nicht nötig gehabt, Jaakob für seine Person hatte sie nicht entbehrt. In Zukunft aber, wer wußte, würde es vielleicht, wenn nicht notwendig, so doch nützlich und wünschenswert sein, daß der Gesegnete auch ein Studierter sei. Groß oder klein – auf jeden Fall war es ein Vorzug, und Joseph konnte vor den Brüdern nicht genug Vorzüge haben.

Dies war der eine Grund von Jaakobs Zustimmung. Der andere lag tiefer im Väterlich-Sorgenvollen, er betraf des Knaben Seelenheil und religiöse Gesundheit. Wir waren zugegen, als Jaakob, abends am Brunnenrand, seinem Liebling mit zarter Behutsamkeit eine Äußerung über hoffentlich nahe Bevorstehendes, die Regentränkung, abfragte, indem er gleichsam schützend dabei die Hand über ihn hielt. Er hatte nicht gern gefragt. Nur seine große Begier, über die Wetterzukunft, lebenswichtig wie sie war, etwas zu erfahren, hatte ihn vermocht, eine Gemütsverfassung des Sohnes zu benutzen, in der er ihn, wenn nicht ganz ohne Bewunderung, so doch mit ängstlich vorwiegender Abneigung sah.

Er kannte Josephs Anlage zu leicht ekstatischen Zuständen, zum nicht sehr ausgebildeten und halb verspielten, dann aber auch wieder echten prophetischen Krampf und schwankte sehr in seinem väterlichen Verhalten dazu, durchdrungen von der schlimm-heiligen Zweideutigkeit solcher Neigungen. Die Brüder, – ach nein, nicht einer von diesen hatte je das geringste Anzeichen derartiger Erwähltheit an den Tag gelegt, sie sahen nicht wie Heimgesuchte und Seher aus, das wußte Gott. Man konnte ruhig schlafen ihretwegen, Verzückung, mochte sie nun schlimm oder heilig zu werten sein, war nicht ihre Sache, und daß Joseph auch hierin von ihnen auf bedeutende, wenn auch bedenkliche Weise abstach, paßte ja einerseits in Jaakobs Pläne: es mochte als Auszeichnung verstanden werden, die zusammen mit so viel anderen Vorzügen die Erberwählung einleuchtend machte.

Trotzdem war dem Jaakob nicht schlechthin wohl bei seinen Beobachtungen. Es gab im Lande Leute – nicht wünschbar für das Vaterherz, daß Joseph einer der Ihren würde. Es waren heilige Narren, Geiferer, Gottbesessene, welche aus ihrer Gabe, in schäumendem Zustande wahrzusagen, ihren Lebensunterhalt gewannen, – Orakellaller, die, umherziehend oder von der Kundschaft in Felsenhöhlen besucht, für allerlei Tagwählerei und Anzeige des Verborgenen Lebensmittel und Geldeswert einstrichen. Jaakob mochte sie nicht von Gottes wegen, aber eigentlich mochte niemand sie, obgleich man sich wohl hütete, ihnen zu nahezutreten. Es waren schmutzige Männer, von unordentlichen und tollen Sitten; die Kinder liefen und riefen hinter ihnen drein: »Aulasaulalakaula«, denn so ungefähr klang es, wenn sie weissagten. Sie verwundeten und verstümmelten sich am Leibe, aßen Verfaultes, gingen mit einem Joch auf dem Nacken oder mit einem Paar eiserner Hörner an der Stirn umher; einer oder der andere ging nackt. Das sah ihnen ähnlich: die Hörner sowohl wie die Nacktheit. Man wußte wohl, woran man war bei ihrem Treiben und was ihm letztlich zum Grunde lag: Nichts weiter als

Baalsunflat und Sakralhurerei, des ackerbauenden Landesvolkes Fruchtbarkeitszauber und verzücktes Geschlechtsopfer zu Füßen Melechs, des Stierkönigs. Das war kein Geheimnis; jedermann war sich des Zusammenhanges und der Beziehung bewußt; nur daß die Leute ringsum sich ihrer mit einer Art gemütlicher Ehrfurcht bewußt waren, bar jener Empfindlichkeit, die in Jaakobs geistlicher Überlieferung lag. Er hatte nichts gegen ein vernünftiges Pfeil- oder Losorakel zur Erforschung der Segensstunde für dies und jenes Geschäft und gab wohl acht, wie die Vögel flogen oder der Rauch ging bei einer Darbringung. Wo aber der Gottesverstand in die Brüche ging und geiler Taumel an seine Stelle trat, da begann das für ihn, was er »eine Narrheit« nannte, ein sehr starkes Wort in seinem Munde, stark genug, das äußerste an Mißbilligung auszusagen. Es war »Kanaan«, an dem die dunkle Geschichte mit dem Großvater im Zelte hing und der nackt gehen sollte mit bloßer Scham, nachhurend den Landesbaalen. Entblößung, Singreigen, Festvöllerei, dienstliche Unzucht mit Tempelweibern, Scheol-Kult – und »Aulasaukaulala« und wüste Krampfkünderei; das alles war »Kanaan«, das gehörte zusammen, es war alles eins, und es war eine Narrheit vor Jaakob.

Höchst ängstlich zu denken, daß Joseph durch seine kindliche Neigung zum Augenverdrehen und Traumreden Berührung haben sollte mit dieser unreinen Seelengegend. Auch Jaakob, wohlgemerkt, war ein Träumer, – aber in Ehren! Im Traume hatte er Gott als großen König und seine Engel erschaut und stärkendste Verheißung im Harfenschwall von ihm vernommen, gewiß. Aber es lag wohl auf der Hand, wie sehr eine solche Haupterhebung aus Trübsal und äußerer Demütigung sich unterschied durch vernünftiges Maß und geistlichen Anstand von jeder üblen Berückung. War es nicht ein Kummer und eine Pein, wie sich die ehrbaren Gaben und Begnadungen der Väter verjüngten in schwanken Söhnen zu feiner Verderbnis? Ach, es war liebenswürdig, das Väterliche in Sohnesgestalt, aber befremdend auch und bedenklich in schwanker Verjüngung! Ein Trost nur, daß Joseph eben so jung war; seine Schwankheit würde sich festigen, robuster und ständiger werden, zur Ehrbarkeit reifen im Gottesverstande. Daß aber des Jünglings Neigung zu einem nicht mustergültigen Entzücken mit Nacktheit zu tun hatte, mit Preisgabe also, mit Baal und Scheol also, mit Todeszauber und erdunterer Unvernunft, entging nicht dem sittlichen Scharfsinn Jaakobs, des Vaters, und ebendarum denn nun begünstigte er des Schreibers Einfluß auf den Geliebten. Es war sehr gut, daß Joseph was lernte, sich unter kundiger Anleitung regelrecht übte in Wort und Schriftlichkeit. Er, Jaakob, hatte des nicht bedurft; ehrbar und mäßig waren noch seine größten Träume gewesen. Doch Josephs Träume, das fühlte der Alte, konnten es brauchen, in genaue Zucht genommen zu werden durchs Buchstäblich-Vernünftige, – das konnte zur Festigung seiner Schwankheit segensreich beitragen, und mit gehörnten Nacktläufern und Geiferern würde er, der Gebildete, keine Ähnlichkeit haben.

So Jaakobs Überlegung. Dunkle Elemente im Wesen seines Lieblings schienen ihm lösender Klärung im Intellektuellen bedürftig, also daß er, wie man sieht, auf seine bedachte Art übereinstimmte mit Josephs eigener Knabenspekulation, das Bewußtsein des Körpers müsse verbessert und berichtigt sein durch das Bewußtsein des Geistes.

Zweites Hauptstück: Abraham

Vom ältesten Knechte

Wirklich, wie Eliezer mochte Abram wohl ausgesehen haben – vielleicht aber auch ganz anders, vielleicht klein, arm, zuckend vor Unruhe und gramverzerrt; und die Aussage, Eliezer, Josephs Lehrer, sehe dem Mondwanderer gleich, hatte eigentlich nichts mit der jetzt anschaubaren Person des gelehrten Großknechts zu tun. Die Leute sprachen in der Gegenwart, meinten aber die Vergangenheit und übertrugen diese auf jene. Eliezer, hieß es, »glich« dem Abram von Angesicht, und dies Gerücht konnte leicht zutreffen in Anbetracht von des Freiwerbers Geburt und Herkunft. Denn mutmaßlich war er Abrahams Sohn. Zwar wollte man wissen, Eliezer sei der Knecht gewesen, den Nimrod von Babel dem Abram geschenkt hatte, als er ihn ziehen lassen mußte; doch war das unwahrscheinlich bis zur Gewißheit, daß es nicht so gewesen sein konnte. Abraham war mit dem Großmächtigen, unter dessen Herrschaft seine Auswanderung aus Sinear erfolgte, gar nie in persönliche Berührung gekommen; dieser hatte sich überhaupt nicht um ihn gekümmert; sehr still und innerlich war es zugegangen bei den Konflikten, die Jaakobs geistlichen Ahn aus dem Lande getrieben hatten, und alle Nachrichten von persönlichen Zusammenstößen zwischen ihm und dem Gesetzgeber, von seinem Märtyrertum, seinem Aufenthalt im Gefängnis, einer Feuerprobe im Kalkofen, der er ausgesetzt worden, – diese Geschichten, von denen hier nur einiges angedeutet wird und mit denen auch Eliezer den Joseph unterhielt, beruhten – wenn auch nicht auf freier Kombination, so dann allenfalls auf viel älteren Vorgängen, die aus fernster Vergangenheit auf eine nähere, nur sechshundert Jahre alte übertragen wurde. Abrams König, zu seiner Zeit, Erneuerer und Erhöher des Turmes, hatte ja nicht Nimrod geheißen, was nur eine Rang- und Gattungsbezeichnung war, sondern Amraphel oder Chamurapi, und der eigentliche Nimrod war der Vater jenes Bel von Babel gewesen, von dem es hieß, daß er Stadt und Turm erbaut habe, und der zum Götterkönig wurde, nachdem er vorher ein Menschenkönig gewesen, gleich dem ägyptischen Usir. Die Gestalt Ur-Nimrods gehörte also vorusirischen Zeiten an, wonach man ihren historischen Abstand von Abrams Nimrod ermessen oder vielmehr der Unermeßlichkeit dieses Abstandes inne werden möge; und was für Geschichten sich unter ihm zugetragen: ob ihm von seinen Sterndeutern die Geburt eines seiner Herrschaft sehr gefährlichen Knaben angesagt worden sei und er danach sich zu einem allgemeinen Knabentöten entschlossen habe – ein Abram-Knabe aber sei dem Vorsichtsmorden entrückt und in einer Höhle von einem Engel aufgezogen worden, der ihn aus seinen Fingerspitzen Milch und Honig habe saugen lassen – und so fort –, das ist wissenschaftlich überhaupt nicht auszumachen. Mit der Figur des Nimrod-Königs steht es auf jeden Fall sehr ähnlich wie mit der Edoms, des Roten: sie ist eine Gegenwart, durchscheinend für immer ältere Vergangenheiten, die sich im Göttlichen verlieren, das in weiterer Zeitentiefe wieder aus Menschlichem hervorgegangen. Der Zeitpunkt wird kommen, zu bemerken, daß es sich mit Abraham ähnlich verhielt. Für den Augenblick tut man gut, sich an Eliezer zu halten.

Dieser also war dem Abram nicht von »Nimrod« zum Geschenk gemacht worden – das hat als Fabel zu gelten. Er war vielmehr aller Wahrscheinlichkeit nach Abrams natürlicher Sohn gewesen, gezeugt mit einer Sklavin und geboren vermutlich zu Damaschki während des Aufenthaltes der Abrahamsleute an diesem blühenden Ort. Abram hatte ihm später die Freiheit geschenkt, und seine familiäre Rangstufe war etwas niedriger als diejenige Ismaels, des Sohnes Hagars, gewesen. Von seinen Söhnen, Damasek und Elinos, hatte der Chaldäer, der ja lange kinderlos blieb, den älteren ursprünglich als seinen Erben betrachten müssen, bis zuerst Ismael, danach aber Jizchak, der wahrhafte Sohn, geboren worden waren. Aber auch nachher war Eliezer unter den Abrahamsleuten eine bedeutende Person geblieben, und sein war die Ehre gewesen, als Brautwerber für Isaak, das verwehrte Opfer, gen Naharina zu ziehen.

Oft und gern, das wissen wir schon, erzählte er dem Joseph von dieser Reise – ja, wir lassen uns, vielleicht allzu willig, verführen, hier einfach das Wort »er« hinzuschreiben, obgleich es nicht Abrams Eliezer war, der zu Joseph sprach, nach unseren heimischen Begriffen nicht. Was uns verführt, ist die Natürlichkeit, mit der er »ich« sagte, wenn er auf die Brautfahrt zu sprechen kam, und die Widerspruchslosigkeit, mit der sein Schüler diese in Mondlicht liegende grammatische Form über sich ergehen ließ. Er lächelte zwar, aber er nickte dabei, und es war ungewiß, ob das Lächeln irgendwelche Kritik, das Nicken vielleicht nur verbindliche Nachsicht bedeutete. Genau hingesehen, möchten wir seinem Lächeln mehr glauben als seinem Nicken und neigen zu der Annahme, daß sein Verhalten zu Eliezers Redeweise etwas heller und schärfer war als das des Alten selbst, des würdigen Halbbruders Jaakobs.

So nennen wir Eliezer mit Klarsicht und Vernunft, denn er war es. Jizchak, der wahrhafte Sohn, war, bevor er blind und kümmerlich wurde, ein sinnenstarker Mann gewesen, der es durchaus nicht allein mit Bethuels Tochter gehalten hatte. Schon der Umstand, daß diese, gleich Sahar, lange unfruchtbar blieb, hatte ihn bestimmen müssen, beizeiten auf anderem Wege für einen Erben zu sorgen, und Jahre schon, bevor Jaakob und Esau erschienen, war ihm von einer schönen Magd ein Sohn geboren worden, dem er später die Freiheit schenkte und der Eliezer genannt wurde. Es war hergebracht, daß dieser Sohnestyp eines Tages die Freiheit erhielt und daß er Eliezer hieß. Ja, Jizchak, das verwehrte Opfer, war seinetwegen um so mehr zu entschuldigen gewesen, als man einen Eliezer haben mußte, – es hatte ihn immer gegeben an den Höfen von Abrahams geistlichem Familienstamm, und immer hat er dort die Rolle eines Hausvogtes und Ersten Knechtes gespielt, war auch womöglich als Sendbote auf Freiersfahrt für den Sohn der Rechten geschickt worden, und regelmäßig hatte das Familienhaupt ihm selbst ein Weib gegeben, von dem er zwei Söhne, nämlich Damasek und

Elinos, hatte. Kurzum, er war eine Einrichtung, wie Nimrod von Babel, und wenn Jung-Joseph ihn beim Unterricht betrachtete, wenn sie miteinander zu Füßen des Unterweisungsbaumes, nahe dem Brunnen, im Blätterschatten saßen und der Knabe, seine Arme um die Knie geschlungen, lauschend in das Gesicht des kündenden Alten blickte, der »dem Abraham ähnlich sah« und auf so freie und großartige Weise Ich zu sagen wußte, so beschlichen ihn oft wohl eigentümliche Gefühle. Der Blick seiner hübschen und schönen Augen brach sich dann an der Gestalt des Erzählenden, er sah durch ihn hindurch in eine unendliche Perspektive von Eliezer-Gestalten, die alle durch den Mund des gegenwärtig Dasitzenden Ich sagten, und da man im Dämmer des schattenmächtigen Baumes saß, hinter Eliezer aber die hitzig durchsonnten Lüfte flirrten, so verlor diese Identitätsperspektive sich nicht im Dunkel, sondern im Licht...

Die Sphäre rollt, und nie wird ausgemacht werden, wo eine Geschichte ursprünglich zu Hause ist: am Himmel oder auf Erden. Der Wahrheit dient, wer erklärt, daß alle entsprechungsweise und zugleich hier und dort sich abspielen und nur unserm Auge es so erscheint, als ob sie herunterkämen und wieder emporstiegen. Die Geschichten kommen herab, so, wie ein Gott Mensch wird, werden irdisch und verbürgerlichen sozusagen, – wofür als Beispiel eine Lieblingsprahlgeschichte der Jaakobsleute wieder angeführt werde: der sogenannte Kampf der Könige, nämlich wie Abram die Heere aus Osten schlug, um seinen »Bruder« Lot zu befreien. Jüngere Redaktoren und gelehrte Ausleger der Vätergeschichten halten mit Bestimmtheit dafür und bekunden für wahr: nicht mit dreihundertachtzehn Mann, wie Joseph es wußte, habe Abram die Könige verfolgt und geschlagen und bis über Damask getrieben, sondern ganz allein mit seinem Knecht Eliezer; und es hätten die Sterne für sie gekämpft, so daß sie siegten und die Feinde zu Paaren trieben. Es kam vor, daß auch Eliezer selbst dem Joseph die Geschichte so erzählte, – der Junge war an die Variante gewöhnt. Niemandem entgeht aber, daß in dieser Gestalt die Erzählung den irdischen, wenn auch heldenhaften Charakter einbüßt, den die plaudernden Hirten ihr beilegten, und einen anderen dafür gewinnt. Wenn man sie hört, so ist es – und auch Joseph hatte mehr oder weniger entschieden diesen Eindruck –, als hätten zwei Götter, der Herr und der Diener, eine Überzahl von Riesen oder minderen Elohim bestritten und niedergeworfen; und das bedeutet unzweifelhaft eine berechtigte und der Wahrheit dienliche Zurückführung des Vorkommnisses auf seine himmlische Form und seine Wiederherstellung in dieser. Sollte man aber darum gar seine irdische Wirklichkeit leugnen wollen? Ganz im Gegenteil wäre zu sagen, daß seine überirdische Wahrheit und Wirklichkeit seine irdische beweise. Denn was oben ist, kommt herunter; aber das Untere wüßte gar nicht zu geschehen und fiele sozusagen sich selber nicht ein ohne sein himmlisches Vorbild und Gegenstück. In Abram wurde Fleisch, was vorher sternenhaft gewesen war, und auf dem Göttlichen fußte er, auf dieses stützte er sich, als er die Räuber von jenseits des Euphrat siegreich zerstreute.

Hatte denn nicht zum Beispiel auch die Geschichte von Eliezers Brautfahrt ihre eigene Geschichte, auf der sie fußte, und auf die ihr Held und Erzähler sich stützen mochte, indem er sie erlebte und erzählte? Auch diese wandelte der Alte zuweilen auf eine sonderbare Weise ab, und auch in so abgewandelter Form ist sie durch die Pfleger der Überlieferung auf uns gekommen. Diese nämlich erklären, Eliezer habe, als Abram ihn auf die Freite für Isaak nach Mesopotamien geschickt habe, die Reise von Beerscheba nach Charran, eine Reise, die zwanzig Tage, mindestens aber siebzehn in Anspruch nimmt, in drei Tagen zurückgelegt, und zwar weil »die Erde ihm entgegengesprungen« sei. Dies kann nur tropisch verstanden werden, denn es steht fest, daß die Erde niemandem entgegenläuft oder -springt; aber sie *scheint* es demjenigen zu tun, der sich mit großer Leichtigkeit und gleichsam beflügelten Fußes über sie hin bewegt. Es sagen die Lehrer denn auch nicht, die Reise sei in üblicher Form, als Karawane, mit Tier und Pack, vonstatten gegangen; der zehn Kamele gedenken sie nicht. Vielmehr erzeugt das Licht, das sie auf die Geschichte werfen, die bestimmte Vorstellung, Abrams natürlicher Sohn und Sendling habe die Strecke allein und eben auf die beschwingteste Weise zurückgelegt: mit einer Schnelligkeit, daß die Beflügelung seiner Füße gar nicht genügt, sie zu erklären, sondern daß man unwillkürlich versucht ist, sich auch sein Hütchen beflügelt vorzustellen... Kurzum, in dieser Beleuchtung erscheint Eliezers irdisch-fleischliche Reise als eine heruntergekommene Geschichte, bei der er auf einer überirdischen gefußt hatte, so daß er später, in Josephs Gegenwart, nicht nur die grammatischen Formen, sondern auch die Formen der Geschichte selbst ein wenig durcheinanderbrachte und sagte, die Erde sei »ihm entgegengesprungen«.

Ja, des ehrwürdigen Eliezer Persönlichkeitsdurchblick verlor sich im Lichte und nicht im Dunkel, wenn des Schülers Blick sich sinnend an seiner Erscheinung und Gegenwart brach, und auch die Identität anderer Leute noch tat das zugleich – man vermutet schon, welcher anderen. Wir wollen hier, im Vorblick auf Josephs Lebensgeschichte, nur gleich bemerken, daß diese Art von Eindrücken die nachhaltigsten und wirksamsten waren, die er beim Unterricht durch den alten Eliezer gewann. Kinder sind ja nicht unaufmerksam, wenn ihre Lehrer sie scheltend so nennen; sie sind nur aufmerksam auf andere, vielleicht wesentlichere Dinge, als die Sachlichkeit der Bildenden wünschen mag, und Joseph bewährte, mochte sein Blick auch in Unaufmerksamkeit zu verschwimmen scheinen, diese Kinderaufmerksamkeit sogar angelegentlichst – ob durchaus zu seinem Heile, ist freilich eine andere Frage.

Wie Abraham Gott entdeckte

Indem wir von »anderen Leuten« sprachen, deuteten wir vorläufig und behutsam auf Abraham hin, den Herrn des Boten. Was wußte Eliezer von ihm? Vielerlei – und Verschiedenartiges. Er sprach von ihm gleichsam mit doppelter Zunge, mal so und dann wieder ganz anders. Das eine Mal war der Chaldäer schlechthin der Mann gewesen, der Gott entdeckt hatte, so daß dieser vor Freude seine Finger geküßt und gerufen hatte: »Bisher hat kein Mensch mich Herr und Höchster genannt, nun werde ich so geheißen!« Die Entdeckung war auf sehr mühsamem, ja qualvollem Wege vor sich gegangen; Urvater hatte sich nicht wenig gegrämt. Und zwar war sein Mühen und Trachten von einer gerade ihm eigentümlichen Vorstellung bestimmt und getrieben gewesen: der Vorstellung, daß es höchst wichtig sei, wem oder welchem Dinge der Mensch diene. Das machte dem Joseph Eindruck, er verstand es sogleich, und zwar vor allem nach der Seite des Wichtignehmens. Um es vor Gott und Menschen zu irgendwelcher Ansehnlichkeit und Bedeutung zu bringen, war es nötig, daß man die Dinge – oder wenigstens ein Ding – wichtig nahm. Urvater hatte die Frage unbedingt wichtig genommen, wem der Mensch dienen solle, und seine merkwürdige Antwort darauf war gewesen: Dem Höchsten allein. Merkwürdig in der Tat! Es sprach aus der Antwort ein Selbstgefühl, das man fast hoffärtig und überhitzt hätte nennen können. Der Mann hätte mögen zu sich selber sagen: »Was bin und tauge ich weiter und in mir der Mensch! Es genügt, daß ich irgendeinem Elchen oder Ab- und Untergott diene, es liegt nichts daran.« So hätte er es bequemer gehabt. Er aber sprach: »Ich, Abram, und in mir der Mensch, darf ausschließlich dem Höchsten dienen.« Damit fing alles an. (Dem Joseph gefiel es.)

Es fing damit an, daß Abram dachte, der Mutter Erde allein gebühre Dienst und Anbetung, denn sie bringe die Früchte und erhalte das Leben. Aber er bemerkte, daß sie Regen brauche vom Himmel. Also sah er sich an dem Himmel um, sah die Sonne in ihrer Herrlichkeit, Segens- und Fluchgewalt und war auf dem Punkt, sich für sie zu entscheiden. Da jedoch ging sie unter, und er überzeugte sich, sie könne also nicht wohl das Höchste sein. Also blickte er auf den Mond und die Sterne – auf diese sogar mit besonderer Neigung und Hoffnung. Wahrscheinlich war es der erste Anlaß seines Verdrusses und Wandertriebes gewesen, daß seine Liebe zum Monde, der Gottheit von Uru und Charran, gekränkt worden war durch übertriebene Staatsehren, die dem Sonnenprinzip, Schamasch-Bel-Mardug, durch Nimrod von Babel zum Schaden Sins, des Sternenhirten, waren erwiesen worden: Ja, dies mochte die List Gottes gewesen sein, der in Abiram sich zu verherrlichen und sich durch ihn einen Namen zu machen gedachte, daß er durch seine Mondliebe ersten Widerspruch und Unruhe in ihm erregt, sie zu eigenen Zwecken benutzt und sie zum heimlichen Ausgangspunkt seiner Laufbahn gemacht hatte. Denn da der Morgenstern aufging, verschwanden Hirt und Herde, und Abram folgerte: Nein, auch sie sind nicht meiner würdige Götter. Seine Seele war bekümmert vor Mühe, und er folgerte: »Hätten sie nicht über sich noch, so hoch sie sind, einen Lenker und Herrn, wie möchte das eine auf-, das andere untergehen? Es wäre unschicklich für mich, den Menschen, ihnen zu dienen und nicht vielmehr dem, der über sie gebietet.« Und Abrahams Sinn lag der Wahrheit an so inständig-kummervoll, daß es Gott den Herrn aufs tiefste rührte und er bei sich sprach: »Ich will dich salben mit Freudenöl mehr denn deine Gesellen!«

So hatte Abraham Gott entdeckt aus Drang zum Höchsten, hatte ihn lehrend weiter ausgeformt und hervorgedacht und allen Beteiligten eine große Wohltat damit erwiesen: dem Gotte, sich selbst und denen, deren Seelen er lehrend gewann. Dem Gotte, indem er ihm Verwirklichung in der Erkenntnis des Menschen bereitete, sich selbst und den Proselyten aber namentlich dadurch, daß er das Vielfache und beängstigend Zweifelhafte auf das Eine und beruhigend Bekannte zurückführte, auf den Bestimmten, von dem alles kam, das Gute und Böse, das Plötzliche und Grauenhafte sowohl wie das segenvoll Regelmäßige, und an den man sich auf jeden Fall zu halten hatte. Abraham hatte die Mächte versammelt zur Macht und sie den Herrn genannt – ein für allemal und ausschließlich, nicht nur für einen Festtag, an dem man alle Macht und Ehren in Schmeichelhymnen auf das Haupt eines Gottes, des Mardug, Anu oder Schamasch, häufte, um dasselbe am nächsten Tage und im nächsten Tempel einem anderen Gotte zuzusingen. »Du bist der Eine und Höchste, ohne dich wird kein Gericht gehalten, keine Entscheidung getroffen, kein Gott im Himmel und auf Erden kann dir Widerstand leisten, du bist erhaben über ihre Gesamtheit!« Das war liebedienerischerweise und aus Hingabe an den Augenblick oft gesagt und gesungen worden in Nimrods Reich; aber Abraham fand und erklärte, daß es in Wahrheit nur Einem gesagt werden könne und dürfe, immer demselben, der der durchaus Bekannte war, weil alles von ihm kam, und der also alle Dinge nach ihrer Quelle bekannt machte. Die Menschen, unter denen er aufgewachsen, ängstigten sich sehr, bei Dank und Flehen diese Quelle nicht zu verfehlen. Taten sie Buße im Unheil, so stellten sie an die Spitze ihres Notgebets eine ganze Liste von Götteranrufungen, riefen sorgfältig jeden einzelnen Gott an, dessen Namen sie nur irgend kannten, um beileibe nicht den auszulassen, der diese Heimsuchung gesandt hatte und gerade für diese zuständig war; denn sie wußten nicht, welcher es sei. Abraham wußte und lehrte es. Es war immer nur Er, der Letzthöchste, der allein des Menschen rechter Gott sein konnte und der unverfehlbar war für des Menschen Notschrei und Lobgesang.

Joseph, so jung er war, begriff sehr wohl die Kühnheit und Seelenstärke, die in Urvaters Gottesbeschlüssen sich ausgedrückt hatten und vor der viele mit Grauen zurückgeschreckt waren, denen er sie hatte zumuten wollen. Wirklich, ob Abram nun hoch und greisenschön wie Eliezer oder vielleicht klein, mager und krumm von Statur gewesen war, – auf jeden Fall hatte er Mut besessen, den ganzen Mut, der dazu gehörte, alles vielfach Göttliche auf ihn, seinen Gott, durchaus allen Grimm und alle Gnade geraden Weges auf ihn zurückzuführen, sich nur auf ihn zu stellen und sich allein und ungeteilt von dem äußerst Höchsten abhängig zu machen. Lot selbst hatte bleichen Angesichts zu ihm gesagt:

»Wenn aber dein Gott dich verläßt, so bist du ja ganz verlassen!«

Worauf Abram erwidert hatte:

»Recht so, du sagst es. Dann kommt keine Verlassenheit im Himmel und auf Erden nach ihrem Umfang der meinen gleich, – sie ist vollkommen. Bedenke aber, daß, wenn ich Ihn versöhne und Er mein Schild ist, mir nichts mangeln kann und ich die Tore meiner Feinde besitzen werde!«

Da hatte Lot sich stark gemacht und zu ihm gesprochen:

»So will ich dein Bruder sein!«

Ja, Abram hatte den Seinen von seiner Hochgemutheit mitzuteilen gewußt. Er hieß Abirâm, was heißen mochte: »Mein Vater ist erhaben«, oder auch mit Recht wohl: »Vater des Erhabenen«. Denn gewissermaßen war Abraham Gottes Vater. Er hatte ihn erschaut und hervorgedacht, die mächtigen Eigenschaften, die er ihm zuschrieb, waren wohl Gottes ursprüngliches Eigentum, Abram war nicht ihr Erzeuger. Aber war er es nicht dennoch in einem gewissen Sinne, indem er sie erkannte, sie lehrte und denkend verwirklichte? Gottes gewaltige Eigenschaften waren zwar etwas sachlich Gegebenes außer Abraham, zugleich aber waren sie auch in ihm und von ihm; die Macht seiner eigenen Seele war in gewissen Augenblicken kaum von ihnen zu unterscheiden, verschränkte sich und verschmolz erkennend in eines mit ihnen, und das war der Ursprung des Bundes, den der Herr dann mit Abraham schloß und der nur die ausdrückliche Bestätigung einer inneren Tatsache war; es war aber auch der Ursprung des eigentümlichen Gepräges von Abrams Gottesfurcht. Denn da Gottes Größe zwar etwas furchtbar Sachliches außer ihm war, zugleich aber mit seiner eigenen Seelengröße in gewissem Maße zusammenfiel und ihr Erzeugnis war, so war diese Gottesfurcht nicht ganz allein Furcht im eigentlichen Sinn des Wortes, nicht nur Zittern und Beben, sondern auch Verbundenheit, Vertraulichkeit und Freundschaft, beides in einem; und tatsächlich hatte Urvater zuweilen eine Art gehabt, mit Gott umzugehen, die das Erstaunen von Himmel und Erde hätte erregen müssen, ohne die Berücksichtigung der verschränkten Besonderheit dieses Verhältnisses. Wie er zum Exempel den Herrn freundschaftlich angelassen hatte beim Untergange von Sodom und Amorra, das war in Anbetracht von Gottes furchtbarer Macht und Größe vom Anstößigen nicht weit entfernt gewesen. Aber freilich, wo sollte es anstoßen, wenn nicht bei Gott, – der es gut aufnahm? »Höre, Herr«, hatte Abram damals gesagt, »so oder so, das eine oder das andere! Willst du eine Welt haben, kannst du nicht Recht verlangen; ist es dir aber ums Recht zu tun, so ist es aus mit der Welt. Du fassest die Schnur bei beiden Enden an, willst eine Welt und in ihr Recht. Wenn du aber nicht etwas milder wirst, so kann die Welt nicht bestehen.« Sogar der List hatte er damals den Herrn geziehen und ihm vorgehalten: Der Wassersflut habe er abgeschworen, seinerzeit, nun aber komme er mit der Feuersflut. Gott aber, der mit den Städten wohl nicht anders hatte verfahren können, nach dem, was seinen Boten zu Sodom geschehen war oder beinahe geschehen wäre, hatte das alles, wenn nicht gut, so doch jedenfalls nicht übel aufgenommen; er hatte sich davor in wohlwollendes Schweigen gehüllt.

Dieses Schweigen war der Ausdruck eines ungeheueren Faktums, das sowohl dem Außensein Gottes wie auch gleichzeitig der Seelengröße Abrams angehörte, deren eigentlichstes Erzeugnis es vielleicht war: des Faktums, daß der Widerspruch einer Lebewelt, die gerecht sein sollte, in Gottes Größe selber lag, daß er, der lebendige Gott, nicht gut oder nur unter anderem gut, außerdem aber auch böse war, daß seine Lebendigkeit das Böse mit umschloß und dabei heilig, das Heilige selbst war und Heiligkeit forderte!

Wie ungeheuer! Er war es, der Tiamat zerschmissen, den Chaosdrachen gespalten hatte; der Jubelruf, mit dem bei der Schöpfung die Götter den Mardug gegrüßt hatten und den Abrams Landsleute an jedem Neujahrstag wiederholten, er gebührte Ihm, seinem Gott. Die Ordnung und das beglückend Verlässige stammte von ihm. Daß Früh- und Spätregen fielen zu ihrer Zeit, war sein Werk. Er hatte dem greulichen Meere, dem Reste der Urflut, der Wohnung Leviathans, seine Grenzen gewiesen, die es mit wütendstem Anprall nicht zu überschreiten vermochte. Er ließ die Sonne zeugerisch aufgehen, zum Höhepunkt steigen und abendlich ihre Höllenfahrt antreten, den Mond in immer gleichem Wechsel seiner Zustände die Zeit messen. Er führte die Sterne herauf, hatte sie zu festen Bildern vereinigt und regelte das Leben von Tieren und Menschen, indem er sie nährte nach Maßgabe der Jahreszeiten. Von Orten, wo niemand gewesen war, sank der Schnee und befeuchtete die Erde, deren Scheibe Er auf der Wasserflut festgestellt hatte, so daß sie nicht, oder nur sehr selten, schwankte und wankte. Wieviel des Segens, der Zuträglichkeit und der Güte!

Allein, wie ein Mann, der einen Feind erschlägt, wohl durch den Sieg dessen Eigenschaften den seinen hinzufügt, so hatte Gott, wie es schien, indem er das Chaosungeheuer spaltete, dessen Wesen sich einverleibt und war vielleicht erst dadurch ganz und vollkommen geworden, erst dadurch zur vollen Majestät seiner Lebendigkeit erwachsen. Der Kampf zwischen Licht und Finsternis, dem Guten und Bösen, dem Schrecknis und der Wohltat auf Erden, war nicht, wie Nimrods Leute glaubten, die Fortsetzung jenes Mardug-Kampfes gegen Tiamat; auch die Finsternis, das Böse und das unberechenbar Schreckliche, auch das Erdbeben, der knisternde Blitz, der Heuschreckenschwarm, der die Sonne verdunkelte, die sieben bösen Winde, der Staub-Abubu, die Hornissen und Schlangen waren von Gott, und hieß er der Herr der Seuchen, so darum, weil er zugleich ihr Sender war und ihr Arzt. Er war nicht das Gute, sondern das Ganze. Und er war heilig! Heilig nicht vor Güte, sondern vor Lebendigkeit und Überlebendigkeit, heilig vor Majestät und Schrecklichkeit, unheimlich, gefährlich und tödlich, so daß ein Versehen, ein Fehler, eine leichte Unachtsamkeit im Verhalten zu Ihm entsetzliche Folgen haben konnte. Er war heilig; aber er verlangte auch Heiligkeit, und daß er sie durch sein bloßes Dasein verlangte, gab dem Heiligen einen größeren Sinn als nur den der Gefährlichkeit; die Vorsicht, zu der er mahnte, wurde dadurch zur Frömmigkeit und Gottes lebendige Majestät zum Maßstab des Lebens, zur Quelle des Schuldgefühls, zur Gottesfurcht, die ein Wandeln war in Reinheit vor Gottes Größe.

Gott war da, und Abraham wandelte vor ihm, in der Seele geheiligt durch Seine Außennähe. Sie waren Zwei, ein Ich und ein Du, das ebenfalls »Ich« sagte und zum anderen »Du«. Schon richtig, daß Abram die Eigenschaften Gottes mit Hilfe der eigenen Seelengröße ausmachte – ohne diese hätte er sie nicht auszumachen und zu benennen gewußt, und sie wären im Dunkel geblieben. Darum blieb Gott aber doch ein gewaltig Ich sagendes Du außer Abraham und außer der Welt. Er war im Feuer, aber nicht das Feuer, – weshalb es höchst fehlerhaft gewesen wäre, dieses anzubeten. Gott hatte die Welt geschaffen, in der doch Dinge vorkamen von so gewaltiger Größe wie der Sturmwind oder der Leviathan. Dies mußte man erwägen, um sich von seiner eigenen Außengröße eine Vorstellung oder, wenn keine Vorstellung, so doch einen Gedanken zu machen. Er war notwendig viel größer als alle seine Werke, und ebenso notwendig außerhalb seiner Werke. Makom hieß er, der Raum, weil er der Raum der Welt war, aber die Welt nicht sein Raum. Er war auch in Abraham, der Ihn kraft Seiner erkannte. Aber ebendies verstärkte und erfüllte Urvaters Ich-Aussage, und keineswegs war dieses sein gottvoll mutiges Ich gesonnen, in Gott zu verschwinden, mit Ihm eins zu werden und nicht mehr Abraham zu sein, sondern hielt sich sehr wacker und klar Ihm gegenüber aufrecht – in ungeheurem Abstand von Ihm, gewiß, denn Abraham war nur ein Mensch, ein Erdenkloß, aber verbunden mit Ihm durch die Erkenntnis und geheiligt durch Gottes erhabenes Du- und Da-Sein. Auf solcher Grundlage hatte Gott den ewigen Bund mit Abram geschlossen, diesen für beide Teile verheißungsvollen Vertrag, auf den der Herr so eifersüchtig war, daß er durchaus allein, ohne jedes Schielen nach anderen Göttern, deren die Welt voll war, von den Seinen verehrt sein wollte. Das war bemerkenswert: Durch Abraham und seinen Bund war etwas in die Welt gekommen, was zuvor nicht darin gewesen war und was die Völker nicht kannten: die verfluchte Möglichkeit des Bundesbruches, des Abfalles von Gott.

Vieles noch wußte Urvater von Gott zu lehren, aber er wußte nichts von Gott zu erzählen, – nicht in dem Sinn, wie andere zu erzählen wußten von ihren Göttern. Es gab von Gott keine Geschichten. Das war vielleicht sogar das Bemerkenswerteste: Der Mut, mit dem Abram Gottes Dasein von vornherein, ohne Umstände und Geschichten, hinstellte und aussprach, indem er »Gott« sagte. Gott war nicht entstanden, nicht geboren worden, von keinem Weibe. Es war auch neben ihm auf dem Throne kein Weib, keine Ischtar, Baalat und Gottesmutter. Wie hätte das wohl sein mögen? Man brauchte sich nur seiner Vernunft zu bedienen, um zu verstehen, daß es in Ansehung von Gottes ganzer Beschaffenheit keine mögliche Vorstellung war. Er hatte den Baum der Erkenntnis und des Todes gepflanzt in Eden, und der Mensch hatte davon gegessen. Des Menschen waren Zeugung und Tod, aber nicht Gottes, und kein Gottweib sah dieser an seiner Seite, weil er nicht zu erkennen brauchte, sondern Baal und Baalat in einem und auf einmal war. Er hatte auch keine Kinder. Denn weder waren dies die Engel und Zebaoth, die ihm dienten, noch waren es jene Riesen gewesen, welche vielmehr einige Engel mit den Töchtern der Menschen erzeugt hatten, verführt durch den Anblick ihrer Unzucht. Er war allein, und das war ein Merkmal seiner Größe. Aber wie das Alleinsein des weib- und kinderlosen Gottes beitragen mochte zur Erklärung seiner großen Eifersucht auf seinen Bund mit dem Menschen, so hing damit jedenfalls seine Geschichtenlosigkeit zusammen und daß es nichts von ihm zu erzählen gab.

Und doch war ebendies auch wieder nur bedingt zu verstehen und richtig nur in Betreff der Vergangenheit, nicht aber auch der Zukunft, – vorausgesetzt, daß das Wort »erzählen« auf das Zukünftige anwendbar ist und man die Zukunft erzählen kann, sei es selbst in der Form der Vergangenheit. Gott hatte dennoch und allerdings eine Geschichte, aber sie betraf die Zukunft, eine Zukunft, so herrlich für Gott, daß seine Gegenwart, so herrlich sie immer war, ihr nicht gleichkam; und daß sie ihr nicht gleichkam, das verlieh der Größe und heiligen Macht Gottes, trotz ihrer selbst, einen Zug von Erwartung und unerfüllter Verheißung, einen Leidenszug, geradeheraus gesagt, der nicht verkannt sein durfte, wenn es darauf ankam, Gottes Bund mit dem Menschen und seine Eifersucht auf ihn ganz zu verstehen.

Es kam ein Tag, der der späteste und letzte war, und erst er würde die Erfüllung Gottes bringen. Dieser Tag war Ende und Anfang, Vernichtung und Neugeburt. Die Welt, diese erste oder vielleicht auch nicht erste Welt, zerstob in umfassender Katastrophe, das Chaos, das Urschweigen kehrte wieder. Dann aber würde Gott sein Werk aufs neue, und wundervoller, beginnen – Herr der Vernichtung, Herr des Erstehens. Aus Tohu und Bohu,

Schlamm und Finsternis rief sein Wort einen neuen Kosmos hervor, und überwältigter als voriges Mal klang der Jubel der zuschauenden Engel, denn die verjüngte Welt übertraf die alte in jeder Beziehung, und in ihr würde Gott triumphieren über all seine Feinde!

Dies war es: Am Ende der Tage würde Gott König sein, König der Könige, König über Menschen und Götter. War er das aber denn nicht schon heute? Allerdings, in der Stille und in Abrams Erkenntnis. Aber nicht anerkannter- und eingesehenermaßen, nicht ganz verwirklichterweise also. Dem letzten und ersten Tage, dem Tag der Vernichtung und des Erstehens war die Verwirklichung von Gottes unumschränktem Großkönigtum vorbehalten; aus Banden, in denen sie jetzt noch lag, würde seine bedingungslose Herrlichkeit erstehen vor den Augen aller. Kein Nimrod würde sich wider Ihn erheben mit unverschämten Terrassentürmen, kein Menschenknie sich beugen als vor Ihm und kein Menschenmund noch einem andern die Ehre geben. Das aber bedeutete, daß Gott, wie in Wahrheit von je, so endlich auch in Wirklichkeit Herr und König sein würde über alle Götter. Im Tosen von zehntausend schräg aufwärts gerichteten Posaunen, im Singen und Donnern der Flammen, in einem Hagelwetter von Blitzen würde er, angetan mit Hoheit und Schrekken, hinweg über eine auf den Stirnen anbetende Welt, zum Throne schreiten, um allen sichtbar und auf ewig Besitz zu ergreifen von einer Wirklichkeit, die Seine Wahrheit war.

O Tag von Gottes Apotheose, Tag der Verheißung, Erwartung und Erfüllung! Er würde, das wollte bemerkt sein, auch Abrahams Apotheose in sich schließen, dessen Name fortan ein Segenswort sein würde, mit dem sich grüßen würden die Geschlechter der Menschen. Das war die Verheißung. Daß aber dieser donnernde Tag nicht Gegenwart, sondern endlichste Zukunft und bis dahin ein Harren war: das war es, was in Gottes heutiges Antlitz den Leidenszug brachte, den Zug des Noch-Nicht und der Erwartung. Gott lag in Banden, Gott litt. Gott war gefangengehalten. Das milderte seine Erhabenheit zum Gegenstande tröstlicher Anbetung für alle Leidenden und Harrenden, die nicht groß, sondern klein waren in der Welt, und gab ihnen einen Hohn ins Herz gegen alles, was gleichwie Nimrod war, und gegen das unverschämt Große. Nein, Gott hatte keine Geschichten wie Usir, der Dulder von Ägypterland, der zerstückelte Begrabene und Erstandene, oder wie Adon-Tammuz, um den die Flöte klagte in den Schluchten, der Herr des Schafstalles, dem Ninib, der Eber, die Seite zerriß und der hinabging in die Gefangenschaft, um zu erstehen. Es mochte fern sein und zu denken verboten, daß Gott Beziehungen gehabt hätte zu den Geschichten der Natur, die in Gram verdorrte, in Leid erstarrte, um sich nach Gesetz und Verheißung zu erneuern in Lachen und Blumenschwall; zum Korn, das im Finstern verweste und im Gefängnis der Erde, damit es ersprieße und erstehe; zum Sterben und zum Geschlecht; zur verderbten Heiligkeit Melek-Baals und seines Dienstes zu Tyrus, bei dem Männer dem Greulichen ihren Samen darbrachten in augenverdrehender Narrheit und Todesschamlosigkeit. Bewahre es Gott, daß Er zu schaffen gehabt hätte mit derlei Geschichten! Aber daß er in Banden lag und ein harrender Gott der Zukunft war, das stellte immerhin eine gewisse Ähnlichkeit her zwischen Ihm und jenen leidenden Gottheiten, und es war darum, daß Abram zu Sichem mit Malchisedek, dem Hausbetreter des Bundesbaal und El-eljon, lange Gespräche geführt hatte über die Frage, ob und bis zu welchem Punkte etwa Wesensgleichheit bestehe zwischen diesem Adon und Abrahams Herrn.

Gott aber hatte seine Fingerspitzen geküßt und zum heimlichen Ärger der Engel gerufen: »Es ist unglaublich, wie weitgehend dieser Erdenkloß mich erkennt! Fange ich nicht an, mir durch ihn einen Namen zu machen? Wahrhaftig, ich will ihn salben!«

Als einen solchen Mann also, schlechthin, schilderte Eliezer seinem Schüler den Abraham mit seiner Zunge. Aber unversehens spaltete diese Zunge sich im Reden und redete auch noch anders von ihm, auf andere Weise. Es war immer noch Abram, der Mann aus Uru oder eigentlich Charran, von dem die würdige Schlangenzunge redete, – und sie nannte ihn Josephs Urgroßvater. Daß Abram das bei Lichte nicht war, – jener Abraham, von dem die Zunge noch soeben geredet, der unruhige Untertan Amraphels von Sinear; daß keines Menschen Großältervater zwanzig Menschenalter vor ihm selbst gelebt hat, das wußten beide, der Alte und der Junge. Aber es gab über mehr noch ein Auge zuzudrücken zwischen ihnen als nur über diese Ungenauigkeit; denn der Abraham, von dem die Zunge nun redete, zwischenein, hin und her wechselnd, zwiespältig, war auch der nicht, der damals gelebt und Sinears Staub von den Füßen geschüttelt hatte, sondern vielmehr eine Figur, die wiederum tief hinter jener sichtbar wurde und für die jene durchscheinend war, so daß die Augen des Jungen sich ebenso schwimmend in dieser Persönlichkeitsdurchsicht brachen wie in der »Eliezer« genannten, – einer immer lichteren Durchsicht, naturgemäß; denn Licht ist's, was durchscheint.

Dann kamen all jene Geschichten zum Vorschein, die der Sphärenhälfte angehörten, in welcher Herr und Diener nicht mit dreihundertachtzehn Mann, sondern allein, aber unter Beihilfe oberer Geister die Feinde über Damaschki getrieben hatten und Eliezer, dem Boten, »die Erde entgegengesprungen« war; die Geschichte von Abrahams verkündigter Geburt, dem Knabengemetzel um seinetwillen, seine Höhlenkindheit und wie ihn der Engel gesäugt, indes seine Mutter suchend umhergeirrt war. Das trug Wahrheitsgepräge; irgendwo und -wie war es richtig. Mütter irren und suchen immer; sie haben viele Namen, aber sie irren umher auf den Fluren und suchen ihr armes Kind, das man ins Untere entführt, gemordet, zerstückelt hat. Diesmal hieß sie Amathla, auch wohl Emtelai, – Namen, bei denen Eliezer sich vielleicht eine freie Übertragung und träumerische Zusammenarbeitung unterlaufen ließ; denn besser, als auf die Mutter, paßten sie auf den säugenden Engel, der, um dem Vorgange größere Anschaulichkeit zu verleihen, der gespaltenen Zunge zufolge, auch wohl die Gestalt einer Ziege gehabt hatte. Sehr träumerisch mutete es den Joseph auch an und wirkte bestimmend auf den Ausdruck seiner Augen beim Lauschen, die Mutter des Chaldäers »Emtelai« nennen zu hören; denn unzweideutig bedeutete der Name: »Mutter meines Erhöhten«, schlecht und recht also »Gottesmutter«.

Traf wohl den würdigen Eliezer irgendein Vorwurf, weil er so redete? Nein. Die Geschichten kommen herab, so, wie ein Gott Mensch wird, verbürgerlichen gleichsam und werden irdisch, ohne daß sie darum aufhörten, auch droben zu spielen und in ihrer oberen Form erzählbar zu sein. So behauptete der Alte zuweilen, die Söhne jener Ketura, die Abram noch im Alter zum Kebsweibe nahm: Medan, Midian und Jaksan also, Simran, Jesbak und wie sie hießen, – diese Söhne hätten »geglänzt wie Blitze«, und Abram habe ihnen und der Mutter eine eiserne Stadt gebaut, so hoch, daß niemals die Sonne hineinschien und nur Edelsteine ihr leuchteten. Sein Zuhörer hätte ein völlig stumpfer Junge sein müssen, um zu verkennen, daß mit dieser düster leuchtenden Stadt die Unterwelt gemeint sei, als deren Königin also Ketura in dieser Darstellung erschien. Einer unangreifbaren Darstellung! Denn Ketura war zwar ein schlecht kanaanitisch Weib, das Abraham im Alter des Beilagers würdigte, aber sie war die Mutter einer Reihe arabischer Stammväter und Herren der Wüste, wie Hagar, die Ägypterin, die Mutter eines solchen war; und wenn Eliezer von den Söhnen aussagte, sie hätten wie Blitze geglänzt, so hieß das nichts anderes, als sie mit beiden Augen sehen, und nicht nur mit einem, im Zeichen des Zugleich und der Einheit des Doppelten: als Bedu-Häuptlinge also und Unbehauste und als Söhne und Fürsten der Unterwelt, wie Ismael, der unrechte Sohn, einer war.

Es gab denn auch Augenblicke, in denen der Alte von Sara, Urvaters Weibe, in sonderbaren Tönen sprach. Er nannte sie

»Tochter des Entmannten« und »Himmelshöchste«. Er fügte hinzu, daß sie einen Speer getragen habe, und dazu stimmte genau, daß sie ja ursprünglich Sarai, nämlich »Heldin«, geheißen hatte und erst von Gott zur Sara, also zur bloßen »Herrin« gedämpft und herabgesetzt worden war. Ein Gleiches war ihrem Ehebruder geschehen; denn aus »Abram«, was da der hohe Vater und Vater der Höhe heißt, war er gedämpft und herabgesetzt worden zum »Abraham«, also zum Vater sehr vieler, einer wimmelnden geistlich-leiblichen Nachkommenschaft. Hatte er darum aufgehört, Abram zu sein? Keineswegs. Es war nur, daß die Sphäre rollte; und die in Abram und Abraham fein gespaltene Zunge sprach von ihm so und auch wieder so.

Nimrod, der Landesvater, hatte ihn fressen wollen, aber er war seiner Gier entrückt, in der Höhle vom Ziegenengel genährt worden und hatte, herangewachsen, dem gefräßigen König und seiner Götzenherrlichkeit auf eine Weise mitgespielt, daß man wohl sagen mochte, der habe die Sichel zu spüren bekommen. Bevor er sich in irgendeinem Sinn an seine Stelle setzte, hatte er zu leiden gehabt. Er war gefangengehalten worden, und es war lustig, zu hören, wie er selbst diesen Aufenthalt dazu benutzt hatte, Proselyten zu machen und den Wächter der Gefängnisgrube zum höchsten Gott zu bekehren. Er hatte typhonischer Gluthitze geopfert werden sollen, hatte im Kalkofen gesteckt oder – Eliezers Angaben schwankten – vielmehr den Scheiterhaufen beschritten, und auch das trug den Stempel der Wahrheit, denn Joseph wußte sehr gut, daß noch heute in vielen Städten ein »Fest des Scheiterhaufens« begangen wurde. Feiert man aber Feste, denen nicht ein Gedenken zugrunde liegt, unwirkliche, wurzellose Feste? Führt man am Neujahrs- und Schöpfungstage im frommen Mummenschanz Dinge auf, die man sich oder einem Engel aus den Fingern gesogen hat und die sich nie zugetragen haben? Der Mensch denkt sich nichts aus. Er ist wohl erzgescheit, seit er vom Baume gegessen, und in diesem Betracht fehlte nicht viel, daß er ein Gott wäre. Aber wie sollte er bei aller Gescheitheit auf etwas kommen, was nicht da ist? Es hatte also seine Richtigkeit mit dem Scheiterhaufen.

Eliezer zufolge hatte Abraham die Stadt Dimaschki gegründet und war ihr Urkönig gewesen. Eine licht schimmernde Aussage; denn Städte pflegen nicht von Menschen gegründet zu werden, und nicht Menschenantlitz pflegen die Wesen zu tragen, die man ihre Urkönige nennt. Auch Hebron selbst, Kirjath Arba genannt, in dessen Gebiet man saß, war nicht von einem Menschen erbaut worden, sondern, wie wenigstens der Volksmund es wissen wollte, von dem Riesen Arba oder Arbaal. Eliezer dagegen hielt strikt dafür, Abram habe auch Hebron gegründet, was aber vielleicht keinen Widerspruch zu der Volksmeinung bildete und bilden sollte; denn daß Urvater von Gigantengröße gewesen sein mußte, ging schon daraus hervor, daß er nach Eliezers Zeugnis meilenlange Schritte gemacht hatte.

Was Wunders also, daß dem Joseph in gewissen träumerisch verworrenen Augenblicken die Gestalt seines Ahnen, des Städtegründers, in ferner Durchsicht zusammenlief mit der des Bel zu Babel, der den Turm und die Stadt baute und der ein Gott wurde, nachdem er auch einmal Mensch gewesen und beigesetzt worden im Bel-Grabe? Mit Abraham schien es sich umgekehrt zu verhalten. Aber was heißt hier »umgekehrt«, und wer will sagen, was er zuerst gewesen war und wo die Geschichten ursprünglich zu Hause sind, droben oder drunten? Sie sind die Gegenwart dessen, was umschwingt, die Einheit des Doppelten, das Standbild mit Namen »Zugleich«.

Drittes Hauptstück: Joseph und Benjamin

Der Adonishain

Eine halbe Stunde Weges von Jaakobs lockerer Siedelung, von seinen Zelthütten, Ställen, Pferchen und Vorratsschuppen gegen die Stadt, gab es eine Schlucht, die ganz mit starkstämmigem Myrtengebüsch, krüppelwaldartig, gefüllt war und den Leuten von Hebron als Hain der Astaroth-Ischtar oder mehr noch ihres Sohnes, Bruders und Gatten, des Tammuz-Adoni, heilig galt. Angenehme, wenn auch im Sommer hitzige Bitternis erfüllte da die Luft, und die würzige Wildnis war nicht undurchdringlich, sondern ein Gewirr krummer Zufallsöffnungen, die man für Pfade halten konnte, führte überall darin herum, und steuerte man gegen den tiefsten Punkt der Mulde, so fand man eine gewiß durch Rodung entstandene Freiheit mit Heiligtum: ein übermannshoher vierkantiger Steinkegel, in den Zeugungssymbole eingeprägt waren, eine Massebe, war, selbst wohl ein Zeugungssymbol, inmitten der Lichtung errichtet, und auf ihrem Sockel fanden sich Weihgaben niedergelegt, irdene Gefäße, mit Erde gefüllt, aus der es weiß-grünlich keimte, und künstlichere Dinge dieser Art: zum Viereck verleimte Holzlatten, mit Leinwand bespannt, von der eine unförmige grüne Menschengestalt, gewickelt, wie es schien, sich sonderbar abhob; denn die spendenden Frauen hatten die Zeichnung eines Toten auf der Leinwand mit Fruchterde bedeckt, Weizen darein gesät, die Saat benetzt und die Triebe ebengeschoren, so daß die Figur grün erhaben auf dem Grunde lag.

An diesen Ort kam Joseph oft mit Benjamin, seinem leiblichen Bruder, der, nun achtjährig, der Obhut der Weiber zu entwachsen begann und seine Schritte gern zu denen des Erstgeborenen seiner Mutter gesellte, – ein pausbäckiger Junge, der nicht mehr nackt lief, sondern einen knielangen, an den Säumen bestickten Hemdrock aus dunkelblauer oder rostroter Wolle mit kurzen Ärmeln trug. Er hatte schöne graue Augen, die er mit einem Ausdruck klarsten Vertrauens zu dem Älteren aufzuschlagen pflegte, dichtes, metallisches Haar, das wie ein spiegelnder Helm seinen Schädel dick aufliegend von der Mitte der Stirn bis in den Nacken bedeckte, mit Ausschnitten für die Ohren, die ebenso klein und fest waren wie seine Nase und seine kurzfingrigen Hände, deren eine er immer dem Bruder gab, wenn sie zusammen gingen. Er war zutunlichen Wesens, die Freundlichkeit Rahels war in ihm. Aber eine schüchterne Schwermut lag wie ein Schatten über seiner kleinen Person, denn was er in vorbewußtem Zustande angerichtet, die Todesart und -stunde der Mutter, war ihm nicht unbekannt geblieben, und das Gefühl tragisch schuldloser Schuld, das er mit sich herumtrug, wurde genährt durch das Verhalten Jaakobs zu ihm, das gewiß nicht unzärtlich, aber von schmerzlicher Scheu bestimmt war, so nämlich, daß der Vater seinen Anblick eher mied als suchte, von Zeit zu Zeit aber den Jüngsten lange und inständig ans Herz drückte, ihn Benoni nannte und an seinem Ohre von Rahel sprach.

Mit dem Vater also war für den Kleinen, als er sich von den Röcken der Frauen löste, kein recht unbefangenes Auskommen. Desto inniger schloß er sich dem Vollbruder an, den er auf alle Weise bewunderte und der, obgleich jedermann mit hohen Augenbrauen lächelte, der ihn sah, doch recht vereinsamt dastand, solche Anhänglichkeit also wohl brauchen konnte und auch für sein Teil die natürliche Zusammengehörigkeit mit dem Kleinen stark empfand, so daß er ihn also zum Freunde und Vertrauten nahm – in einem Maße sogar, mit dem er dem bestehenden Altersunterschiede zu wenig Rechnung trug und das Benjamin fast mehr noch beschwerte und verwirrte, als es ihn stolz und glücklich machte. Ja, was der kluge und wunderschöne »Jossef« (so sprach Benoni den Namen des Bruders aus) ihm alles sagte und anvertraute, war mehr, als seine Kindlichkeit bergen konnte, und so eifrig er war, es aufzunehmen, so verstärkte es doch den Schatten von Melancholie, der über dem kleinen Muttermörder lag.

Hand in Hand gingen sie weg von Jaakobs Ölgarten am Hügel, wo die Söhne der Mägde Ernte und Kelter hielten. Sie hatten den Joseph von dort verwiesen, weil er dem Vater, der auf dem Viehhof saß und von dem vor ihm stehenden Eliezer eine Abrechnung entgegennahm, angezeigt hatte, daß sie an fast allen Bäumen die Frucht hätten zu reif werden lassen, so daß sie kein feinstes Öl mehr ergäbe, besonders da sie sie seiner Ansicht nach in den Mühlen zu heftig preßten und quetschten, statt sie behutsam zu zerstoßen. Nachdem sie ihren Tadel empfangen, hatten Dan, Naphtali, Gad und Ascher mit ausgestreckten Armen und schief offenen Mündern den Angeber oder auch Verleumder sich seines Weges scheren geheißen; Joseph aber hatte den Benjamin gerufen und zu ihm gesprochen:

»Komm, wir gehen an unseren Ort.«

Unterwegs sagte er:

»Ich habe den Ausdruck gebraucht: ›an fast allen Bäumen‹ – gut, das war eine Übertreibung, wie wohl die Rede sie mit sich bringt. Hätte ich gesagt ›an mehreren‹, so wär's genauer abgewogen gewesen, das will ich zugeben, denn ich bin selbst in den alten, dreistämmigen hinaufgegangen, den ummauerten, weißt du, um zu pflücken und hinabzuwerfen ins Tuch, während die Brüder leider mit Steinen warfen nach der Frucht und sie mit Stöcken abschlugen, und ich habe mit Augen gesehen, daß sie an den alten jedenfalls schon zu ausgereift war, – von den anderen will ich nichts sagen. Sie aber tun, als löge ich überhaupt und als wäre fein Öl zu gewinnen, wenn man mit dem Stein über die heilige Gabe tölpelt wie sie und alles zermalmt. Kann man das sehen, ohne zu klagen?«

»Nein«, antwortete Benjamin dann, »du weißt es besser als sie und mußtest zum Vater gehen, damit er's erfahre. Mir ist es ganz recht, daß du Zank mit ihnen hattest, kleiner Jossef, denn da hast du den Bruder gerufen zur rechten Hand.«

»Stattlicher Ben«, sagte Joseph, »jetzt wollen wir anspringen und das Feldmäuerchen da im Fluge nehmen, eins, zwei, drei –«

»Schon gut«, erwiderte Benjamin. »Aber laß mich nicht los dabei! Zusammen ist es sowohl lustiger wie auch sicherer für mich Minderjährigen.«

Sie liefen, sprangen und gingen weiter. Wenn Benjamins Hand in der seinen zu heiß und naß wurde, hatte Joseph die Gewohnheit, sie am Gelenk zu nehmen, das Benjamin lose machte, und mit ihr zu fächeln, damit sie im Winde trockne. Über diese Lüftung lachte der Kleine immer so sehr, daß er stolperte.

Wenn sie zur Myrtenschlucht kamen und zum Gotteshain, mußten sie sich trennen und hintereinander gehen, die engen Buschpfade wollten es so. Sie bildeten einen Irrgarten, in dem sich umherzuschlagen sie immer unterhielt; denn es war spannend, wie weit ein geschlängelter Durchlaß das Vorwärtsdringen erlaubte, bis man vorm Undurchdringlichen festsaß, und ob es noch einmal, indem man bergan oder bergabwärts ausbog, ein Weiterkommen gab oder ob man umkehren mußte, auf die Gefahr hin übrigens, den Weg, der einen so weit geführt, zu verfehlen und abermals in eine Sackgasse zu geraten. Sie redeten und lachten im Kampfe, indem sie ihre Gesichter vor Schlägen und Kratzern schützten, und Joseph brach auch wohl kleine Zweige vom Gebüsch, das im Frühjahr weiß blühte, und sammelte sie in der Hand für später; denn hier war es, wo er sich immer mit Myrtengrün versah für die Kränze, die er im Haar zu tragen liebte. Anfangs hatte Benjamin es ihm darin gleichtun wollen, hatte auch für sein Teil gepflückt und den Bruder gebeten, auch ihm einen Kranz zu machen. Aber er hatte gemerkt, daß Joseph es nicht gern sah, wenn er auch sich mit Myrten schmückte, sondern diese Zier, ohne es geradezu auszusprechen, sich selber vorbehielt – wohinter, wie es dem Kleinen schien, eine Art von Gedankengeheimnis steckte, wie Joseph solche auch sonst, das merkte Benjamin ebenfalls, bei sich hütete: denn gerade gegen ihn, das Brüderchen, hielt er dabei nicht immer ganz dicht. Benoni vermutete, es könne sich bei Josephs uneingestandener, aber auffallender Eifersucht auf den Myrtenschmuck vielleicht um die Erberwählung, die nominelle Erstgeburtswürde, die Segensträgerschaft handeln, die, wie bekannt, vom Vater ihm zugedacht, über seinem Scheitel schwebte – doch war das augenscheinlich nicht alles.

»Sei ruhig, Bürschchen!« mochte Joseph wohl sagen, indem

er den Gefährten auf seinen kühlen Haarhelm küßte. »Ich mache dir zu Hause einen Kranz aus Eichenlaub oder von bunten Disteln oder einen Ebereschenkranz mit roten Perlen darin, – was sagst du dazu? Ist es nicht hübscher? Was soll dir die Myrte? Sie paßt nicht zu dir. Man muß achtgeben, womit man sich schmückt, und seine Wahl treffen.«

Dann antwortete Benjamin:

»Das ist offenbar, du hast recht, und ich sehe es ein, Josephja, Jaschup, mein Jehosiph. Du bist über die Maßen klug, und was du sagst, könnte nicht ich sagen. Aber wenn du es sagst, so sehe ich es und ergebe mich in deine Gedanken, so daß es auch meine sind und ich so klug bin, wie du mich machst. Es ist mir ganz klar, daß man eine Wahl treffen muß und daß nicht jedem ein jeder Schmuck gebührt. Ich sehe, du willst dabei stehenbleiben und mich so klug lassen, wie ich damit geworden bin. Aber selbst wenn du weitergingest und ließest dich gegen den Bruder genauer aus, so würde ich schon mitkommen, glaube dem Kleinen, du könntest ihm manches zumuten.«

Joseph schwieg.

»Soviel habe ich sagen hören von Leuten«, fuhr Benjamin fort, »daß die Myrte ein Gleichnis ist der Jugend und Schönheit – so sagen die Großen, wenn ich es sage, so lächert's dich und mich, denn was sind das für Worte, daß sie mir zukämen nach ihrem Laut und nach ihrer Meinung. Jung bin ich wohl, nämlich klein, das heißt noch nicht einmal jung, sondern ein Knirps: Jung bist du und bist schön, daß es ein Geschrei und Gerede ist in der Welt. Ich hingegen bin ja eher drollig als schön, – sehe ich meine Beine an, so sind sie zu kurz im Verhältnis zum übrigen, einen Nabelbauch hab' ich auch wie ein Säugling noch, und meine Backen sind rund, als hätt' ich sie stets voller Odem geblasen, zu schweigen von dem Haar meines Hauptes, das einer Mütze aus Otternfell gleicht. Wenn also die Myrte der Jugend und Schönheit ziemt, und es ist dies die Bewandtnis, dann ziemt sie freilich nur dir, und für mich wär's ein Fehler, sie anzulegen. Ich weiß ganz wohl, daß man fehlen kann und sich Schaden zuziehen in solchen Dingen. Siehst du, auch schon von mir aus, und ehe du redest, verstehe ich einiges, aber natürlich nicht alles, du mußt mir schon helfen.«

»Gutes Männlein«, sagte Joseph und legte den Arm um ihn. »Deine Otternmütze ist mir ganz recht, wie auch Bäuchlein und Backen. Du bist mein Brüderchen rechter Hand und bist meines Fleisches, denn aus demselben Abgrunde kamen wir beide, der da heißt ›Absu‹, uns aber heißt er Mami, die Süße, um die Jaakob diente. Komm, wir wollen zum Steine hinab und ruhen.«

»Das wollen wir«, erwiderte Benjamin. »Wir wollen die Gärtlein der Frauen betrachten in den Rahmen und Töpfen, und du erklärst mir die Grabstätte, das höre ich gern. – Höchstens weil Mami doch an mir starb«, setzte er im Abwärtssteigen hinzu, »und ich halb und halb Todessöhnchen heiße, höchstens darum könnte allenfalls auch mir wohl die Myrte zukommen, denn ich hörte von Leuten, daß sie auch ein Todesschmuck wäre.«

»Ja, es ist Klage in der Welt um Jugend und Schönheit«, sagte Joseph, »aus dem Grunde, weil Aschera Weinen bereitet den Ihren und Verderben bringt denen, die sie liebt. Darum ist die Myrte auch wohl ein Todesstrauch. Spüre aber einmal den Duft der Zweige, – riechst du die Strenge? Bitter und herb ist der Myrtenschmuck, denn er ist der Schmuck des Ganzopfers und ist aufgespart den Aufgesparten und vorbehalten den Vorbehaltenen. Geweihte Jugend, das ist der Name des Ganzopfers. Aber die Myrte im Haar, das ist das Kräutlein Rührmichnichtan.«

»Jetzt hast du nicht mehr den Arm um mich«, bemerkte Benjamin, »sondern hast ihn von mir getan und läßt den Kleinen ganz einzeln gehen.«

»Hier ist wieder mein Arm!« rief Joseph. »Du bist mein rechtes Brüderchen, und ich will dir daheim einen kunterbunten Kranz machen aus allerlei Kräutern des Feldes, so daß jeder vor Freuden lacht, der dich sieht, – soll das ein Wort sein hier auf der Stelle zwischen dir und mir?«

»Es ist lieb und gut von dir«, sagte Benjamin. »Erlaube mir einen Augenblick deinen Rock, daß ich ihn am Saum mit den Lippen berühre!«

Er dachte: Augenscheinlich ist es die Erberwählung und Erstgeburt, die er im Sinne hat. Doch berührt es mich neu und sonderbar, daß er vom Ganzopfer etwas hineinmischt und von Rührmichnichtan. Es ist möglich, daß er an Isaak denkt, wenn er vom Ganzopfer spricht und von geweihter Jugend. Jedenfalls will er mich dahin bedeuten, die Myrte sei ein Opferschmuck; das ängstigt mich etwas.

Laut sagte er:

»Du bist noch einmal so schön, wenn du sprichst wie eben, und ich weiß kaum in meiner Narrheit, ob der Myrtengeruch in meiner Nase aus den Bäumen hier kommt oder von deinen Worten ist. Jetzt sind wir am Orte. Sieh, der Gaben sind mehr worden seit vorigem Male. Es sind zwei Saatgötter hinzugekommen in Rahmen und zwei keimende Schüsseln. Es waren Frauen hier. Auch vor die Grotte haben sie Gärtlein gestellt, die will ich besehen. Aber der Stein ist unberührt und nicht weggewälzt vom Grabe. Ob wohl der Herr darin ist, die schöne Gestalt, oder wo ist er?«

Es war nämlich seitlich im Abhang eine umbuschte und felsige Höhle, nicht hoch, aber mannslang und unvollkommen mit einem Stein verschlossen, die diente den Weibern aus Hebron zu ihren Festgebräuchen.

»Nicht doch«, erwiderte Joseph auf die Frage, »die Gestalt ist nicht hier und nicht sichtbar jahrüber. Sie ist verwahrt im Tempel von Kirjath Arba, und nur am Fest, am Tage der Wende, wenn die Sonne zu schwinden beginnt und das Licht anheimfällt der Unterwelt, wird sie hervorgeholt, und die Frauen handhaben sie nach den Bräuchen.«

»Sie setzen sie bei in der Höhle?« forschte Benjamin. Einmal fragte er zum ersten Male so, und Joseph belehrte ihn. Später tat der Kleine öfters, als habe er die Belehrung vergessen, um sie aufs neue zu empfangen und Joseph über Adonai, den Schäfer und Herrn, den Gemordeten, um den Klage war in der Welt, reden zu hören. Denn er horchte dabei zwischen seine Worte hinein und auf den Ton und die Bewegung seiner Rede, und es war ihm unbestimmt so, als möchte er dem Bruder dabei auf sein Gedankengeheimnis kommen, das – so schien es ihm – in der Rede aufgelöst war wie das Salz im Meere.

»Nein, daß sie ihn begraben, kommt später«, antwortete Joseph. »Erst suchen sie ihn.« Er saß am Fuß des Astaroth-Mals, dieses schwärzlichen Steinkegels von roher Form, dessen Oberfläche wie von kleinen, brandigen Blasen bedeckt schien, und seine Hände, an deren Rücken die feinen Knöchelverlängerungen bewegt hervortraten, hatten begonnen, die gesammelten Myrtenzweige zum Kranz zu flechten.

Benjamin betrachtete ihn von der Seite. Eine dunkle Blankheit unterhalb seiner Schläfe und an seinem Kinn ließ erkennen, daß er sich schon den Bart rasierte: er tat es mittels einer Mischung aus Öl und Pottasche und eines Steinmessers. Wenn er sich nun den Bart hätte wachsen lassen, was dann? Man mochte bedenken, daß ihn das sehr verändert hätte. Möglicherweise wäre es noch nicht viel gewesen mit dem Bart; doch immerhin, was wäre dann aus seiner Schönheit geworden, der besonderen seiner siebzehn Jahre? Ebensogut hätte er einen Hundekopf auf dem Halse tragen können – es hätte auch nichts Wesentliches mehr ausgemacht. Ein gebrechlich Ding ist die Schönheit, das muß man gestehen. »Sie suchen ihn«, sagte Joseph, »denn er ist der erhabene Vermißte. Einige von ihnen haben die Gestalt versteckt im Gebüsch, aber auch sie suchen mit, sie wissen, wo sie ist, und wissen es nicht, sie verwirren sich absichtlich. Sie klagen alle, indes sie umherirren und suchen, sie klagen zusammen und doch jede einzeln für sich: ›Wo bist du, mein schöner Gott, mein Gatte, mein Sohn, mein bunter Schäfervogel? Ich vermisse dich! Was ist dir zugestoßen im Hain, in der Welt, im Grünen?‹«

»Aber sie wissen doch«, warf Benjamin ein, »daß der Herr zerrissen ist und tot?«

»Noch nicht«, erwiderte Joseph. »Das ist das Fest. Sie wissen es, weil es einst entdeckt wurde, und wissen es noch nicht, weil die Stunde, es wieder zu entdecken, noch nicht gekommen ist. Im Fest hat jede Stunde ihr Wissen, und jede der Frauen ist die suchende Göttin, ehe sie gefunden hat.«

»Aber dann finden sie den Herrn?«

»Du sagst es. Er liegt im Gebüsch, und seine Seite ist aufgerissen. Sie drängen alle herzu, heben die Arme und schreien schrill.«

»Du hast es gehört und gesehen?«

»Du weißt, daß ich es schon zweimal gehört und gesehen habe, aber ich nahm dir das Versprechen ab, es nicht dem Vater zu sagen. Hast du geschwiegen?«

»Ich habe fest geschwiegen!« versicherte Benoni. »Werde ich den Vater kränken? Ich habe ihn genug gekränkt mit meinem Leben.«

»Ich werde auch wieder hingehen, wenn es herankommt«, sagte Joseph. »Jetzt sind wir ebenso weit entfernt vom vorigen Mal wie vom nächsten Mal. Wenn sie das Öl keltern, ist die Zeitenwende der Wiederkehr. Es ist ein wunderbares Fest. Der Herr liegt hingestreckt in den Sträuchern mit der klaffenden Todeswunde.«

»Wie sieht er wohl aus?«

»Wie ich ihn dir beschrieb. Er ist von schöner Gestalt, aus Olivenholz, Wachs und Glas, denn seine Augensterne sind aus schwarzem Glas, und sie haben Wimpern.«

»Er ist jung?«

»Ich sagte dir ja, daß er jung und schön ist. Die Masern des gelben Holzes sehen feinem Geäder gleich an seinem Leibe, seine Locken sind schwarz, und der Schurz seiner Lenden ist vielfarbig gewirkt, mit Perlen und Glasfluß darin und Purpurfransen am Saum.«

»Was hat er im Haar?«

»Nichts«, antwortete Joseph kurz. – »Man hat seine Lippen, Nägel und Körpermale aus Wachs gemacht, und auch die furchtbare Wunde von Ninibs Zahn ist mit rotem Wachs ausgelegt. Sie blutet.«

»Du sagtest, der Frauen Jammer sei groß, wenn sie ihn finden?«

»Er ist sehr groß. Bisher war es nur die Klage des Vermissens, jetzt erst beginnt die große Klage des Findens, die weit gellender ist. Es ist die Flötentrauer um Tammuz, den Herrn, denn hier am Orte sitzen Spielleute, die blasen aus aller Kraft kurze Flöten, deren Weinen gar jammervoll das Gebein durchdringt. Die Weiber aber lassen ihr Haar fallen und schweifen aus in allen ihren Gebärden, indem sie über den Leichnam klagen: ›O mein Gatte, mein Kind!‹ Denn jede von ihnen ist wie die Göttin, und jede klagt: ›Niemand liebte dich mehr als ich!‹«

»Ich muß schluchzen, Joseph. Der Tod des Herrn ist fast zu jammervoll für mich Kleinen, so daß es mich stößt von innen. Warum mußte auch der Junge, Schöne zerrissen werden im Hain, in der Welt, im Grünen, daß nun solche Klage über ihn ist?«

»Das verstehst du nicht«, antwortete Joseph. »Er ist der Dulder und ist das Opfer. Er steigt in den Abgrund, um daraus hervorzugehen und verherrlicht zu werden. Dessen war Abram gewiß, als er das Messer hob über den wahrhaften Sohn. Aber als er es niederstieß, da war's zum Ersatz ein Widder. Darum, wenn wir einen Widder darbringen oder ein Lamm als Ganzopfer, so hängen wir ihm wohl ein Siegel an mit dem Bild eines Menschen zum Zeichen der Stellvertretung. Aber das Geheimnis der Stellvertretung ist größer, es ist beschlossen im Sternenstande von Mensch, Gott und Tier und ist das Geheimnis des Austausches. Wie der Mensch den Sohn darbringt im Tiere, so bringt der Sohn sich dar durch das Tier. Ninib ist nicht verflucht, denn es steht geschrieben: Einen Gott soll man schlachten, und des Tieres Sinn ist der des Sohnes, der seine Stunde kennt, als wie im Feste, und kennt auch die, da er des Todes Wohnung umstürzen und hervorgehen wird aus der Höhle.«

»Wär' es nur erst so weit«, sagte der Kleine, »und begönne das Freudenfest! Legen sie den Herrn nun in das Grab und in die Höhle dort?«

Joseph wiegte sich bei seiner Arbeit in den Hüften hin und her. Er summte näselnd:

»In den Tagen des Tammuz spielet auf der Flöte von Lasurit,
Auf dem Ring von Karneol spielet zugleich!...

Sie tragen ihn klagend hierher zum Steine«, sagte er dann, »und die Spielleute verstärken ihr Spiel auf den Flöten, daß es in die Seele schneidet. Ich sah die Weiber geschäftig um die Leichengestalt in ihrem Schoß. Sie wuschen sie mit Wasser und salbten sie mit Nardenöl, daß die Miene des Herrn und sein gemaserter Leib davon glänzten und troffen. Danach umwanden sie ihn mit Binden aus Leinwand und Wolle, hüllten ihn ein in Purpurtücher und streckten ihn auf eine Bahre hin hier am Stein, unausgesetzt zu den Pfeifen klagend und weinend:

›Wehe um Tammuz!
Wehe um den geliebten Sohn, meinen Frühling, mein Licht!
Adon! Adonai!
Wir setzen uns mit Tränen nieder,
Denn du bist tot, mein Gott, mein Gatte, mein Kind!
Du bist eine Tamariske, die im Beete Wasser nicht getrunken,
Deren Wipfel auf dem Felde keinen Trieb hervorgebracht!
Ein Schößling bist du, den man in seiner Wasserrinne nicht gepflanzt hat,
Ein Reis, dessen Wurzeln ausgerissen sind,
Ein Grünkraut, das im Garten kein Wasser getrunken!
Wehe, mein Damu, mein Kind, mein Licht!
Niemand liebte dich mehr als ich!‹«

»Du kennst die Klage wohl in allen ihren Worten.«

»Ich kenne sie«, sagte Joseph.

»Und auch dir geht sie nahe ans Herz, wie mich dünkt«, setzte Benoni hinzu. »Ein- oder zweimal, während du sangest, war es mir ganz, als wollte es dich ebenfalls von innen stoßen, obgleich die Weiber der Stadt es doch nur treiben, wie sie's wissen, und der Sohn nicht Adonai ist, Jaakobs und Abrahams Gott.«

»Er ist der Sohn und der Geliebte«, sagte Joseph, »und ist das Opfer. Was redest du, es hat mich nicht gestoßen. Bin ich doch nicht klein und weinerlich wie du.«

»Nein, sondern bist jung und schön«, sagte Benjamin unterwürfig. »Nun ist dein Kranz gleich fertig, den du dir vorbehältst. Ich sehe, du hast ihn vorne höher und breiter gemacht denn hinten, als wie eine Stirnkrone, um deine Geschicklichkeit zu beweisen. Ich freue mich darauf, daß du ihn dir aufsetzest, mehr als auf den Ebereschenkranz, den du mir machen willst. Aber der schöne Gott liegt nun auf der Bahre vier Tage lang?«

»Du sagst es und hast es behalten«, antwortete Joseph. »Dein Verstand ist im Zunehmen und wird bald rund und voll sein, daß man ausnahmslos alles mit dir besprechen kann. Er liegt dort ausgestellt bis auf den vierten Tag, und täglich kommen mit den Pfeifern die Städter heraus in den Hain, schlagen sich die Brüste bei seinem Anblick und klagen:

›O Duzi, mein Herrscher, wie lange liegst du da!
O Herr des Schafstalls, Ohnmächtiger, wie lange liegst du da!
Ich werde kein Brot essen, ich werde kein Wasser trinken,
Denn tot ist die Jugend, tot ist Tammuz!‹

Auch in dem Tempel drinnen und in den Häusern klagen sie so. Aber den vierten Tag kommen sie und legen ihn in die Lade.«

»In einen Kasten?«

»Man muß ihn ›die Lade‹ nennen. Auch ›Kasten‹ wäre ein Wort dafür, ganz zutreffend an und für sich, doch unschicklich in diesem Fall. Man sagt von alters ›die Lade‹. Der Herr paßt genau hinein, sie ist nach seinem Maße gemacht, aus Holz, rot geflammt und schwarz, und könnte nicht besser passen. Sobald Er darin liegt, schlagen sie den Deckel zu, verpechen ihn ringsherum und setzen bei den Herrn in der Höhle dort unter Tränen, wälzen den Stein davor und kehren heim von dem Grabe.«

»Verstummt nun das Weinen?«

»Das hast du schlecht behalten. Es wird noch fortgeklagt im Tempel und in den Häusern, zwei Tage lang und einen halben. Aber den dritten Tag, wenn es dunkelt, beginnt das Fest des Lampenbrennens.«

»Darauf habe ich mich gefreut. Sie zünden einige wenige Lampen an?«

»Zahllose Lampen, überall«, sagte Joseph, »so viele sie nur besitzen, um die Häuser herum unter dem Himmel sowie am Wege hierher und am Orte, da ringsumher im Gebüsch, überall brennen Lampen. Sie kommen zum Grabe und klagen noch einmal, und das ist sogar der allerbitterste Jammer, nie zuvor haben die Flöten so schneidend gegellt zu der Klage: ›O Duzi, wie lange liegst du da!‹, und lange noch haben die Weiber zerkratzte Brüste von dieser Trauer. Um Mitternacht aber wird alles still.«

Benjamin griff nach des Bruders Arm.

»Urplötzlich wird's still?« sagte er. »Und alles schweigt?«

»Regungslos stehen sie und verstummen. Die Stille dauert. Da aber wird von fern eine Stimme laut, einzeln, hell und freudevoll: ›Tammuz lebt! Der Herr ist auferstanden! Umgestürzt hat Er die Wohnung des Todesschattens! Groß ist der Herr!‹«

»Oh, welche Nachricht, Joseph! Ich wußte, daß sie kommen würde zu ihrer Feststunde, aber sie fährt mir doch in die Glieder, als hätt' ich sie nie gehört. Wer ist es, der ruft?«

»Es ist ein Mägdlein zarten Antlitzes, besonders dazu erwählt und ernannt jedes neue Jahr. Ihre Eltern preisen sich hoch deswegen und stehen in Ehren. Die Verkünderin kommt daher, eine Laute im Arm, sie klingt und singt:

›Tammuz lebt, Adon ist auferstanden!
Groß ist Er, groß, der Herr ist groß!
Sein Auge, das der Tod verschloß, Er hat es aufgetan.
Sein Mund, den der Tod verschloß, Er hat ihn aufgetan.
Seine Füße, die gefesselt waren, gehn wieder dahin,
Grünkraut und Blumen sprießen unter ihrem Tritt.
Groß ist der Herr, Adonai ist groß!‹

Aber indes das Mägdlein kommt und singt, stürzen alle sich auf das Grab. Sie wälzen den Stein hinweg, und siehe, die Lade ist leer.«

»Wo ist der Zerrissene?«

»Er ist nicht mehr da. Das Grab hat ihn nicht gehalten, es sei denn drei Tage. Er ist erstanden.«

»Oh! – Doch, Joseph, wie – verzeih mir Pausbäckigem, aber was redest du da? Betrüge, bitte, nicht deiner Mutter Sohn! Denn du hast mir gesagt das eine und andere Mal, daß die schöne

Gestalt im Tempel verwahrt wird von Jahr zu Jahr. Darum, was heißt hier ›erstanden‹?«

»Närrchen«, erwiderte Joseph, »es fehlt viel, daß dein Verstand rund und voll wäre, sondern, ist er auch zunehmend, so gleicht er doch noch einem Nachen, der schwankend dahinfährt über das Himmelsmeer. Ist es denn nicht das Fest in seinen Stunden, von dem ich dir sage, und betrügen sich wohl auch die Leute, die es Stunde für Stunde begehen, indem sie die nächste kennen, aber die gegenwärtige heiligen? Wissen sie doch alle, daß die Gestalt im Tempel verwahrt ist, und dennoch ist Tammuz erstanden. Ich glaube fast, du meinst, weil das Bild nicht der Gott ist, wäre der Gott nicht das Bild. Hüte dich, er ist's allerdings! Denn das Bild ist das Mittel der Gegenwart und des Festes. Tammuz aber, der Herr, ist der Herr des Festes.«

Dabei setzte er sich den Kranz aufs Haupt, denn er war fertig.

Benjamin betrachtete ihn mit großen Augen.

»Gott unserer Väter«, rief er bewundernd, »wie die Stirnkrone aus Myrtengrün dich kleidet, die du für dich gemacht hast vor mir mit kundigen Händen! Einzig dir steht sie an, und wenn ich denke, wie sie sich ausnehmen würde auf meiner Otternmütze, so sehe ich ein, wie fehlerhaft es wäre, wenn du sie dir nicht vorbehieltest. Sage mir wahr«, fuhr er fort, »und erzähle mir noch: Wenn die Leute der Stadt Lade und Grab leer gefunden, dann kehren sie wohl still und freudig in sich gekehrt nach Hause zurück?«

»Dann beginnt der Jubel«, verbesserte Joseph, »und bricht aus das Freudenfest. ›Leer, leer, leer!‹ rufen sie alle. ›Das Grab ist leer, Adon ist auferstanden!‹ Sie küssen das Kind und rufen: ›Der Herr ist groß!‹ Dann küssen sie einander wechselseitig und rufen: ›Verherrlicht ist Tammuz!‹ Dann halten sie einen Reigen und Wirbeltanz um das Mal der Astaroth hier im Lampenschein. Und auch in der erhellten Stadt ist eitel Freude und Lustbarkeit, sie schmausen und zechen, und alle Lüfte sind voll von dem Ruf der Verkündung. Ja, noch den nächsten Tag grüßen sie einander mit Doppelkuß und mit dem Gruße: ›Er ist wahrlich erstanden!‹«

»Ja«, sagte Benjamin, »so ist's, und so hast du mir's angezeigt. Ich hatte es nur vergessen und dachte, sie gingen still nach Hause. Was für ein herrliches Fest in allen seinen Stunden! Und dem Herrn ist nun also das Haupt erhöht für dieses Jahr, aber er kennt die Stunde, da Ninib ihn wieder schlagen wird im Grünen.«

»Nicht ›wieder‹«, belehrte ihn Joseph. »Es ist immer das eine und erste Mal.«

»Wie du meinst, lieber Bruder, so ist es. Es war unreif, wie ich mich ausdrückte, und eines Knirpses Sprache. Das eine und erste Mal immer, denn Er ist der Herr des Festes. Aber, wenn man es recht bedenkt, einmal, damit das Fest werde, muß es doch wohl das erste und eine Mal gewesen sein, daß Tammuz starb und der Schöne zerrissen ward, oder nicht?«

»Wenn Ischtar vom Himmel verschwindet und hinabsteigt, den Sohn zu erwecken, das ist das Geschehen.«

»Ei ja, das ist oben. Wie aber ist es hinieden? Du nennst das Geschehen. Nenne mir aber doch die Geschichte!«

»Sie sagen, es war ein König zu Gebal«, antwortete Joseph, »zu Füßen des Schneegebirges, der hatte eine Tochter, lieblich von Angesicht, und Nana, die da heißt Astaroth, schlug ihn mit Narrheit zu ihrer Lust, also daß die Lust ihn ergriff nach seinem Fleisch und Blut und er die Tochter erkannte.«

Dabei wies Joseph hinter sich auf die Zeichen, die eingewetzt waren in das Mal, an dem sie saßen.

»Da sie nun schwanger war von einem Kinde«, fuhr er fort, »und der König sah, daß er seines Enkels Vater war, packten ihn Verwirrung, Wut und Reue, und er hob sich auf, sie zu töten. Aber die Götter, wohl wissend, daß Aschrath dies angerichtet, verwandelten die Schwangere in einen Baum.«

»In was für einen Baum?«

»Es war ein Baum oder Strauch«, sagte Joseph ärgerlich, »oder ein Strauch von Baumesstärke. Ich war nicht in der Nähe, daß ich dir sagen soll, was für eine Nase der König gehabt und was für Ohrringe die Amme der Königstochter. Willst du hören, so höre und wirf mir nicht unreife Fragen gleich Steinen ins Gehege!«

»Schiltst du, so weine ich«, klagte Benjamin, »und dann mußt du mich trösten. Darum, so schilt nicht erst, sondern glaube, ich will nichts Besseres als hören!«

»Nach zehn Monaten«, setzte Joseph seine Erzählung fort, »öffnete sich der Baum und sprang auf nach dieser Frist, und siehe, Adonai, der Knabe, ging daraus hervor. Ihn sah Aschera, die alles angerichtet, und gönnte ihn niemandem. Darum verwahrte sie ihn im Unteren Reich bei der Herrin Ereschkigal. Aber auch diese gönnte ihn niemandem und sprach: ›Nie gebe ich ihn wieder heraus, denn dies ist das Land ohne Wiederkehr.‹«

»Warum denn gönnten die Herrinnen ihn niemandem?«

»Niemandem und einander nicht. Du mußt fragen und alles wissen. Kann man aber von einem Ding auf das andere schließen, so braucht man nur eines zu sagen, und auch das andere ist daraus ersichtlich. Adon war der Sohn einer Lieblichen, und Nana selbst hatte bei seiner Zeugung die Hand im Spiele gehabt, da versteht sich ohne Worte, daß er zum Anlaß des Neides geschaffen war. Darum, als die Herrin der Lust im Unteren Reiche erschien, um ihn zu fordern, erschrak die Herrin Ereschkigal in tiefster Seele und biß die Zähne zusammen. Sie sprach zum Pförtner: ›Verfahre mit ihr nach den Bräuchen!‹ Und also mußte die Herrin Aschtarti die sieben Tore durchschreiten, zurücklassend in den Händen des Pförtners an jedem ein Stück ihrer Kleidung, Kopftuch, Gehänge, Gürtel und Spangen, am letzten Tore das Schamtuch, so daß sie nackt vor die Herrin Ereschkigal trat, den Tammuz zu fordern. Da machten die Herrinnen ihre Finger krumm und fuhren gegeneinander.«

»Sie rauften um ihn mit den Nägeln?«

»Ja, eine wand sich der anderen Haar um die Hand, und sie rauften, so groß war ihr Neid. Dann aber ließ die Herrin Ereschkigal die Herrin Aschtarti im Unteren Reiche einschließen mit sechzig Schlössern und schlug sie mit sechzig Krankheiten, also daß die Erde vergebens ihre Rückkehr erharrte und das Sprossen gefesselt sowie das Blühen gebunden war. Nachts wurde das Gefilde weiß, das Feld gebar Salz. Es ging kein Kraut auf, es wuchs kein Getreide. Der Stier besprang nicht mehr die Kuh, noch beugte der Esel sich über die Eselin, noch über das Weib der Mann. Der Mutterleib war verschlossen. Das Leben, von Lust verlassen, erstarrte in Traurigkeit.«

»Ach, Josephja, mach nur, daß du zu anderen Stunden kommst der Geschichte, und feiere diese nicht länger! Ich kann es nicht hören, daß nicht der Esel sich mehr über die Eselin beugte und die Erde aussätzig war von Salz. Ich werde weinen, und dann hast du deine Not mit mir.«

»Auch Gottes Bote weinte, als er es sah«, sagte Joseph, »und zeigte es an unter Tränen dem Herrn der Götter. Der sagte: ›Es geht nicht an, daß das Blühen gebunden ist. Ich will mich ins Mittel legen.‹ Und legte sich ins Mittel zwischen den Herrinnen Astaroth und Ereschkigal, indem er die Ordnung setzte, daß Adoni sollte ein Drittel des Jahres im Unteren Reich verbringen, ein Drittel auf Erden und ein Drittel, wo es ihm selbst beliebte. So führte Ischtar den Geliebten herauf.«

»Wo weilte aber der Sprößling des Baumes im dritten Drittel?«

»Das ist schwer zu sagen. An verschiedenen Orten. Es gab viel Neid um ihn und Umtriebe des Neides. Astaroth liebte ihn, aber mehr als ein Gott führte ihn weg und gönnte ihn niemandem.«

»Götter, nach dem Mannsbilde geschaffen und so wie ich?« fragte Benjamin.

»Wie du geschaffen bist«, antwortete Joseph, »ist wohl klar und gemeinverständlich, aber bei Göttern und Halbgöttern liegt es so eindeutig nicht. Viele nennen den Tammuz nicht Herrscher, sondern Herrscherin. Sie meinen dann Nana, die Göttin, zugleich aber den Gott, der mit ihr ist, oder ihn statt ihrer, denn ist auch wohl Ischtar ein Weib? Ich sah Bilder von ihr, und sie war bärtig. Also, warum sage ich nicht: Ich sah Bilder von ›ihm‹? Jaakob, unser Vater, macht sich kein Bild. Ohne Zweifel ist es das klügste, sich kein Bild zu machen. Aber wir müssen sprechen, und die linkischen Wahlfälle unserer Rede genügen der Wahrheit nicht. Ist Ischtar der Morgenstern?«

»Ja, und der Abendstern.«

»Sie ist also beides. Auch las ich von ihr auf einem Steine das

Wort: ›Am Abend ein Weib und am Morgen ein Mann.‹ Wie soll man sich da ein Bild machen – und welchen Redefall wählen, um die Wahrheit zu treffen? Eines Gottes Bild sah ich, darstellend das Wasser Ägyptens, das die Fluren tränkt, und seine Brust war zur Hälfte eines Weibes Brust, zur anderen aber die eines Mannes. Vielleicht war Tammuz eine Jungfrau und ist ein Jüngling nur kraft des Todes.«

»Ist es des Todes Kraft, die Beschaffenheit zu ändern?«

»Der Tote ist Gott. Er ist Tammuz, der Hirte, der da Adonis heißt, aber im Unterlande Usiri. Dort hat er einen Knebelbart, wäre er auch lebend ein Weib gewesen.«

»Mami's Wangen waren überaus zart, hast du mir gesagt, und dufteten wie das Rosenblatt, wenn man sie küßte. Ich will mir kein bärtig Bild von ihr machen! Verlangst du's von mir, so bin ich ungezogen und tu's nicht.«

»Narr, ich verlange es nicht von dir«, sagte Joseph lachend. »Ich künde dir nur von den Leuten des Unterlandes und von ihren Gedanken über das nicht Gemeinverständliche.«

»Meine Pausbacken sind ebenfalls zart und weich«, bemerkte Benjamin und befühlte mit beiden Handflächen seine Wangen. »Das kommt, weil ich noch nicht einmal jung bin, sondern ein Knirps. Du, du bist jung. Darum hältst du dein Angesicht rein vom Barte, bis daß du ein Mann bist.«

»Ja, ich halte mich rein«, antwortete Joseph. »Du aber bist's. Du hast Wangen wie Mami's so zart, da du noch wie ein Engel des Höchsten bist, Gottes, des Herrn, der sich verlobt hat unserem Stamm und dem derselbe verlobt ist im Fleische durch den Bund Abrahams. Denn er ist uns ein Blutsbräutigam voller Eifer und Israel die Braut. Ist aber Israel wohl eine Braut oder ein Bräutigam? Das ist nicht gemeinverständlich, und man darf sich kein Bild davon machen, denn allenfalls ist es ein Bräutigam, zur Braut verschnitten, geweiht und aufgespart. Mache ich mir ein Bild von Elohim im Geiste, so ist er wie der Vater, der mich liebt, mehr denn meine Gesellen. Aber ich weiß, daß es Mami ist, die er liebt in mir, weil ich lebe, sie aber tot ist, – da lebt sie ihm nun in anderer Beschaffenheit. Ich und die Mutter sind eins.

Jaakob aber meint Rahel, wenn er auf mich blickt, wie die Leute des Landes die Nana meinen, wenn sie den Tammuz Herrin heißen.«

»Ich meine auch Mami, ich auch, wenn ich dir zärtlich bin, Josephja, lieber Jehosiph!« rief Benjamin und schlang die Arme um Joseph. »Siehe, das ist der Ersatz und ist die Stellvertretung. Denn es mußte die Weichwangige gen Westen gehen um meines Lebens willen, so ist der Knirps eine Waise und ein Untäter von Anbeginn. Du aber bist mir wie sie, du führst mich an der Hand in den Hain, in die Welt, ins Grüne, du erzählst mir das Gottesfest in allen seinen Stunden und machst mir Kränze, wie sie getan hätte, wenn du mir selbstverständlich auch nicht alles und jedes Grün bewilligst, sondern dir einiges vorbehältst. Ach, wäre es sie nicht so hart angekommen am Wege, daß sie sterben mußte! Wäre sie gewesen gleich dem Baum, der aufsprang und sich öffnete in aller Bequemlichkeit und ließ hervorgehen den Sprößling! Wie sagtest du, was für ein Baum es gewesen sei? Mein Gedächtnis ist kurz wie meine Beinchen und meine Finger.«

»Komm nun und gehen wir!« sagte Joseph.

Der Himmelstraum

Damals nannten die Brüder ihn noch nicht den »Träumer«, aber bald schon kam es dahin. Wenn sie ihn vorderhand nur »Utnapischtim« und »Steineleser« nannten, so erklärt sich die Gutmütigkeit dieser als Ekelnamen gedachten Bezeichnungen lediglich durch den Mangel der jungen Leute an Erfindungsgabe und Einbildungskraft. Sie hätten ihm wahrhaftig gern schärfere gegeben, nur fielen ihnen keine ein, und so waren sie froh, als sie ihn »Träumer von Träumen« nennen konnten, was schon schärfer war. Der Tag aber war noch nicht gekommen; seine Schwatzhaftigkeit im Punkte des Wettertraumes, womit er den Vater getröstet, hatte nicht genügt, sie auf diese seine anmaßende Eigenschaft hinlänglich aufmerksam zu machen, und im übrigen hatte er vor ihnen bisher noch reinen Mund gehalten über seine Träume, die längst im Gange waren. Die stärksten erzählte er ihnen überhaupt nie, weder ihnen noch dem Vater. Die er ihnen zu seinem Unglück erzählte, waren die vergleichsweise bescheideneren. An Benjamin aber ging es aus; er bekam in vertraulichen Stunden auch die ganz unbescheidenen zu hören, über die sonst zu schweigen Joseph doch Selbstbeherrschung genug besaß. Daß der Kleine, neugierig wie er war, sie mit wachsamstem Vergnügen anhörte und ihre Mitteilung sogar herausforderte, braucht nicht gesagt zu werden. Aber, ohnehin schon etwas melancholisch belastet durch allerlei undeutliches Myrtengeheimnis, das man ihm zumutete, konnte er sich doch auch im Lauschen einer ängstlichen Beklemmung nicht erwehren, die er seiner Unreife zuschreiben wollte und also zu überwinden trachtete. Dennoch hatte sie nur zuviel sachlichen Fug, und wohl niemand wird sich ganz der Sorge entschlagen angesichts der krassen Unbescheidenheit eines Traums wie des folgenden, den Benjamin mehr als einmal zu hören bekam – er allein. Aber gerade die Allein-Mitwisserschaft bedrückte erklärlicherweise den Kleinen nicht wenig, als so notwendig er sie erkannte und so sehr er durch sie sich geehrt fühlte.

Joseph erzählte den Traum zumeist mit geschlossenen Augen, mit leiser und dann wieder heftig hervorbrechender Stimme, die geballten Hände auf der Brust und offenbar in großer Herzensbewegung, obgleich er seinen Zuhörer ermahnte, sich nicht davon packen zu lassen und alles ruhig hinzunehmen.

»Du darfst nicht erschrecken, keine Ausrufe tun und weder weinen noch lachen«, sagte er, »sonst rede ich nicht.«

»Wie werde ich!« antwortete Benjamin dann jedesmal. »Ein Knirps bin ich wohl, aber doch kein Gimpel. Ich weiß schon, wie ich es mache. Solange ich gelassen bin, will ich vergessen, daß es ein Traum ist, damit ich mich recht ergötze. Sobald ich mich aber fürchte oder mir heiß und kalt wird, will ich mich erinnern, daß alles ja nur geträumt ist, was du erzählst. Das wird mir den Sinn kühlen, so daß ich keinerlei Störung verursache.«

»Es träumte mir«, begann Joseph, »daß ich auf dem Felde sei

bei der Herde und war allein unter den Schafen, die weideten um den Hügel, auf dem ich lag, und an seinen Hängen. Und ich lag auf dem Bauche, einen Halm im Munde, und hatte die Füße in der Luft, und meine Gedanken waren nachlässig wie meine Glieder. Da geschah es, daß ein Schatten fiel auf mich und meinen Ort, wie von einer Wolke, die die Sonne verdunkelt, und ein Rauschen gewaltiger Art geschah zugleich damit in den Lüften, und als ich aufblickte, siehe, da war's ein Adler, der über mir klafterte ungeheuer, wie ein Stier so groß und mit Hörnern des Stiers an der Stirn, – der war's, der mich beschattete. Und war um mich ein Tosen von Wind und Kraft, denn schon war er über mir, packte mich an den Hüften mit seinen Fängen und raubte mich empor von der Erde mit schlagenden Fittichen, mitten aus meines Vaters Herde.«

»O Wunder!« warf Benjamin ein. »Nicht, daß ich mich fürchtete, aber riefst du denn nicht: ›Zu Hilfe, ihr Leute!‹?«

»Aus drei Gründen nicht«, versetzte Joseph. »Denn erstens war niemand da auf dem weiten Felde, mich zu hören; zum zweiten verschlug's mir den Atem, daß ich nicht hätte rufen können, wenn ich gewollt hätte, und drittens wollte ich nicht, sondern eine große Freude war in mir, und es kam mich an, als hätte ich's längst erwartet. Der Adler hielt mich an den Hüften von hinten und hielt mich vor sich mit seinen Klauen, seinen Kopf über meinem, und meine Beine hingen hinab im Winde des Aufstiegs. Zuweilen neigte er sein Haupt neben meines und sah mich mit einem mächtigen Auge an. Da sprach er aus seinem erzenen Schnabel: ›Halte ich dich gut, Knabe, und packe ich nicht allzu fest zu mit den unwiderstehlichen Klauen? Ich nehme sie wohl in acht, mußt du wissen, um dir kein Leid damit zuzufügen an deinem Fleische, denn täte ich's, dann wehe mir!‹ Ich fragte: ›Wer bist du?‹ Er antwortete: ›Der Engel Amphiel bin ich, dem diese Gestalt verliehen ward zu gegenwärtigem Behuf. Denn deines Bleibens, mein Kind, ist auf Erden nicht, sondern sollst versetzt werden, das ist der Ratschluß.‹ – ›Warum aber?‹ fragte ich da.

›Schweig still‹, sagte der rauschende Adler, ›und hüte deine

Zunge vor Fragen, wie alle Himmel zu tun gezwungen sind. Denn es ist der Ratschluß der gewaltigen Vorliebe, und ist kein Klügeln und kein Aufkommen dagegen, da rede und frage du, der Ratschluß schlägt's mächtig nieder, und möge sich keiner die Zunge verbrennen am Ungeheuren!‹ Da hielt ich mich stille vor seinen Worten und schwieg. Aber mein Herz war voll grauenhafter Freude.«

»Ich bin froh, daß du bei mir sitzest, zum Zeichen, daß alles ein Traum gewesen«, sagte Benjamin. »Aber warst du nicht etwas traurig, von der Erde zu fahren auf Adlersfittichen, und tat es dir nicht ein wenig leid um uns alle, die du verließest, zum Beispiel um den Kleinen hier, der ich bin?«

»Ich verließ euch nicht«, antwortete Joseph. »Ich wurde von euch genommen und konnt' es nicht ändern, aber mir war, als hätt' ich's erwartet. Auch hat man im Traume nicht alles gegenwärtig, sondern nur eines, und das war die grauenhafte Freude in meinem Herzen. Diese war groß, und groß war, was mit mir geschah, so mag es sein, daß mir klein erschienen wäre, wonach du fragst.«

»Ich zürne dir nicht deswegen«, sagte Benjamin, »sondern bestaune dich.«

»Vielen Dank, kleiner Ben! Du mußt auch bedenken, daß mir die Auffahrt vielleicht das Gedächtnis verschlug, denn aufwärts ging's mit mir unablässig in des Adlers Fängen, der sagte zu mir nach zwei Doppelstunden: ›Schau hinab, mein Freund, auf Land und Meer, wie sie geworden sind!‹ Da war das Land wie ein Berg geworden nach seiner Größe und das Meer wie eines Flusses Wasser. Und aber nach zwei Doppelstunden sagte der Adler wieder: ›Schau hinab, mein Freund, wie das Land geworden ist und das Meer!‹ Da war das Land wie eine Baumpflanzung geworden und das Meer gleichwie der Graben eines Gärtners. Nach wieder zwei Doppelstunden aber, als Amphiel, der Adler, sie mir wies, siehe und denke, da war das Land zu einem Kuchen geworden und das Meer so groß wie ein Brotkorb. Nach diesem Anblick trug er mich noch zwei Doppelstunden empor und sagte: ›Schau hinab, mein Freund, wie das Land und das Meer verschwunden sind!‹ Und sie waren verschwunden, ich aber fürchtete mich nicht.

Durch Schejakim, den Wolkenhimmel, stieg der Adler mit mir, und seine Fittiche troffen vor Nässe. Im Grau und Weiß um uns her aber glänzte es golden, denn auf den feuchten Eilanden standen schon einzelne Himmelskinder und Angehörige der Scharen in goldenen Waffen, die legten die Hand über die Augen und spähten aus nach uns, und Tiere lagerten auf den Kissen, die sah ich die Nasen heben und schnuppern in den Wind unseres Aufstiegs.

Durch Rakia, den Sternenhimmel, stiegen wir, da war ein tausendfach Dröhnen des Wohllauts in meinen Ohren, denn es gingen um uns die Lichter und Planeten wunderbar in der Musik ihrer Zahlen, und Engel standen auf feurigen Fußgestellen zwischenein mit Tafeln voller Zahlen in Händen, die wiesen den tosend Ziehenden ihren Weg mit dem Finger, denn sie durften sich nicht herumlenken. Und riefen einander zu: ›Gelobt sei die Herrlichkeit des Herrn an ihrem Orte!‹ Aber da wir vorbeikamen, verstummten sie und schlugen die Augen nieder.

Es bangte mir in Freuden, und ich fragte den Adler: ›Wohin und wie hoch denn noch führst du mich?‹ Er antwortete: ›Überschwänglich hoch und in des Weltnordens oberste Höhe, mein Kind. Denn es ist der Ratschluß, daß ich dich geradeswegs und ohne Verzug in die letzte Höhe und die Weite des Araboth verbringen soll, wo sich die Schatzkammern des Lebens, des Friedens und des Segens befinden, und zum obersten Gewölbe, in die Mitte des Großen Palastes. Dort ist der Wagen und ist der Stuhl der Herrlichkeit, den du täglich fortan bedienen sollst, und sollst vor ihm stehen und Schlüsselgewalt haben, die Hallen des Araboth zu öffnen und zu schließen, und was man sonst noch im Sinn hat mir dir.‹ Ich sagte: ›Wenn ich erkoren bin und bin auserlesen unter den Sterblichen, so sei es darum. Ganz unerwartet kommt es mir nicht.‹

Da sah ich eine Feste, schrecklich, aus Eiskristall, die Zinnen besetzt mit Kriegern der Höhe, die deckten mit den Flügeln ihren Leib bis zu den Füßen, und ihre Beine standen gerade, aber ihre Füße waren sozusagen runde Füße und glänzten wie hell, glatt Erz. Und siehe, es standen zwei beieinander, gestützt mit den Armen auf ihre Schlangenschwerter und kühn von Angesicht, und hatten Furchen des Stolzes zwischen den Brauen. Der Adler sagte: ›Aza und Azaël sind es, von den Seraphim zweie.‹ Da hörte ich Aza sagen zu Azaël: ›Auf fünfundsechzigtausend Meilen habe ich sein Kommen gerochen. Sage mir aber, was ist der Geruch eines vom Weibe Geborenen und was der Wert eines vom weißen Samentropfen Entstandenen, daß er nach dem Obersten Himmel kommen darf und unter uns seinen Dienst nimmt?‹ Und Azaël verschloß erschrocken mit dem Finger die Lippen. Aza aber sprach: ›Nicht doch, ich fliege mit vor das Alleinige Angesicht und will eine Rede wagen, denn ich bin ein Blitzengel, und das Wort ist mir frei.‹ Und es flogen beide hinter uns drein.

Und durch welche Himmel der Adler mich führte an den Hüften und durch welche Ränge, voll von lobsingenden Scharen und Schwärmen feuriger Diener, da verstummte der Lobgesang in Schweigen auf einen Augenblick, wenn wir vorüberstiegen, und von den Kindern der Höhe schlossen jeweils sich einige uns an, so daß es bald Schwärme von Beschwingten waren, die uns begleiteten, vor uns und hinter uns, und ich hörte das Rauschen ihrer Flügel wie gewaltigen Wassers Rauschen.

O Benjamin, glaube mir! Ich sah die sieben Hallen des Sebul in Feuer gebaut, und sieben Heere von Engeln standen da, und sieben feurige Altäre waren aufgerichtet. Da waltete der Oberste Fürst mit Namen ›Wer ist wie Gott?‹, behangen mit Priesterpracht, und opferte Feueropfer und ließ Rauchsäulen emporsteigen auf dem Altar des Brandopfers.

Die Zahl der Doppelstunden weiß ich nicht und kann nicht namhaft machen die Summe der Meilen, da erreichten wir Araboths Höhen und den Siebenten Söller und faßten Fuß auf seinem Grunde, der war licht und weich und tat meinen Sohlen ein Holdes an, daß es ganz durch mich aufstieg bis in die Augen und ich weinte. Es zogen vor uns die Kinder des Lichts und zogen hinter uns, also daß sie uns führten und folgten. Und der mich genommen und mich nun an der Hand führte, der war ein Starker, bis zum Gürtel nackt, in einem goldenen Rock bis zu den Knöcheln, mit Armspangen und Halsschmuck und einem runden Helm auf dem Haar, und die Spitzen seiner Fittiche berührten seine Fersen. Er hatte schwere Lider und eine fleischige Nase, und sein roter Mund lächelte, wenn ich auf ihn blickte, aber er wandte nicht den Kopf nach mir.

Und ich hob meine Augen auf im Traum: Da sah ich's schimmern von Waffen und Fittichen bis in alle Weite und unendliche Scharen, gelagert um ihre Feldzeichen und singend aus voller Kehle das Lob und den Krieg, und schwamm alles vor mir dahin wie Milch, Gold und Rosen. Und sah Räder gehen, schrecklich nach ihrer Höhe und nach ihren Felgen, die glühten wie der Türkis, und ging ein Rad in dem anderen, viere zusammen, und durften sich nicht herumlenken. Und ihre Felgen waren voller Augen um und um an allen vier Rädern.

Inmitten aber war ein Berg, funkelnd von feurigen Steinen, und darauf ein Palast, aus dem Lichte des Saphirs gebaut, da zogen wir ein mit großem Vorantritt und Gefolge. Und seine Säle waren voll von Boten, Wächtern und Waltern. Aber da wir einzogen in den Säulensaal der Mitte, da war kein Absehen seines Endes und Hintergrundes, denn sie führten mich darin ein der Länge nach, und Cherubim standen zu beiden Seiten vor den Säulen und zwischen ihnen, ein jeder mit sechs Flügeln und ganz mit Augen bedeckt. So zogen wir dahin zwischen ihnen, ich weiß nicht wie lange, gegen den Stuhl der Herrlichkeit. Und war die Luft übervoll vom Rufen derer unter den Säulen und derer, die in Scharen den Sitz umstanden: ›Heilig, heilig, heilig ist der Herr Zebaoth, die Lande sind seiner Ehre voll!‹ Das Gedränge um den Sitz aber war ein Gedränge der Seraphim, die deckten mit zwei Flügeln ihre Füße und mit zweien ihr Antlitz, aber sie lugten etwas hindurch durch das Gefieder. Und der mich genommen, sagte zu mir: ›Verbirg auch dein Angesicht, denn es ziemt sich!‹ Da tat ich die Hände vor mein Gesicht, aber ich lugte auch etwas zwischen den Fingern hindurch.«

»Joseph«, rief Benjamin, »um Gottes willen, sahst du das Alleinige Antlitz?!«

»Ich sah es sitzen im Saphirlicht auf dem Stuhl«, sprach Joseph, »gestaltet gleich wie ein Mensch und nach dem Mannesbilde geschaffen, in vertraulicher Majestät. Denn es schimmerte ihm der Bart mit dem Schläfenhaar seitlich dahin, und liefen Furchen hinein, gut und tief. Unter seinen Augen war's zart und müde drunter her, und waren nicht allzu groß, aber braun und glänzend, und spähten besorgt nach mir, da ich näher kam.«

»Mir ist«, sagte Benjamin, »als sähe ich Jaakob auf dich blikken, unseren Vater.«

»Es war der Vater der Welt«, antwortete Joseph, »und ich fiel auf mein Angesicht. Da hörte ich einen reden, der sprach zu mir: ›Du Menschenkind, tritt auf deine Füße! Denn fortan sollst du vor meinem Stuhle stehen als Metatron und Knabe Gottes, und ich will dir Schlüsselgewalt geben, meinen Araboth zu öffnen und zu schließen, und sollst zum Befehlshaber gesetzt sein über alle Scharen, denn der Herr hat Wohlgefallen an dir.‹ Da ging es durch die Menge der Engel wie ein Rauschen und wie ein Tosen großer Heere. Aber siehe, es traten vor Aza und Azaël, die ich hatte reden hören miteinander. Und Aza, der Saraph, sprach: ›Herr aller Welten, was für einer ist dieser hier, daß er nach den Oberen Regionen kommt, seinen Dienst unter uns zu nehmen?‹ Und Azaël setzte hinzu und bedeckte sein Angesicht mit zwei Flügeln, um seine Worte abzuschwächen: ›Ist er nicht vom weißen Samentropfen entstanden und vom Geschlechte derer, die Unrecht trinken wie Wasser?‹ Und ich sah das Antlitz des Herrn sich überziehen mit Ungnade, und seine Worte fuhren sehr hoch, da er antwortete und sprach: ›Was seid ihr, daß ihr mir dazwischenredet? Ich gönne, wem ich gönne, und erbarme, wes ich erbarme! Wahrlich, eher denn euch alle will ich ihn zum Fürsten und Herrscher in den Himmelshöhen machen!‹

Da ging wieder das Rauschen und Tosen durch die Heere und war wie ein Beugen und Zurückweichen. Es schlugen die Cherubim mit ihren Flügeln, und alles Himmelsgesinde rief, daß es schallte: ›Gelobt sei die Herrlichkeit des Herrn an ihrem Ort!‹

Der König aber übertrieb seine Worte und sprach: ›Auf diesen hier lege ich die Hand und segne ihn mit dreihundertfünfundsechzigtausend Segen und mache ihn groß und erhaben. Ich mache ihm einen Stuhl, ähnlich meinem eigenen, mit einem Teppich darüber aus eitel Glanz, Licht, Schönheit und Herrlichkeit. Den stelle ich an den Eingang zum Siebenten Söller und setze ihn darauf, denn ich will's übertreiben. Es gehe ein Ruf vor ihm her von Himmel zu Himmel: Obacht, und nehmt euer Herz zu euch! Henoch, meinen Knecht, habe ich zum Fürsten und zum Mächtigen über alle Fürsten meines Reiches ernannt und über alle Himmelskinder, außer höchstens den acht Gewaltigen und Schrecklichen, die mit dem Namen Gott genannt werden nach dem Namen des Königs. Und jeglicher Engel, so ein Anliegen an mich hat, soll erst vor ihn treten und mit ihm sprechen. Ein jedes Wort aber, das er zu euch spricht in meinem Namen, sollt ihr hüten und befolgen, denn die Fürsten der Weisheit und der Vernunft stehen ihm zur Seite! So weit der Ruf, der da vor ihm hergehe. Gebt mir das Kleid und die Krone!‹

Und der Herr warf mir über ein herrlich Gewand, darin allerart Lichter verwoben waren, und kleidete mich ein. Und nahm einen schweren Reif mit neunundvierzig Steinen darin von unaussprechlichem Schimmer. Den setzte er mir aufs Haupt eigenhändig zu dem Kleide vor dem Angesicht der ganzen himmlischen Sippe und nannte mich bei meinem Titel: Jahu, den Kleinen, den Inneren Fürsten. Denn er übertrieb es.

Da schauderten wieder zurück, erbebten und beugten sich alle Himmelssöhne, und auch die Fürsten der Engel, die Gewaltigen, die Mächtigen und die Gotteslöwen, die größer sind denn alle Heerscharen, und die vor dem Stuhl der Herrlichkeit ihren Dienst haben, des ferneren die Engel des Feuers, des Hagels, des Blitzes, des Windes, des Zornes und der Wut, des Sturmes, des Schnees und Regens, des Tages, der Nacht, des Mondes und der Planeten, die der Welt Geschicke mit ihren Händen leiten, – auch sie erzitterten und verhüllten geblendet ihr Antlitz.

Der Herr aber stand auf vom Stuhl und übertrieb es aufs äußerste und fing an zu künden und sprach: ›Siehe, es war ein zarter Zedernschößling im Tal, den verpflanzte ich auf einen Berg, hoch und erhaben, und machte einen Baum daraus, unter dem die Vögel wohnen. Und der da unter den Scharen der Jüngste war an Tagen, Monden und Jahren, den Knaben machte ich größer denn alle Wesen, in meiner Unbegreiflichkeit, um der Vorliebe willen und der Gnadenwahl! Ich befahl ihn zum Aufseher über alle Kostbarkeiten der Hallen des Araboth und über alle Schätze des Lebens, so in den Höhen des Himmels aufbewahrt sind. Seines Amtes war außerdem, den heiligen Tieren die Kränze ums Haupt zu binden, die Prunkräder mit Stärke zu schmücken, die Cherubim in Pracht zu kleiden, den Brandpfeilern Glanz und Leuchten zu geben und die Seraphim in Stolz zu hüllen. Mir machte er jeden Morgen den Sitz zurecht, wenn ich den Stuhl meiner Herrlichkeit besteigen wollte, um Umschau zu halten in allen Höhen meiner Macht. Ich hüllte ihn in ein herrlich Gewand und zog ihm einen Mantel an voll Stolz und Ruhm. Mit einem schweren Reif krönte ich sein Haupt und verlieh ihm von der Hoheit, der Pracht und dem Glanz meines Thrones. Und war mir nur leid, daß ich seinen Stuhl nicht größer machen konnte denn meinen eigenen und seine Herrlichkeit noch größer denn meine eigene, denn sie ist unendlich! Sein Name aber war Der kleine Gott!‹

Nach dieser Verkündung geschah eines gewaltigen Donners Krachen, und alle Engel fielen auf ihr Angesicht. Dieweil aber der Herr mich so in Freuden auserkor, ward mein Fleisch zur Feuersflamme, meine Adern loderten hell, meine Knochen wurden wie Wacholderfeuer, meiner Wimpern Aufschlag gleich einem Blitzstrahl, meine Augäpfel rollten wie Feuerkugeln, die Haare meines Hauptes wurden zur brennenden Lohe, meine Glieder zu feurigen Fittichen, und ich erwachte.«

»Ich zittere am ganzen Leibe«, sagte Benjamin, »Joseph, von deinem Traum, denn er ist übermäßig. Und auch du zitterst leicht, sollte ich denken, und bist selbst etwas blaß, ich erkenne es daran, daß das Dunkelblanke in deinem Gesicht, worüber du hingehst mit dem Schermesser, sichtbarlicher hervortritt.«

»Lächerlich«, antwortete Joseph. »Soll ich zittern vor meinem eigenen Traum?«

»Und warst du nun verherrlicht auf ewig in den Höhen ohne Wiederkehr und gedachtest überhaupt der Deinen nicht mehr, zum Beispiel des Kleinen hier, der ich bin?« fragte Benjamin.

»Du kannst dir denken bei aller Einfalt«, erwiderte Joseph, »daß ich ein wenig verwirrt war ob all der Willkür und Gnadenwahl und nicht viel Zeit hatte für Rückgedanken. Aber über ein kleines, des bin ich gewiß, hätte ich euer gedacht und euch nachkommen lassen, daß auch ihr wäret erhöht worden neben mir, der Vater, die Weiber, die Brüder und du. Das wäre mir ohne Zweifel ein Kleines gewesen bei meiner Vollmacht. Höre aber und laß dich ermahnen, Benjamin, dem ich alles anvertraue um deiner Reife und deines Verstandes willen! Daß du mir nicht dem Vater oder gar den Brüdern plapperst von meinem Traum, den ich dir erzählt habe, denn sie könnten mir's schief auslegen!«

»Beileibe nicht!« antwortete Benjamin da. »Das wäre des Drachens! Du vergißt allzu leicht den Unterschied zwischen einem Knirps und einem Gimpel, obgleich er einer der wichtigsten ist. Nicht einmal im Traume will ich mir einfallen lassen, auszuplaudern, auch nur für einen Deut, von dem, was du dir hast einfallen lassen im Traum. Aber du selbst, Joseph, wenn ich dich bitten darf, hüte du dich noch mehr, sei so gut, Lieber, um meinetwillen! Denn ich habe es leicht, da die Dankbarkeit mich hindert für dein Vertrauen, daß ich mich nicht vergesse. Dich aber hindert sie nicht, da du selbst geträumt hast, und bist voller davon als ich, dem du nur verliehen hast von der Pracht und dem Glanz deines Traumes. Darum denk an den Kleinen, wenn es dich anficht zu erzählen, wie sehr in Freuden der Herr dich auserkor! Ich für mein Teil find' es angemessen und habe einen Ärger auf Aza und Azaël, die da dazwischenredeten. Aber den Vater möcht' es mit Sorge betrüben nach seiner Art, und die Brüder würden spucken und speien vor Mißbilligung und dich's entgelten lassen in ihrer Scheelsucht. Denn es sind Grobiane vor dem Herrn, das wissen wir beide.«

Viertes Hauptstück: Der Träumer

Das bunte Kleid

Nicht, wie vorgesehen, zu den Erntearbeiten, sondern schon zur Nacht des Frühjahrsvollmonds kehrten die Lea-Söhne Hals über Kopf von den Weiden Schekems nach Hebron zurück. Sie kamen angeblich, um das Pesach-Schaf mit dem Vater zu essen und mit ihm den Mond zu beobachten, in Wirklichkeit aber, weil sie eine aufregende, alle Brüder nahe angehende Nachricht empfangen hatten, von deren Wahrheit sie sich unbedingt sofort an Ort und Stelle mit eigenen Augen überzeugen mußten, ob nun etwas daran zu ändern war oder nicht. Die Sache war dermaßen wichtig und erschreckend, daß die Söhne der Mägde nichts Eiligeres zu tun gehabt hatten, als einen der Ihren abzuordnen und ihm die viertägige Reise von Hebron nach Schekem zuzumuten, nur damit er den Fernen die Kunde bringe. Selbstverständlich hatte man Naphtali, den Geläufigen, mit der Botschaft betraut. Im Grunde war es, die Schnelligkeit angehend, ganz gleichgültig, wer reiste. Auch Naphtali ritt zu Esel, und ob ein Paar langer oder kurzer Beine an den Seiten des Esels herunterhing, machte, genau genommen, nichts aus: der Weg nahm jedenfalls ungefähr vier Tage in Anspruch. Aber Naphtali, Bilha's Sohn, war es nun einmal, mit dessen Person die Vorstellung der Geläufigkeit verbunden war; die Rolle des Boten war nach feststehender Übereinkunft die seine; und da auch seine Zunge geläufig war, so traf schon zu, daß wenigstens im letzten Augenblick die Brüder durch ihn den Sachverhalt etwas schneller erfahren würden als durch einen anderen.

Was war geschehen? Jaakob hatte dem Joseph ein Geschenk gemacht.

Das war nichts Neues. Dem »Lamm«, dem »Reis«, dem »Himmelsknaben«, dem »Sohn der Jungfrau«, oder wie die eigensinnig gefühlvollen väterlichen Bezeichnungen für den

Steineleser nun lauteten, war von jeher unter der Hand an Sondergaben und zärtlichen Aufmerksamkeiten, an Leckereien, hübschen Töpferstücken, Huldsteinen, Purpurschnüren, Skarabäen dies und jenes zugekommen, was dann die Brüder mit finstern Brauen in seinem lässigen Besitz sahen und um was sie sich verkürzt fanden; an Ungerechtigkeit, eine grundsätzliche und fast lehrhaft betonte Ungerechtigkeit, hatten sie Muße gehabt, sich zu gewöhnen. Dies aber war ein Geschenk von aufschrekkender Art und eines, wie zu befürchten stand, entscheidenden Sinnes; es bedeutete einen Stoß vor den Kopf für sie alle.

Hier ist der Hergang. Es war Zeltwetter, die Spätregen waren in Gang gekommen. Jaakob hatte sich nachmittags in sein »härenes Haus« zurückgezogen, dessen verfilztes Gewebe, schwarz, aus Ziegenhaar, über neun feste Stangen gespannt und mit starken Seilen an den gerammten Pflöcken befestigt, vollkommenen und sicheren Schutz vor der Segensnässe bot. Es war das größte der ziemlich weit verteilten Siedlung, und als reicher Mann, der darauf hielt, den Frauen ein eigenes Obdach zu bieten, bewohnte der Herr es allein, obgleich es durch ein an den mittleren Pfählen von vorn nach hinten durchgezogenes Gehänge in zwei Räume geteilt war. Der eine diente als Privatmagazin und Vorratskammer: Kamelsättel und -taschen, unbenutzte Teppiche in gerolltem und zusammengelegtem Zustande, Handmühlen und anderes Gerät lagen umher, und Schläuche mit Getreide, Butter, Trinkwasser und aus eingeweichten Datteln gekeltertem Palmwein waren aufgehängt.

Die andere Abteilung war der Wohnraum des Gesegneten und zeigte im Verhältnis zu der halbbeduinisch lockeren Lebensform, an der er festhielt, viel Wohnlichkeit. Jaakob brauchte diese. Seine Ablehnung weichlicher Bindung durchs Städtische hinderte nicht, daß er einiges Behagens bedurfte, wenn er sich zu Betrachtung und denkerischer Gottesarbeit vor der Welt in sein Eigenstes zurückzog. Auf der Vorderseite in Manneshöhe offen, war das Gemach am Boden mit Filz und darüber noch mit Teppichen in Buntwirkarbeit warm bedeckt, von denen andere sogar die Wandgehänge überkleideten. Ein Bettlager, mit Decken und Kissen belegt, aus Zedernholz, stand auf erzenen Füßen im Hintergrunde. Mehrere Tonlampen auf verzierten Untersätzen, flache Schalen mit kurzen Schnauzen für die Dochte, brannten hier immer, denn armselig und einem Gesegneten nicht anständig wäre es gewesen, im Dunklen zu schlafen, und auch bei Tage unterhielt die Bedienung immer das Öl, damit nicht eine Redensart, die schlimmen Untersinn hatte, auch nur im eigentlichen Sinn anwendbar würde und man nicht sagen könne, Jaakobs Lampe sei erloschen. Bemalte Henkelkrüge aus Kalkstein standen auf dem flachen Deckel einer Truhe aus Sykomorenholz, deren Wände mit blau glasierten Toneinlagen geschmückt waren. Der Deckel einer anderen, geschnitzten und beschriebenen Truhe auf hohen Beinen dagegen war gewölbt. Es fehlte nicht an einem glühenden Kohlenbecken im Winkel, da Jaakob zum Frösteln neigte. Stuhlhocker waren vorhanden, dienten aber selten zum Sitzen, sondern vielmehr zum Abstellen von Gebrauchsdingen: ein kleiner Räucherturm stand auf einem, aus dessen fensterartigen Öffnungen feine, nach Zimt, Styraxgummi und Galbanum duftende Rauchwolken hervorkräuselten; ein anderer trug einen Gegenstand, der von der Wohlhabenheit des Besitzers zeugte: ein wertvolles kunstgewerbliches Gerät phönizischer Herkunft, golden, eine flache Schale auf zierlichem Untergestell, das dort, wo man es mit der Hand umfaßte, eine musizierende Frauenfigur zeigte.

Jaakob selbst saß mit Joseph in der Nähe des Eingangs auf Polstern an einem niedrigen Taburett, auf dessen gravierter Bronzeplatte das Brettspiel aufgeschlagen war. Er hatte den Sohn zu diesem Zeitvertreib, bei dem früher Rahel seine Gegenspielerin gewesen war, zu sich gerufen. Draußen rauschte auf Ölbäume, Busch und Stein der Regen nieder, der nach Gottes Gnade dem Korn des Tales die Feuchtigkeit verlieh, die es brauchte, um die Sonne des Frühsommers bis zum Schnitt zu ertragen. Der Wind klapperte leicht mit den Holzringen am Zeltdach, an denen die Spannseile befestigt waren.

Joseph ließ den Vater im Spiele gewinnen. Er war absichtlich ins Feld »Böser Blick« geraten und dadurch so in Rückstand und

Nachteil gekommen, daß Jaakob zu seiner angenehmen Überraschung – denn er hatte mit großer Unaufmerksamkeit gespielt – ihn schließlich schlug. Er gestand seine Zerstreutheit ein, und daß das Glück mehr Anteil an diesem Ende gehabt habe als sein Scharfsinn.

»Wärest du nicht so zeitig zu Falle gekommen, Kind«, sagte er, »so hätte ich notwendig unterliegen müssen, denn meine Gedanken schweiften ab, und ich habe zweifellos schwere Fehler begangen, du aber hast sinnreich gezogen und nichts versäumt, dein Mißgeschick wieder gutzumachen. Deine Art zu spielen erinnert sehr an Mami's, die mich so oft in die Enge trieb. Sowohl ihre Art, beim Nachdenken den kleinen Finger zu beißen, wie auch gewisse Listen und Kunstgriffe, die sie liebte, erkenne ich zu meiner Rührung bei dir wieder.«

»Was hilft's?« antwortete Joseph und reckte sich, indem er den Kopf zurücklegte, einen Arm zur Seite streckte und den anderen zur Schulter bog. »Der Ausgang spricht gegen mich. Da das Väterchen obsiegte bei zerstreuten Gedanken, wie wäre es dem Kind erst ergangen, hätte es deine volle Aufmerksamkeit gegen sich gehabt? Der Gang wäre rasch zu Ende gewesen.«

Jaakob lächelte. »Meine Erfahrung«, sagte er, »ist die ältere und meine Schule die beste, denn schon als Knabe habe ich mit Jizchak gespielt, deinem Großvater meinerseits, und später gar oft mit Laban, deinem Großvater von seiten der Lieblichen, im Lande Naharajim, jenseits der Wasser, der ebenfalls ein Spieler von zäher Überlegung war.«

Auch er hatte Jizchak und Laban mehr als einmal absichtlich gewinnen lassen, wenn es ihm um ihre gute Laune zu tun gewesen war, kam aber nicht darauf, daß nun Joseph es so gemacht haben könnte.

»Es ist wahr«, fuhr er fort, »daß ich es heut habe fehlen lassen. Wiederholt überkam mich ein Sinnen, das mich den Stand der Steine vergessen ließ, und siehe, es galt dem Fest, das sich nähert, und der Opfernacht, die herankommt, da wir das Schaf schlachten nach Sonnenuntergang und tauchen den Ysopbüschel ins Blut, um die Pfosten damit zu bestreichen, damit der

Würger vorübergehe. Denn es ist die Nacht des Vorübergehens und der Verschonung um des Opfers willen, und ist das Blut an den Pfosten dem Umhergehenden eine Beschwichtigung und ein Zeichen, daß der Erstling geopfert ist zur Versöhnung und zum Ersatz für Menschen und Vieh, die es ihn zu würgen gelüstet. Darüber fiel ich mehrfach in Sinnen, denn der Mensch tut manches, und siehe, er weiß nicht, was er tut. Wüßte und bedächte er's aber, so möchte es sein, daß sich das Eingeweide ihm umwendete und ihm das Unterste zuoberst käme in Übelkeit, wie mir's mehrmals im Leben erging, nämlich zum erstenmal, da ich erfuhr, daß Laban zu Sinear überm Prath einstmals sein erstgeboren Söhnchen geschlachtet habe als Darbringung und es in einer Kruke beigesetzt habe im Fundament zum Schutze des Hauses. Meinst du aber, es hätte ihm Segen gebracht? Nein, sondern Unsegen, Fluch und Lähmung, und wäre nicht ich gekommen und hätte ein wenig Leben verbreitet in Haus und Wirtschaft, so hätte alles in Trübsal gestockt, und nie wieder wäre er fruchtbar geworden in seinem Weibe Adina. Und doch hätte Laban das Söhnchen nicht eingemauert, wenn es nicht Altvorderen vor ihm Segen gebracht hätte in anderen Zeiten.«

»Da sagst du es«, antwortete Joseph, der die Hände im Nakken gefaltet hatte, »und machst mir klar, wie sich dies begab. Laban handelte nach überständigem Brauch und beging schweren Fehler damit. Denn es ekelt den Herrn das Überständige, worüber er mit uns hinauswill und schon hinaus ist, und er verwirft's und verflucht's. Darum, hätte Laban sich auf den Herrn und auf die Zeiten verstanden, so hätte er an Stelle des Knäbleins ein Zicklein geschlachtet und mit dem Blute Schwelle und Pfosten bestrichen, so wäre er angenehm gewesen, und sein Rauch wäre gerade aufgestiegen gen Himmel.«

»Da sagst nun du es wieder«, erwiderte Jaakob, »und nimmst mir den Gedanken vorweg und das Wort vom Munde. Denn den Würger gelüstet's nicht nur nach dem Vieh, sondern auch nach des Menschen Blut, und nicht nur in Ansehung der Herde beschwichtigen wir seine Gier durch das Blut des Tiers an den

Pfosten, sowie durch das Opfermahl, das wir abhalten gründlich und eilig bei der Nacht, damit bis zum Morgen nichts übrigbleibe vom Braten. Was für ein Braten ist das, wenn man's besinnt, und büßt wohl das Lamm nur für die Herde, da wir es schlachten? Was würden wir schlachten und essen, wenn wir töricht wären wie Laban, und was ist geschlachtet worden und gegessen in unflätigen Zeiten? Wissen wir also, was wir festlich tun, wenn wir essen, und müßte uns nicht, wenn wir's bedächten, das Unterste zuoberst kommen, so daß wir erbrächen?«

»Laß uns tun und essen«, sagte Joseph mit leichtsinnig hoher Stimme und schaukelte sich in seinen gefalteten Händen. »Brauch und Braten sind wohlschmeckend, und sind sie eine Lösung, so lösen auch wir uns fröhlich damit vom Unflat, indem wir uns auf den Herrn verstehen und auf die Zeiten! Siehe, da ist ein Baum«, rief er und wies mit ausgestreckter Hand ins Innere des Zeltes, als wäre dort zu sehen, wovon er sprach, »prächtig in Stamm und Krone, von den Vätern gepflanzt zur Lust der Späten. Seine Wipfel regen sich funkelnd im Winde, da seine Wurzeln im Stein und Staube haften des Erdreichs, tief im Dunkeln. Weiß wohl auch der heitere Wipfel viel von der kotigen Wurzel? Nein, sondern ist mit dem Herrn hinausgekommen über sie, wiegt sich und denkt nicht ihrer. Also ist's, meines Bedünkens, mit Brauch und Unflat, und daß die fromme Sitte uns schmecke, bleibe das Unterste nur hübsch zuunterst.«

»Lieblich, lieblich, dein Gleichnis«, sprach Jaakob mit Kopfnicken und strich sich den Bart, indem er ihn von den Seiten zusammenfaßte und ihn durch die hohle Hand gleiten ließ, »witzig und wohlerfunden! Das hindert nicht, daß notwendig bleibt das Sinnen sowie das Sorgen und die Beunruhigung, die Abrams Teil waren und unser Teil sind je und je, damit wir uns lösen von dem, worüber der Herr hinauswill mit uns und vielleicht schon hinaus ist, das ist die Sorge. Sage doch an: Wer ist der Würger, und was ist sein Vorübergehen? Geht nicht der Mond in der Nacht des Festes voll und schön durch den Paß, der da ist der Nord- und Scheitelpunkt seines Weges, woselbst er sich wendet in seiner Fülle? Aber der Nordpunkt ist Nergals, des Mörders; sein ist die Nacht, Sin regiert sie für ihn, Sin ist Nergal bei diesem Fest, und der Würger, der vorübergeht und den wir versöhnen, das ist der Rote.«

»Offenbar«, sagte Joseph. »Wir bedenken's kaum, doch er ist's.«

»Dies ist die Beunruhigung«, fuhr Jaakob fort, »die mich zerstreute beim Spiel. Denn es sind die Gestirne, die uns das Fest bestimmen, Mond und Roter, die die Vertauschung eingehen in dieser Nacht, und tritt dieser an jenes Stelle. Sollen wir aber den Gestirnen Kußhände werfen und ihre Geschichten feiern? Müssen wir uns nicht grämen um den Herrn und die Zeit, ob wir uns denn auch noch auf sie verstehen und uns nicht versündigen an beiden, da wir sie festhalten durch träge Gewohnheit beim Unflat, über den sie mit uns hinauswollen? Ich frage mich ernstlich, ob es nicht meine Sache wäre, unter den Unterweisungsbaum zu treten und die Leute zusammenzurufen, daß sie meine Sorgen vernähmen und anhörten meine Bedenken in Sachen des Festes Pesach.«

»Mein Väterchen«, sagte Joseph, indem er sich vorbeugte und seine Hand neben dem Brett, das seine Niederlage zeigte, auf die Hand des Alten legte, »ist von allzu genauer Seele, man muß ihn bitten, sich davon nicht zur Übereilung bewegen zu lassen und zur Zerstörung. Darf sich das Kind als befragt ansehen, so rät es, das Fest zu schonen und es nicht eifernd anzutasten um seiner Geschichten willen, für welche vielleicht mit der Zeit eine andere eintreten könnte, die du alsdann erzählst beim Bratenmahl: beispielsweise die Bewahrung Isaaks, die sehr passend wäre, oder aber wir warten ab in der Zeit, ob nicht Gott sich einmal durch eine große Errettung und Verschonung verherrliche an uns, – die legen wir dann dem Fest zum Grunde als seine Geschichte und singen Jubellieder. Sprach der Törichte wohltuend?«

»Balsamisch«, erwiderte Jaakob. »Sehr klug und tröstlich, was ich eben in dem Worte ›balsamisch‹ zusammenfasse. Denn du sprachst für den Brauch und zugleich für die Zukunft, das sei dir angerechnet zu Ehren. Und sprachst für ein Verharren, das dennoch ein Unterwegssein ist, darob lacht dir meine Seele zu, Joseph-el, du Reis aus zartestem Stamm, – laß dich küssen!«

Und er nahm Josephs schönen Kopf über dem Spielbrett zwischen seine Hände und küßte ihn, grundglücklich in seinem Besitz.

»Wenn ich nur wüßte«, sagte Joseph, »woher mir Klugheit kommt zu dieser Stunde und der geringste Scharfsinn, der Weisheit meines Herrn damit zu begegnen im Gespräch! Sagtest du, deine Gedanken seien abgeschweift beim Spiel, so taten's, offen gestanden, meine nicht minder: Immer nach einer Seite schweiften sie von den Steinen weg, und die Elohim wissen, wie mir's gelang, mich auch nur so lange zu halten.«

»Wohin denn, Kindchen, gingen deine Gedanken?«

»Ach«, erwiderte der Junge, »du errätst es leicht. Ein Wort jückt mich im Ohre Tag und Nacht, das das Väterchen kürzlich zu mir sprach am Brunnen; das hat mir die Ruhe geraubt, so daß die Neugier mich plagt, wo ich gehe und stehe, denn es war ein Wort der Verheißung.«

»Was sagte ich denn, und welche Verheißung gab ich dir?«

»Oh, oh, du weißt es! Ich seh' dir's an, daß du's weißt! Du hättest vor, sagtest du – nun? ›Ich habe vor‹, sagtest du, ›dir etwas zu schenken – worüber dein Herz sich freuen – und was dich kleiden wird.‹ So war es Wort für Wort. Nur zu genau ist mir's haften geblieben und jückt mich im Ohre unausgesetzt. Was meinte denn wohl das Väterchen mit dieser Verheißung?«

Jaakob errötete, und Joseph sah es. Es war eine leichte, rosige Röte, die in die feine Greisenhagerkeit seiner Wangen emporstieg, und seine Augen trübten sich in sanfter Verwirrung.

»Wie denn, es war nichts«, sagte er abwehrend. »Umsonst macht das Kind sich Gedanken. Es war unbedeutend dahingesagt, ohne feste Meinung und Absicht. Schenke ich dir nicht dies und das, wenn's das Herz mich heißt? Nun denn, einzig so war's gemeint, daß ich dir irgendein schmuckes Ding zu gelegener Stunde...«

»Nichtsda, nichtsda!« rief Joseph, sprang auf und umschlang

den Vater. »Dieser Weise und Gute hier sagt nichts unbedeutend dahin, das wäre das Neueste! Als ob ich's ihm nicht angesehen hätte beim Sprechen klar und deutlich, daß er mitnichten ins Leere sprach, sondern ein Ding im Auge hatte, bestimmt und schön, nicht irgendeines, – ein Besondres und Herrliches, und dachte mir's zu. Aber nicht zugedacht nur hast du mir's, sondern zugesagt und verheißen. Soll ich nicht wissen, was mein ist und was mich erwartet? Scheint es dir glaubhaft, ich könnte Ruhe finden und könnte dir Frieden geben, eh ich's nicht weiß?«

»Wie du mich drängst und bedrängst!« sagte der Alte in seiner Not. »Schüttle mich nicht und nimm die Hände doch von den Läppchen meiner Ohren, daß es nicht aussieht, als sprängest du mit mir um! Wissen – du magst es wissen, warum nicht, ich sage dir's und gebe zu, daß ich Eines im Sinne hatte, nicht dies oder jenes. Höre denn, laß dich zu Boden! Weißt du von Rahels Ketônet passîm?«

»Ein Gewandstück von Mami? Etwa ein Festkleid? Ah, ich verstehe, willst du mir aus ihrem Kleide...«

»Höre, Jehosiph! Du verstehst nicht. Laß dich belehren! Da ich gedient um Rahel sieben Jahre und der Tag herankam, daß ich sie empfangen sollte im Herrn, sprach Laban zu mir: ›Einen Schleier will ich ihr schenken, daß sich die Braut verschleiere und sich der Nana heilige und sei eine Geweihte. Längst habe ich‹, sprach er, ›die Augendecke gekauft von einem Wandernden und sie in der Truhe verwahrt, denn sie ist kostbar. Einer Königstochter soll sie gehört haben vor Zeiten und soll gewesen sein das Jungfrauengewand eines Fürstenkindes, was da ist glaubhaft zu sagen, so kunstfertig, wie das Gewirk bestickt ist über und über mit allerlei Zeichen der Götzen. Sie aber soll ihr Haupt darein hüllen und soll sein wie der Enitu eine und wie eine Himmelsbraut im Bettgemach des Turmes Etemenanki.‹ So oder ähnlich der Teufel zu mir. Und er log nicht mit diesen Worten, denn Rahel erhielt das Gewand, und war eine Pracht sondergleichen damit, da wir zur Hochzeit saßen, und ich küßte das Bild der Ischtar. Da ich aber der Braut die Blüte gereicht, hob ich ihr den Schleier, daß ich sie sähe mit sehenden Händen. Lea war's, die der Teufel listig hatte eingelassen ins Bettgemach, so daß ich nur meiner Meinung nach glücklich war, nicht aber in Wahrheit, – wer sollte nicht irre werden im Haupte, wenn er dahinein sich verliert, darum übergeh' ich's. Aber besonnen war ich im vermeintlichen Glück und legte gefaltet das heilige Gewirk auf den Stuhl, der dastand, und sprach zur Braut die Worte: ›Wir wollen ihn vererben durch die Geschlechter, und sollen ihn tragen die Lieblinge unter den Zahllosen.‹«

»Trug auch Mami das Tuch zu ihrer Stunde?«

»Es ist kein Tuch, es ist eine Pracht. Es ist ein Stück zu freiem Gebrauch, knöchellang, mit Ärmeln, daß der Mensch nach seinem Geschmack und nach seiner Schönheit damit verfahre. Mami? Sie trug's und behielt's. Ein- und aufgepackt hat sie's treulich, als wir dahinfuhren und brachen die staubigen Riegel und prellten Laban, den Teufel. Immer hat's uns begleitet, und wie Laban es sorglich verwahrte von langer Hand in seiner Truhe, so auch wir.«

Josephs Augen gingen im Zelte umher und nach den Kästen. Er fragte:

»Ist es uns nahe?«

»Nicht allzu fern.«

»Und mein Herr will mir's schenken?«

»Zugedacht hab' ich's dem Kinde.«

»Zugesagt und verheißen!«

»Aber für später! Nicht für den Augenblick gleich!« rief in Unruhe Jaakob. »Nimm Vernunft an, Kind, und laß dir vorerst genügen an der Verheißung! Siehe, die Dinge sind in der Schwebe, und es hat der Herr sich ihretwegen noch nicht entschieden in meinem Herzen. Dein Bruder Ruben kam zu Falle, und ich war genötigt, ihn der Erstgeburt zu entkleiden. Bist nun du an der Reihe, daß ich dich damit bekleide und gebe dir hin die Ketônet? Man könnte antworten: Nein, denn nach Re'uben erschien Juda und erschienen Levi und Schimeon. Man könnte antworten: Ja, denn da Lea's Erstling fiel und verflucht ward, folgt Rahels Erstling. Das ist strittig und ungeklärt; wir müssen warten und nach den Zeichen sehn, wie es sich kläre. Kleide ich dich aber ein, so möchten die Brüder es fälschlich deuten, im Sinne des Segens und der Erwählung, und sich im Eifer erheben wider dich und mich.«

»Wider dich?« fragte Joseph im stärksten Erstaunen... »Ich glaube fast, ich traue den eigenen Ohren nicht mehr! Bist du nicht der Vater und Herr? Kannst du nicht aufstehen, falls sie murren, und deine Worte hochfahren lassen und zu ihnen sprechen: ›Ich gönne, wem ich gönne, und erbarme, wes ich erbarme! Wer seid ihr, daß ihr mir dazwischenredet? Eher denn euch alle will ich ihn mit dem Mantel bekleiden und mit seiner Mutter Ketônet passîm!‹ Übrigens traue ich meinen Ohren; sie sind jung und genau. Namentlich wenn das Väterchen spricht, spitze ich sie zu feinster Schärfe. Sagtest du einst zur Braut: ›Es sollen den Schleier tragen die Erstlinge unter den Zahllosen?‹ Sondern he? Sondern he? Sondern he? Wer, sagtest du, solle ihn tragen?«

»Laß das, Unhold! Geh und schmeichle mir nicht, daß nicht deine Narrheit übergehe von dir auf mich!«

»Väterchen! Ich möchte ihn sehen!«

»Sehen? Sehen ist nicht haben. Aber Sehen ist Habenwollen. Sei mir verständig!«

»Soll ich nicht sehen, was mein ist und mir verheißen? Also machen wir's: Ich kauere hier, gefesselt, rühre mich nicht von der Stelle. Du aber gehst und weist mir das Festkleid, nimmst es und hältst es vor dich, wie im Gewölbe der Kaufmann zu Hebron dem Käufer die Ware zeigt und läßt an sich hinabhängen das Gewebe vor den Augen des Lüsternen. Der aber ist arm und kann's nicht kaufen. Da verbirgt der Kaufmann es wieder.«

»Sei es im Namen des Herrn«, sagte Jaakob. »Wiewohl es für Dritte wohl aussähe, als sprängest du mit mir um. Bleib, wo du bist! Sitze auf deinem Bein, die Hände im Rücken! Du sollst sehen, was vielleicht einmal dein sein soll, unter Umständen.«

»Was schon mein ist!« rief Joseph ihm nach. »Und was ich nur noch nicht habe!«

Er rieb mit den Knöcheln die Augen, machte sich zum Schauen bereit. Jaakob ging zur gewölbten Truhe, löste die Riegel und schlug den Deckel zurück. Mancherlei Wärmendes nahm er heraus, das obenauf und tiefer lag, Mäntel und Decken, Schurze, Kopftücher, Hemden, und ließ es gefaltet zu Boden fallen auf einen Haufen. Er fand den Schleier, wo er ihn wußte, nahm ihn, wandte sich, ließ ihn aus den Falten fallen und spreizte ihn auseinander.

Der Knabe staunte. Er zog die Luft ein durch seinen offenen, lachenden Mund. Die Metallstickereien glitzerten im Lampenlicht. Silber- und Goldblitze überblendeten zwischen den unruhigen Armen des Alten zuweilen den stilleren Farbenschein, den Purpur, das Weiß, Olivengrün, Rosa und Schwarz der Zeichen und Bilder, der Sterne, Tauben, Bäume, Götter, Engel, Menschen und Tiere im bläulichen Nebel des Grundgewebes.

»Ihr himmlischen Lichter!« stieß Joseph hervor. »Wie schön ist das! Väterchen Kaufmann, was zeigst du dem Kunden da in deinem Gewölbe? Das ist Gilgamesch mit dem Löwen im Arm, ich erkenn' ihn von weitem! Und dort kämpft, wie ich sehe, einer mit einem Greifen und schwingt die Keule. Warte, warte! Ihr Zebaoth, was für Getier! Das sind die Buhlen der Göttin, Roß, Fledermaus, Wolf und der bunte Vogel! Laß mich doch sehen – doch sehen! Ich kenn's nicht, ich unterscheid's nicht. Die armen Augen brennen dem Kinde vom Schauen über den trennenden Raum. Ist das das Skorpion-Menschenpaar mit den Stachelschwänzen? Gewiß bin ich nicht, doch scheint es mir so, wenn auch begreiflicherweise die Augen mir etwas tränen. Warte, Kaufmann, ich rutsche näher auf meinem Bein, die Hände im Rücken. O ihr Elohim, nahebei verschönt es sich noch, und alles wird deutlich! Was tun die bärtigen Geister am Baum? Sie befruchten ihn... Und was steht geschrieben? ›Ausgezogen – hab' ich – mein Kleid, soll ich's – wieder anziehn?‹ Wunderbar! Immer die Nana mit Taube, Sonne und Mond... Ich muß mich erheben! Ich muß aufstehen, Kaufmann, ich sehe das Obere nicht: die Dattelpalme, aus der eine Göttin die Arme streckt mit Speise und Trank... Ich darf's doch berühren? Das kostet nichts, hoffe ich, wenn ich's schonend aufhebe mit der Hand, zu spüren, wie leicht und schwer es ist, wenn man's wiegt, wie schwer und wie leicht im Gemische... Kaufmann, ich bin arm, ich kann es nicht kaufen. Kaufmann, schenk es mir! Du hast so viel Ware, – laß mir den Schleier! Leih ihn mir, sei so gut, daß ich ihn an mir den Leuten zeige zu Ehren deines Gewölbes! Nein! Durchaus nicht? Oder schwankst du vielleicht? Schwankst du ein ganz klein wenig und möchtest in aller Strenge auch wieder, daß ich ihn trage? Nein, ich irre mich, du schwankst vom Halten und Spreizen. Viel zu lange schon mühst du dich... Gib! Wie trägt man's, wie schlägt man's? So? Und so? Und etwa noch so? Wie gefällt dir's? Bin ich ein Schäfervogel im bunten Rock? Mami's Schleiergewand – wie steht es dem Sohne?«

Natürlich sah er aus wie ein Gott. Der Effekt war vernünftigerweise zu erwarten und der geheime Wunsch, ihn hervorzubringen, dem Widerstand Jaakobs nicht zuträglich gewesen. Kaum hatte Joseph, mit Methoden, deren Schlauheit und Anmut man am besten tut ruhig anzuerkennen, das Kleid aus den Händen des Alten in seine hinübergespielt, als es auch schon, mit drei, vier Griffen und Würfen, deren Sicherheit eine natürliche Anlage zur Selbstkostümierung bewies, auf freie und günstige Art seiner Person angetan gewesen war, – ihm das Haupt bedeckte, die Schultern umwand, an seiner jungen Gestalt in Falten hinabwallte, aus denen die Silbertauben blitzten, die Buntstickereien glühten und deren langer Fall ihn größer als sonst erscheinen ließ. Größer? Hätte es dabei nur sein Bewenden gehabt! Aber der Prunkschleier stand ihm auf eine Weise zu Gesicht, daß es sehr schwer gefallen wäre, seinem Ruf unter den Leuten noch irgendwelchen kritisch mäßigenden Widerpart zu bieten, er machte ihn dermaßen hübsch und schön, daß es schon nicht mehr geheuer war und tatsächlich ans Göttliche grenzte. Das Schlimmste war, daß seine Ähnlichkeit mit der Mutter, in Stirn, Brauen, Mundbildung, Blick, nie so sehr in die Augen gesprungen war als dank dieser Gewandung, – dem Jaakob in die Augen, so daß sie ihm übergingen und er nicht anders meinte, als sähe er Rahel in Labans Saal, am Tag der Erfüllung.

Lächelnd stand im Knaben die Muttergöttin vor ihm und fragte:

»Ich habe mein Kleid angezogen, – soll ich's wieder ausziehen?«

»Nein, behalt es, behalt es!« sagte der Vater; und während der Gott entsprang, hob jener Stirn und Hände, und seine Lippen bewegten sich im Gebet.

Der Geläufige

Das Aufsehen war ungeheuer. Der erste, dem Joseph im Schleier, im bunten Kleide erschien, war Benjamin; aber Benjamin war nicht allein, er war bei den Kebsweibern, dort fand ihn der Geschmückte. Er kam zu ihnen ins Zelt und sagte:

»Gegrüßt, ich komme nur zufällig. Ihr Weiber, ist mein kleiner Bruder da? Siehe, da bist du ja, Ben, sei vielmals gegrüßt! Ich will lediglich sehen, wie ihr leibt und lebt. Was macht ihr, hechelt ihr Flachs? Und Turturra hilft euch dabei, so gut er kann? Weiß jemand, wo Eliezer, der Alte, ist?«

Turturra (das hieß »Kleinchen«; Joseph nannte den Benjamin manchmal mit diesem babylonischen Kosenamen) stieß schon längst gedehnte Wunderrufe aus. Bilha und Silpa stimmten ein. Er trug das Gewand recht lässig, etwas gerafft, durch den Gürtel seines Hemdrocks gezogen.

»Was kräht ihr«, sagte er, »alle drei und macht Augen wie eines Karrens Räder? Ach so, ihr meint meinen Anzug, Mami's Schleier-Ketônet. Nun ja, ich trage sie jetzt zuweilen. Jisrael hat sie mir kürzlich geschenkt und vermacht, vor wenigen Augenblicken.«

»Joseph-el, süßer Herr, du Sohn der Rechten!« rief Silpa. »Hat dir Jaakob den bunten Schleier vermacht, darin er Lea, meine Herrin, zuerst empfing? Wie gerecht und weise gehandelt war das, denn er steht dir zu Gesichte, daß einem das Herz schmilzt und man nicht denken kann, ein anderer könnte ihn tragen. Einer der Fernen etwa von Lea, der Jaakob ihn erstmals hob? Oder mein Gad oder Ascher, die ich gebar auf Lea's Schoß? Da bleibt wohl nur ein spöttisch-wehmutsvoll Lächeln, wenn man sich's ausdenkt.«

»Josephja! Schönster!« rief Bilha. »Es geht nichts über deinen

Anblick in dieser Gestalt! Man ist versucht, sich aufs Antlitz zu werfen bei deinem Anblick, besonders, wenn man nur eine Magd ist gleich mir, die ich freilich der Rahel, deiner Mutter, schwesterliche Lieblingsmagd war und ihr den Dan und Naphtali gebar durch die Kraft Jaakobs, deine älteren Brüder. Auch sie werden niederfallen, oder doch nahe daran sein, wenn sie den Knaben sehen werden in ihrer Mutter Festkleid. Geh nur recht schleunig und zeige dich ihnen, den Nichtsahnenden, die nicht an Böses noch Gutes denken und noch nicht wissen, daß der Herr dich erkor! Du solltest auch über Land gehen und dich den Rotäugigen zeigen, Lea's Sechsen, daß du vernimmst ihren Jubelruf und an dein Ohr schlage ihr Hosianna.«

Fast unwahrscheinlich zu sagen, aber Joseph empfand nicht die dick aufgetragene Bitterkeit und Tücke in den Worten der Frauen. Sein Erfülltsein, seine kindliche und nichtsdestoweniger sträfliche Vertrauensseligkeit machten ihn taub dagegen und unempfänglich für Warnung. Er ließ sich die Süßigkeit ihrer Reden gefallen, überzeugt, daß nichts anderes als Süßes ihm zukomme, und ohne daß er sich die geringste Mühe gegeben hätte, in ihr Inneres zu schauen. Das aber eben war das Sträfliche! Gleichgültigkeit gegen das Innenleben der Menschen und Unwissenheit darüber zeitigen ein völlig schiefes Verhältnis zur Wirklichkeit, sie erzeugen Verblendung. Seit Adams und Heva's Tagen, seit aus Einem Zweie wurden, hat niemand leben können, der sich nicht in seinen Nächsten versetzen wollte und seine wahre Lage erkunden, indem er sie auch mit fremden Augen zu sehen versuchte. Einbildungskraft und Kunst des Erratens in bezug auf das Gefühlsleben der anderen, Mitgefühl also, ist nicht nur löblich, sofern es die Schranken des Ich durchbricht, es ist auch ein unentbehrliches Mittel der Selbsterhaltung. Von diesen Regeln aber wußte Joseph nichts. Seine Vertrauensseligkeit war eine Art von Verwöhnung, die ihn trotz unzweideutigster Gegenzeichen beredete, daß alle Menschen ihn mehr liebten denn sich selbst und daß er also keine Rücksicht auf sie zu nehmen brauche. Wer um seiner schönen Augen willen einen solchen Leichtsinn verzeihlich fände, würde große Schwäche beweisen.

Etwas anderes war es mit Benjamin. Hier war Sorglosigkeit ausnahmsweise am Platze. Wenn er ausrief:

»Jehosiph, himmlischer Bruder! Es ist nicht wie im Wachen, sondern als wie im Traum, und der Herr hat dir umgeworfen ein herrlich Gewand, darein aller Art Lichter verwoben sind, und hat dir einen Mantel angezogen voll Stolz und Ruhm! Ach, der Kleine hier, der ich bin, ist hingerissen! Geh noch nicht zu den Söhnen Bilha's und laß Silpa's Söhne noch etwas in Unwissenheit! Bleibe hier beim Brüderchen rechter Hand, daß ich dich länger bewundern und mich satt an dir sehen kann!«

– so mochte Joseph das freilich für bare Münze nehmen; es war nichts anderes. Und doch wäre sogar aus seinen lauteren Worten Warnung für Joseph zu schöpfen gewesen: Wir müßten uns sehr irren, wenn nicht kluge Ängstlichkeit vor der Begegnung des Schönen mit den Brüdern daraus gesprochen hätte und der Wunsch, diese Begegnung wenigstens noch etwas zu verzögern. Übrigens besaß Joseph, wenn nicht so viel Einsicht, so doch immerhin so viel Instinkt, den Kindern der Mägde nicht sofort zu erscheinen, sie in dem Kleide nicht geradezu aufzusuchen. Einige niedrig Stehende ausgenommen, die seiner im Umhergehen ansichtig wurden und es an Lobhudeleien, Kußhänden und Benedeiungen nicht fehlen ließen, bekam diesen Tag nur noch der alte Eliezer ihn zu sehen, der in ein längeres Nicken verfiel, das sowohl Beifall wie auch nur allgemeine Schicksalsbetrachtsamkeit zu bedeuten haben konnte, und dann sogleich mit göttlich-nichtssagendster Miene sich in sogenannten Erinnerungen zu ergehen begann, die das Schleiergewand in ihm hervorrief: Wie nämlich »er«, Eliezer, einst Rebekka aus Charrans Unterwelt als Brautwerber heraufgeführt und sie bei ihrer Ankunft im Oberen und bei der Annäherung ihres zukünftigen Gatten den Schleier genommen und sich verhüllt habe. Und zwar warum? Auf daß Isaak sie erkenne. Denn wie hätte er sie erkennen sollen und ihr den Schleier heben, sie hätte sich denn zuvor verschleiert? »Ein Großes, mein Kind«, sagte er mit so unbewegtem Gesicht, daß es aussah, als könne man es abnehmen und es wäre vielleicht ein andres darunter, »hat Jisrael dir geschenkt, denn im Schleier ist Leben und Tod, aber der Tod ist im Leben und das Leben im Tode, – wer es weiß, ist eingeweiht. Es mußte die schwesterliche Mutter-Gattin sich entschleiern und entblößen am siebenten Höllentor und im Tode; da sie aber zurückkehrte ins Licht, verschleierte sie sich wieder, zum Zeichen des Lebens. Siehe das Saatkorn an: Sinkt es zur Erde, so stirbt's, auf daß es zur Ernte erstehe. Denn der Ähre ist schon die Sichel nahe, die im Schwarzmonde wächst als junges Leben, da sie doch der Tod ist und den Vater entmannt, nämlich zu neuer Herrschaft der Welt, und Saatfrucht rollt des Todes und Lebens aus der Sichel-Ernte. So ist im Schleier das Leben nach der Entblößung im Tode, und alsobald schon ist darin Erkennen und Tod, da doch wiederum im Erkennen die Zeugung ist und das Leben. Großes verlieh dir der Vater, Licht und Leben, da er dich verschleierte mit dem Schleier, den die Mutter lassen mußte im Tode. Darum hüte ihn, Kind, daß ihn dir niemand entreiße und nicht der Tod dich erkenne!«

»Danke, Eliezer!« antwortete Joseph. »Vielen Dank, weiser Großknecht, der mit Abram die Könige schlug und dem die Erde entgegensprang! Eindrucksvoll redest du alles durcheinander, von Schleier, Sichel und Saatkorn, und zwar mit Recht, denn die Dinge hängen zusammen und sind Eins in Gott, vor uns aber sind sie gestickt auf den Schleier der Vielfalt. Was diesen Knaben betrifft, so zieht er nun aus sein Kleid und deckt sich damit zu auf seiner Ruhebank, daß er darunter schlummre gleichwie die Erde unterm Weltenschleier der Sterne.«

Also tat er. Und so fanden ihn, unter dem Schleier schlafend, die Kinder der Mägde, schon unterrichtet von ihren Müttern, als sie ins Zelt kamen, das er mit ihnen teilte. Zu viert standen sie an seinem Bette, Dan, Naphtali, Gad und Ascher, und einer, es war der genäschige Ascher, der jüngste von diesen, knapp zweiundzwanzig, hielt eine Handlampe über ihn und leuchtete ihnen damit in sein schlafendes Gesicht sowie auch über das bunte Kleid hin, womit er bedeckt war.

»Da habt und seht ihr's!« sagte er. »Es ist nicht anders, und nicht ein Wort haben die Weiber zuviel gesagt, da sie uns anzeigten, der Laffe sei ihnen erschienen in seiner Mutter Ketônet passîm! Da hat er sich's übergebreitet und schläft den Schlaf des Gerechten, mit scheinheiliger Miene. Kann man noch zweifeln? Der Vater hat's ihm geschenkt, der arme Mann, er hat's ihm abgelistet mit Honigreden. Pfui darüber! Wir ärgern uns alle gleichmäßig ob des Greuels, und Ascher nimmt unsern Ärger in seinen Mund und speit ihn aus über das schlafende Ärgernis, daß es zum mindesten böse Träume habe.«

Er liebte es sehr, dieser Ascher, mit anderen einer Meinung und eines Gefühles zu sein und solche Einigkeit durch das Wort, das der allgemeinen Gesinnung gerecht wurde, recht innig zu verfestigen, daß man sich warm durch dasselbe zusammengebündelt fand und gemeinsam Zufriedenheit dampfte noch in der Wut, – das hing mit seiner Leckermäuligkeit, seinen feuchten Augen und Lippen zusammen. Er sagte noch:

»Aus den Lebenden habe ich Stücke geschnitten, den Widdern und Schafen, und sie gegessen – ich! Das hat er dem armen Vater erzählt, dem Frommen, Leichtgläubigen, und dafür hat Jaakob ihm die Ketônet vermacht als Lügensold! Aber so ist's: Von jedem unter uns hat er dem Alten so was auf den Rücken gebunden, und ist der Schleier, darunter er liegt, das Entgelt seiner Falschheit und der bösen Leumde, die er uns gemacht hat. Treten wir nahe zusammen, Brüder, umschlingen wir uns in unserer Gekränktheit und laßt mich das Schimpfwort über ihm aussprechen, das uns allen Erleichterung schafft: du Hündchen!«

Er hatte sagen wollen: »du Hund«, war aber im letzten Augenblick um Jaakobs willen davor erschrocken und hatte dem Worte rasch noch die verkleinernde Silbe angehängt.

»Wahrhaftig«, sagte Dan, der schon siebenundzwanzig war – so alt wie Lea's Schimeon – und spitzbärtig ohne Schnurrbart (er trug ein eng anliegendes, gesticktes Hemd, und seine stechenden Augen lagen an der Wurzel der Krummnase nahe beisammen), »wahrhaftig, ich werde wohl Schlange und Otter genannt, weil ich für etwas tückisch gelte, aber was ist das, was hier liegt und schläft? Das ist ein Ungeheuer! Es stellt sich an, als wär's ein lieblicher Knabe, in Wirklichkeit aber ist es ein Drache. Verwünscht sei seine Truggestalt, die die Leute gaffen und liebäugeln macht und den Vater verzaubert! Ich wollte, ich wüßte den Spruch, der ihn zwänge, uns seine wahre Fratze zu zeigen!«

Der stämmige Gaddiel, ein Jahr älter als Ascher, zeigte eine Miene voll rauher Ehrlichkeit. Er trug eine kegelförmige Mütze und war wehrhaft anzusehen in seinem kurzen, mit schuppigem Wehrgehenk gegürteten Rock, auf den er Brustschilder genäht hatte und aus dessen kurzen Ärmeln seine roten und nervigen Arme mit ebenfalls nervigen und gedrungenen Händen hervorkamen. Er sagte:

»Ich rate dir, Ascher, gib acht auf deine Lampe, daß nicht zufällig daraus ein Tropfen siedend Öl auf ihn falle und der Schmerz ihn erwecke! Denn wenn er aufwacht, so ohrfeige ich ihn in meiner Geradheit, das ist ausgemacht. Einen Schlafenden ohrfeigt man nicht, – ich weiß nicht, wo es geschrieben steht, aber es läßt sich nicht tun. Wacht er dagegen auf, so hat er den Augenblick meine Hand in der Fresse, daß ihm der Backen schwillt, als hätte er einen Mehlkloß im Maul, auf neun Tage von morgen gerechnet, so wahr ich Gad heiße. Denn mir ist wütend und übel zu Sinn bei seinem Anblick und bei des Kleides Anblick, darunter er schläft und um das er frech den Vater betrogen. Ich bin kein Feigling, aber ich weiß nicht, was mir in der Herzgrube rumort und was mich mahnt aus meinen Eingeweiden. Hier stehen wir Brüder, und dort liegt der Bube, der Geck, der Zierbengel, der Gelbschnabel, der Grünling, der Augenverdreher und hat das Kleid. Sollen wir uns etwa beugen vor ihm? Ich werde das Wort nicht los, das da ›beugen‹ lautet, als flüsterte irgendein verfluchtes Gezücht es mir hartnäckig ins Ohr. Daher das Jücken in meiner Hand, daß ich ihn ohrfeigte, das wäre das Rechte, und der Greuel unter meinem Magen käme zur Ruhe!«

Der gerade Gad sprach viel Tieferes aus, als Ascher – bei all seinem Bedürfnis nach Gesinnungsverdichtung und Bündelung durch das Wort – zu berühren angestrebt hatte, da es diesem nur darum zu tun war, durch den billigen Ausdruck des Einfachsten und Bewußtseinsfähigsten sich Liebe zu erwerben und warme Einigkeit zu erzeugen. Gad bemühte sich härter. Er rang nach

Andeutung dessen, was sie alle unterhalb simplen Ärgers und Neides ängstigte und quälte, nach Namen für dunkle Erinnerungen, Beklemmungen, Bedrohungen, für einen Beziehungsspuk, worin die Begriffe »Erstgeburt«, »Täuschung«, »Vertauschung«, »Weltherrschaft«, »Bruderdienstbarkeit« ihr Wesen trieben und der, nicht recht erkennbar als Vergangenheit oder Zukunft, als Mär oder Verkündigung, ebendas Wort »beugen«, »es werden sich beugen vor dir –« widerwärtig aus sich erzeugte. Die anderen fühlten sich von Gads Worten denn auch stark und unheimlich angesprochen. Besonders dem langen, im Nacken etwas gebeugten Naphtali, der schon längst von einem Fuß auf den andern trat, fuhren sie vollends in die Glieder und verstärkten aufs äußerste in ihm den Trieb zum Anspringen und Laufen. Sein Boteninstinkt, sein Melde- und Kommunikationsbedürfnis hatte sich von Anfang an stürmisch geregt und zerrte ihm in den Waden, daß er zappelte. Der Raum und seine trennende Natur beherrschte Naphtali's Vorstellung. Er betrachtete ihn als seinen vertrautesten Feind und die eigene Person als das berufene Mittel zu seiner Überwindung, nämlich zur Aufhebung der durch ihn bewirkten Unterschiede im Wissen der Menschen. Wenn an seinem Orte etwas geschah, verband er ihn in seinen Gedanken sogleich mit einem entfernten, wo man noch nichts davon wußte, – ein Zustand unleidlich ahnungslosen Dahinvegetierens in seinen Augen, den es ihn durch das Ausgreifen seiner Beine und die Geläufigkeit seiner Zunge richtigzustellen drängte, um womöglich von dort eine hierorts schimpflicherweise noch unbekannte Nachricht zurückzubringen und so das Wissen der Menschen auszugleichen. In diesem Falle nun war es der Ort der fernen Brüder, zu dem seine Gedanken – die seinen zuerst – das Gegenwärtige eilig in Beziehung gesetzt hatten. Sie wußten noch nichts, dank unausstehlicher Raumeswirkung, und mußten's doch schleunig wissen. In seiner Seele lief Naphtali schon.

»Hört, hört, ihr Brüder, ihr Kinder, ihr Freunde«, plapperte er mit leiser, hastiger Stimme. »Wir stehen und schauen an das Geschehene, denn wir sind zur Stelle. Aber zu dieser selbigen Stunde sitzen zu Schekem im Tale die Rotäugigen ums Feuer und sprechen von diesem und jenem, nur nicht davon, daß Jaakob dem Joseph das Haupt erhöht hat zu ihrer Schande, denn sie vermuten's nicht, und so laut auch die Schande schreit, ihre und unsre, sie hören's nicht. Geht es aber an, daß wir uns genügen lassen am Vorteil und sprechen: Sie sind fern, also töricht, denn Ferne ist töricht, und dabei bleibt's? Nein, sondern ansagen muß man's ihnen, daß es dort sei wie hier und sie nicht leben, als wäre es nicht. Schickt mich, schickt mich! Ich will übers Land fahren zu ihnen und ihnen Kunde geben, daß ich ihre Dunkelheit erhelle und sie laut aufschreien mache. Euch aber melde ich rückkehrend, wie sie geschrien.«

Man pflichtete ihm bei. Die Rotäugigen mußten's erfahren. Fast näher noch ging es sie an als die Viere. Naphtali ward mit dem Wege betraut; dem Vater aber würde man sagen, ein eiliger Handel habe den Geläufigen über Land gerufen. Er schlief kaum vor Ungeduld und rüstete den Esel vor Tagesgrauen; als Joseph erwachte unter dem Weltenkleide, war er schon weit davon, und den Fernen näherte sich das Wissen. Neun Tage später waren sie da, mit dem Boten zusammen, genau auf den Vollmondstag: Ruben, Schimeon, Levi, Juda, Issakhar und Sebulun, und blickten um sich in finsterem Suchen. Schimeon und Levi, genannt »die Zwillinge«, obgleich sie ein Jahr auseinander waren, hatten, wie Naphtali versicherte, bei der Nachricht gebrüllt wie Stiere.

Von Rubens Erschrecken

So viel Sinn und Verstand besaß Joseph, daß er ihnen nicht sofort und geradezu in dem Kleide entgegentrat, obgleich er die größte Lust dazu gehabt hatte. Ein leiser Zweifel daran, ob sie ihn wirklich soviel mehr liebten als sich selbst, daß sie außer reiner Freude gar nichts anderes beim Anblick seiner Haupterhebung empfinden würden, hatte ihn vermocht, den Schleier vorerst noch beiseite zu lassen und sie im Alltagshemd zu bewillkommnen.

»Gegrüßt, liebe Lea-Brüder, ihr starken Leute!« sagte er.

»Willkommen beim Vater! Ein paar von euch wenigstens will ich küssen.«

Und er ging zwischen ihnen umher und küßte drei oder vier auf die Schulter, obgleich sie so steif wie Stöcke standen und ihn nicht anrührten. Nur Re'uben, ein neunundzwanzigjähriger Mann zur Zeit, groß und schwer, die gewaltigen Beine mit Lederriemen umwunden, in einem Fellschurz, mit rasiertem, fleischig-muskelstarkem, gerötetem, bärbeißigem Gesicht von stumpfem Profil und verlegen-würdevollem Ausdruck, die niedere Stirn vom lockig hineindringenden schwarzen Haar verdüstert, – nur er hob, ohne übrigens eine Miene zu verziehen, die schwere Hand, als er Josephs Lippen auf seiner Schulter spürte, und strich einmal leicht und sozusagen heimlich damit über des Bruders Kopf.

Jehuda, drei Jahre jünger als Ruben, nicht weniger hochgewachsen, aber etwas rundrückig und mit einem Leidenszug um Nüstern und Lippen, war im Mantel, unter dem er die Hände verbarg. Er trug eine anliegende Mütze, die sein Haar, rotbraun wie der volle Spitzbart, der schmal über den roten, gepolsterten Lippen abwärtslaufende Schnurrbart, mähnenhaft reichlich hervorquellen ließ. Diese Lippen zeugten von Sinnlichkeit, aber die feingebaute, gebogene und dennoch flach darauf niedergehende Nase drückte eine witternde Geistigkeit aus, und in den großen, schwerlidrigen und spiegelnd hervortretenden Hirschaugen lag Melancholie. Juda war damals, wie mehrere seiner Brüder und Halbbrüder, schon ehelich beweibt. So hatte Ruben eine Tochter des Landes erworben und mit ihr dem Gotte Abrahams mehrere Kinder gezeugt, den Knaben Hanoch zum Beispiel und den Knaben Pallu, die Jaakob zuweilen auf den Knien schaukelte. Schimeon hatte sich eine aus Schekem als Beute hinweggeführte Bürgerstochter namens Buna zu eigen gemacht, Levi ein jahugläubiges Mädchen geheiratet, das für eine Enkelin Ebers galt, Naphtali ein junges Weib, dessen Herkunft Jaakob etwas künstlich von Nahor, dem Bruder des Chaldäers, ableitete, und Dan einfach eine Moabiterin. Lauter religiös einwandfreie Heiraten waren nicht durchzuführen gewesen, und was Juda anlangte, so hatte der Vater froh sein müssen, daß er überhaupt in fleischlichen Dingen durch eine Heirat zu einiger Befestigung und Beruhigung gelangt war, denn sein Geschlechtsleben hatte von jungauf ein wirres und schmerzliches Gepräge getragen. Er stand mit Astaroth auf unvergnügt-gespanntem Fuß, litt unter ihrer Geißel, die ihn jagte, und war ihr untertan, ohne sie zu lieben, was einen Riß in seiner Seele bedeutete und eine Uneinigkeit in ihm selber. Der Umgang mit Kedeschen und Ischtar-Huren brachte ihn der Baals-Sphäre und ihren Greueln und Narrheiten nahe, der Sphäre Kanaans, des Schamlosen, und niemanden, auch Jaakob, den Vater, nicht, konnte das schwerer grämen als Jehuda selbst, der nicht nur fromm war, nach gottesvernünftiger Reinheit trachtete und Scheol samt allen Narrheiten und Geheimnissen zutiefst verabscheute, mit denen die Völker sich besudelten, sondern auch Grund zu haben glaubte, besonders auf sich zu halten, denn da Ruben gestrauchelt war und man die sogenannten Zwillinge seit den Wirren von Schekem ebenfalls als verflucht betrachten konnte, hatte es viel für sich, daß Juda, der vierte, als Segenssohn und Verheißungsträger an der Reihe war, mochte auch unter den Brüdern nicht davon die Rede sein, sondern jeder Anspruch nur als gemeinsame Bosheit gegen den Sohn der Rahel sich kundgeben.

Durch einen seiner Hirten, Hira geheißen, aus dem Örtchen Adullam, lernte er einen kanaanitischen Mann namens Schua kennen, dessen Tochter gefiel ihm, und er nahm sie mit Jaakobs Zustimmung. Die Söhne, die sie ihm brachte, zwei vorderhand, unterwies er in der Vernunft Gottes. Sie aber schlugen der Mutter nach, wie Ismael der Hagar nachgeschlagen und nicht dem Vater: so wenigstens sah Juda es an und erklärte sich's so, daß sie übel waren, Kanaanskinder, Baalsbälge, Scheolsbuben, Molechnarren, obgleich der Kummer vielleicht nicht nur von Schua's Tochter kam. Sie verhieß ihm schon einen dritten, und ihm bangte, wie er sich anlassen werde.

In Juda's Augen also war Schwermut, aber sie bestimmte ihn nicht zur Gutmütigkeit und dazu, daß er heimlich wäre dem Joseph übers Haar gefahren wie Ruben. Er sagte:

»Wie kommst du uns vor, Schreiber? Tritt man vor die Älteren im gemeinen Rock mit Tuscheflecken darin zu ihrer Begrüßung, da sie lange entfernt waren und kehren zurück? Liegt dir so wenig daran, uns zu gefallen, da du dir sonst doch nichts Besseres weißt, als es den Leuten anzutun, daß sie dir lächeln? Man sagt, du habest Stücke im Kasten, kostbar, daß man blinzelt, und wert eines Fürstenkindes. Was kränkst du uns, indem du geizest damit beim Empfange?«

Schimeon und Levi, heißblickend und narbig, die geölte Brust mit Tätowierungen bedeckt und gestützt auf keulenartige Knüppel, brachen in ein kurzes, brüllendes Gelächter aus.

»Seit wann gehen Bestrickende ohne Schleier spazieren?« schrie der eine.

»Und seit wann ohne Augendecke die Tempeldirnen?« reimte der andere, gleichgültig dagegen, daß Juda zusammenzuckte.

»Ach, meinst du mein Bildkleid?« fragte Joseph. »Hat unser Bruder Naphtali euch unterwegs schon erzählt, wie Jaakob sich meiner erbarmt hat? Vergebt mir aus Güte!« sagte er und demütigte sich anmutig vor ihnen mit gekreuzten Armen. »Es ist schwer, das Rechte zu treffen im Tun und Lassen, und es fällt der Mensch in Sünde, wie er sich stelle. Ich dachte närrischerweise: Soll ich mich spreizen vor meinen Herren? Nein, sondern prunklos will ich dahertreten, daß sie kein Ärgernis nehmen an meiner Hoffart, sondern mich lieben. Siehe da, ich hab's dumm gemacht. Schmücken hätt' ich mich sollen euch zum Gruß, ich versteh' es. Aber glaubt mir, auf den Abend zum Bratenmahl, wenn auch ihr euch gereinigt habt und angelegt eure Festkleider, will ich sitzen zur Rechten Jaakobs in der Ketônet, und ihr werdet sehen unseres Vaters Sohn in seiner Herrlichkeit. Soll das ein Wort sein?«

Wieder lachten die wilden Zwillinge brüllend auf. Die anderen grübelten wütend in seine Augen hinein, Einfalt und Frechheit zu unterscheiden in seinen Worten, was aber sehr schwer war.

»Ein goldenes Wort!« sagte Sebulun, der Jüngste, der es darauf anlegte, einem Phönizier zu gleichen, mit geschorenem

Rundbart, den Kopf voll kurzer Locken, in bunt gemustertem Oberrock, der nur eine Schulter bedeckte und auf der anderen, unterm Arm durchlaufend, das Hemd freiließ; denn sein Sinn stand nach dem Meere, den Häfen, und er wäre lieber nicht Hirte gewesen. »Ein leckeres Wort. Ein Wort wie eine Opfersemmel aus feinem Weizengrieß mit Honigseim, das muß ich sagen! Weißt du, daß ich Lust hätte, es dir in den Hals zurückzustoßen, daß du daran ersticktest?«

»Geh, Sebulun, was für grobe Scherze!« antwortete Joseph, indem er die Augen niederschlug und betreten vor sich hinlächelte. »Hast du sie von gepichten Rudersklaven zu Askaluna und Gaza?«

»Er hat meinen Bruder Sebulun einen gepichten Rudersklaven genannt!« rief der einundzwanzigjährige lang- und schwergliedrige Issakhar, genannt der »knochige Esel«. »Ruben, du hast es gehört und mußt ihm übers Maul fahren, wenn nicht mit der Hand, wie ich wünschte, so doch mit rügenden Worten, daß er's sich merke!«

»Du sprichst nicht genau, Issakhar«, antwortete Ruben mit hoher und zarter Stimme, wie sie wohl Männern von gewaltigem Körperbau eigen sein kann, und wandte den Kopf ab. »Nicht genannt hat er ihn so, sondern hat ihn gefragt, ob er von solchen die Rede habe. Es war vorlaut genug.«

»Ich habe verstanden, daß er mich mit einer Opfersemmel ersticken wollte«, erwiderte Joseph, »was sowohl lästerlich gewesen wäre wie auch sehr unfreundlich. Hat er's aber nicht gesagt und gemeint, so will auch ich ihn gewiß nicht geneckt haben, beileibe.«

»Und so gehen wir dahin und dorthin«, beschloß Re'uben, »damit nicht das Beisammenstehen weiterhin noch zu Häkeleien und Mißverständnissen führe.«

Sie trennten sich, Zehn und Einer. Aber Ruben ging dem Einsamen nach und rief ihn beim Namen. Hoch stand er vor ihm unter vier Augen auf seinen gegürteten Säulenbeinen, und Joseph blickte höflich aufmerksam in die muskulöse Miene, der ein Bewußtsein von Kraft und Fehlbarkeit den Ausdruck verlegener Würde aufprägte. Rubens Augen mit den entzündeten Lidern waren ihm nahe. Ihr Blick verlor sich sinnend in seinem Gesicht oder machte eigentlich davor halt, indem er sich in sich selbst zurückwandte, und dabei knetete er mit der gewaltigen Rechten leicht des Bruders Schulter, wie er es mit dem zu machen pflegte, mit dem er eben sprach.

»Du verwahrst das Kleid, Knabe?« fragte er mit den Lippen, ohne den Mund recht zu öffnen.

»Ja, Ruben, mein Herr, ich hüte es«, antwortete Joseph. »Israel schenkte mir's, da er lustig war vom Siege im Spiel.«

»Schlug er deine Steine?« fragte Ruben. »Du spielst flink und scharf, denn dein Geist ist eingeübt von allerlei Kopfarbeit mit Eliezer, und auch im Spiele kommt dir's zustatten. Schlägt er sie öfters?«

»Dann und wann«, sagte Joseph und zeigte die Zähne.

»Wann du willst?«

»Nicht auf mich allein kommt es an«, erwiderte ausweichend jener.

»Ja, so ist es«, dachte Ruben im stillen, und sein Blick ging in sich mehr als zuvor. »Das ist der Trug der Gesegneten und ist ihre Art zu betrügen: Sie müssen ihr Licht unter den Scheffel stellen, daß es nicht ihnen zum Schaden leuchte, da die andern es müssen heller lügen, um sich zu halten.« Er sah den Halbbruder an. »Das Rahelskind«, dachte er. »Wie es angenehm ist! Die Leute haben recht, ihm zu lächeln. Genau die richtige Größe hat er und schlägt die hübschen und schönen Augen zu mir auf mit geheimem Spott, wenn mir recht ist, da ich vor ihm stehe wie ein Herdenturm, übergroß und ungeschlacht, mit diesem tölpelhaften Leibe, an dem mir überall die Adern bersten wollen von Kraft, so daß ich mich mit Bilha vergaß wie ein Bulle und gab nicht einmal acht, ob's einer merke. Da ging er hin und sagte es Israel an, unschuldig-tückischen Sinnes, und ich kam in die Asche. Denn er ist klug wie die Schlangen und sanftmütig wie die Tauben, so sollte man sein. Tückisch in Unschuld und unschuldig in der Tücke, so daß die Unschuld gefährlich ist und heilig die Tücke, das sind die untrüglichen Zeichen des Segens, und ist dagegen nicht aufzukommen, selbst wenn man wollte, aber man will gar nicht, denn dort ist Gott. Ich könnte ihn niederstrecken auf immer mit einem einzigen Streich; die Kraft, die Bilha schwächte, wäre auch dazu gut, und der Dieb meiner Erstgeburt würde sie spüren nach Mannesart, wie Bilha sie spürte als Weib. Was hätte ich aber davon? Habel läge erschlagen, und ich wäre, der ich nicht sein will, Kajin, den ich nicht verstehe. Wie kann man gegen seine Überzeugung handeln, gleich Kajin, und sehenden Auges den Angenehmen erschlagen, weil man unangenehm ist? Ich werde nicht gegen meine Überzeugung handeln, ich will gerecht und billig sein, das ist meiner Seele zuträglicher. Ich werde ihr nichts vergeben. Ich bin Re'uben, die Adern voll Kraft, Lea's Erster, der Älteste Jaakobs, der Zwölfe Haupt. Ich werde ihm keine verliebten Fratzen schneiden und mich nicht demütigen vor seiner Anmut – schon daß ich ihm übers Haar strich vorhin, war läppisch und fehlerhaft. Ich werde nicht die Hand an ihn legen, weder so noch so. Ich stehe vor ihm wie ein Turm, ungeschlacht meinethalb, aber in Würden.«

Er fragte mit angezogenen Gesichtsmuskeln:

»Du hast es ihm abgeschwatzt, das Kleid?«

»Kürzlich hatte er mir's verheißen«, antwortete Joseph, »und da ich ihn mahnte, gab er mir's aus der Truhe und sprach: ›Behalt es, behalt es!‹«

»So, du hast ihn gemahnt und drum gebettelt. Gegen seinen Willen gab er dir's, versucht von deinem. Weißt du, daß es gegen Gott ist, die Macht, die einem gegeben ist über einen andern, zu mißbrauchen, daß er willigt ins Unrecht und tut, was ihn reut?«

»Welche Macht habe ich über Jaakob?«

»Fragend lügst du. Du hast über ihn die Macht Rahels.«

»So hab' ich sie nicht gestohlen.«

»Noch sie verdient.«

»Der Herr spricht: ›Ich gönne, wem ich gönne.‹«

»Oh, frech bist du!« sagte Ruben mit dick zusammengezogenen Brauen und schüttelte ihn langsam an der Schulter hin und her. »Mir sagt man wohl nach, daß ich sei wie ein dahinschießend Wasser, und die Sünde ist mir nicht fern. Aber ein Leichtsinn, verstockt wie deiner, der ist mir fern. Du pochst auf Gott und spottest des Herzens, das da ist in deiner Hand. Weißt du, daß du den Alten in Angst und Not gestoßen hast, da du ihn beschwatztest um das Kleid?«

»Aber großer Ruben, in was für Not?«

»Ich kenne es schon, daß du lügst, da du fragst. Hast du so große Freude dran, daß der Mensch so zu tun vermag? – In Not um dich, der du sein Liebstes bist ohne Verdienst, nach seines Herzens Willen, das ist weich und stolz. Er wurde gesegnet vor Esau, seinem Zwilling, aber ist ihm nicht worden Kummers genug, da ihm Rahel starb einen Feldweg von Ephron, ferner durch Dina, sein Kind, und auch durch mich, was ich selbst hinzufüge, da ich dir ansehe, daß du imstande wärst, mich dran zu erinnern?«

»Nicht doch, starker Ruben. Ich denke gar nicht daran, daß du eines Tages mit Bilha scherztest, so daß du dem Vater wie ein Flußpferd vorkamst in seiner Verstimmung.«

»Schweig! Wie kannst du reden davon, da ich's dir ausdrücklich vom Munde weggenommen und kam dir zuvor? Immer ersinnst du neue Arten der Lüge und sagst: ›Ich denke nicht dran‹, da du ausführlich davon redest. Ist es das, was du von den Lesesteinen erfährst und was du übst, wenn du mit Eliezer betreibst das Tempelwissen? Deine Lippen regen sich, ich weiß nicht wie, und geschnitten vom Schöpfer so und so, und es glitzern dir die Zähne dazwischen. Was aber herauskommt, sind lauter Frechheiten. Bursche, Bursche, hüte dich!« sagte er und handhabte ihn so, daß Joseph auf Ferse und Fußballen rückwärts und vorwärts schwankte. »Habe ich dich nicht zehnmal errettet aus den Händen der Brüder und vor dem Zorne derer, die Schekem zertraten um der Geschwächten willen, zehnmal, wenn sie daran waren, dich zu verbleuen, weil du geplappert hattest wider sie beim Vater und hattest gelogen von ›Stücken aus dem Fleische der Lebenden‹ und dergleichen mehr, – daß du nun hingehst und erschleichst dir das Kleid, da wir ferne weiden, und forderst freventlich den Ingrimm heraus wider dich, wenn nicht von Zehnen, so doch von Neunen? Sage, wer bist du, und welches ist dein Hochmut, daß du dich abseitsstellst von uns allen und wandelst wie ein Besonderer? Fürchtest du nicht, daß dein Dünkel die Wolke über dir zusammenzieht, aus der der Blitz kommt? Weißt du denen, die's gnädig mit dir meinen, so wenig Dank, daß du ihnen Not schaffst, wie einer, der hoch in morschen Zweigen klettert und spottet auf die herab, die unten stehn und nach ihm rufen in Ängsten, ob es nicht breche unter ihm und er falle und schütte sein Eingeweide aus?«

»Höre, Ruben, stelle mich hin! Glaube mir, ich weiß es dir Dank, daß du ein Wort für mich einlegtest wider der Brüder Mutwillen. Ich bin dir auch dankbar, daß du mich hältst, indem du mich umwirfst, beides zugleich. Stelle mich aber nun auf die Sohlen, daß ich rede! So! Man kann sich nicht auseinandersetzen im Schaukeln. Jetzt aber, da ich stehe, will ich's tun, und ich bin sicher, daß du mir beifallen wirst in deiner Gerechtigkeit. Ich habe mir das Kleid nicht erschlichen, noch es gestohlen. Da er mir's am Brunnen verheißen, kannte ich Jaakobs Wunsch und Vorsatz, es mir zu gewähren. Da ich ihn aber etwas uneins sah, den Sanftmütigen, mit seinem Willen, hielt ich's mit diesem und vermochte ihn leicht, mir's zu geben – geben, sage ich, und nicht schenken, denn es war mein, eh er mir's gab.«

»Warum dein?«

»Du fragst? Ich werde antworten. Welche war es, der Jaakob zuerst den Schleier hob und machte ein Vermächtnis daraus zu der Stunde?«

»Es war Lea!«

»Ja, in Wirklichkeit. Aber in Wahrheit war's Rahel. Lea war nur verkleidet darin, aber des Kleides Herrin war Rahel, und sie hat es verwahrt, bis sie starb, einen Feldweg von Ephron. Da sie aber starb, wo ist sie?«

»Wo Lehm ihre Speise ist.«

»Ja, in Wirklichkeit. Aber die Wahrheit ist anders. Weißt du nicht, daß es des Todes Kraft ist, die Beschaffenheit zu verändern, und daß Rahel dem Jaakob lebt in anderer Beschaffenheit?«

Ruben stutzte.

»Ich und die Mutter sind eins«, sagte Joseph. »Weißt du nicht, daß Mami's Gewand auch des Sohnes ist und daß sie's tragen im Austausch, der eine an Stelle des andern? Nenne mich, und du nennst sie. Nenne das Ihre, und du nennst das Meine. Also, wes ist der Schleier?«

Er hatte in durchaus bescheidener Haltung gesprochen, schlicht dastehend, mit niedergeschlagenen Augen. Aber nachträglich, nachdem er schon ausgeredet, schlug er plötzlich den Blick groß und offen zu dem des Bruders auf: nicht so, daß er sich angreifend in diesen versenkt und gedrängt hätte, sondern er bot sich eben nur still und offen zum Hineinschauen dar, das blinzelnd-bestürzte Bohren der entzündlichen Lea-Augen ohne Erwiderung aufnehmend in seine Unergründlichkeit.

Der Turm wankte. Dem großen Ruben graute es. Wie drückte der Junge sich aus, worauf redete er sich hinaus, wie kam das alles heraus? Ruben hatte nach seinem Hochmut gefragt, – er bereute es, denn nun hatte er Antwort. Zornig hatte er wissen wollen, wer jener denn sei, – hätte er's nicht getan! Denn jetzt war er bedeutet, und zwar so zweideutig, daß es ihm den Rücken hinunterlief, so lang er war. War es Zufall, wie sich in des Knaben Mund die Worte gefügt hatten? Wollte er damit auf das Göttliche anspielen und sich darauf berufen, um seine Hinterlist zu rechtfertigen, oder... Und dieses »Oder« erregte dem Ruben dasselbe Grausen in der Herzgrube, über das Bruder Gaddiel sich schimpfend beklagt hatte an Josephs Lager, – nur stärker war es in Ruben, eine tiefere Erschütterung und zugleich Bewunderung, ein weiches, zärtliches Entsetzen und Erstaunen.

Man muß den Ruben verstehen. Er war nicht der Mann, allein in aller Welt die Wichtigkeit der Frage zu verkennen, wer einer war, in welchen Fußstapfen er ging, auf welche Vergangenheit er seine Gegenwart bezog, um sie als Wirklichkeit dadurch auszuweisen. Joseph hatte sich ausgewiesen durch seine Antwort – auf so ungeheuerlich anmaßende Weise, daß es dem Ruben schwindelte. Aber die Magie des Wortes, die das Obere ins Untere zog, diese zwanglos freie und zweifellos echte Gefügigkeit der Sprache zu verwechselndem Zauber, ließ die Stapfen, in denen der junge Bruder wandelte, vor Rubens Augen hell erschimmern. Er hielt den Joseph in diesem Augenblick nicht geradezu für eine verschleierte Doppelgottheit von beiderlei Geschlecht – wir wollen so weit nicht gehen. Und dennoch war seine Liebe nicht weit vom Glauben.

»Kind, Kind!« sagte er mit der zarten Stimme seines mächtigen Leibes, »schone deine Seele, schone den Vater, schone dein Licht! Stelle es unter den Scheffel, daß es dir nicht zum Verderben leuchte!« Dann trat er drei Schritte rückwärts mit gesenktem Haupt und wandte sich erst danach von Joseph hinweg.

Beim Abendmahl aber trug dieser das Kleid, so daß die Brüder wie Klötze saßen und Jaakob sich fürchtete.

Die Garben

Nach diesen Dingen und vielen Tagen geschah es, daß man den Weizen schnitt im Tale Hebron und daß Erntezeit war und die Zeit des fröhlichen Schweißes und Freudenzeit bis auf den Tag der Erstlinge, da sie gesäuerte Weizenbrote darbrachten aus neuem Mehl, sieben Wochen nach Frühjahrsvollmond. Denn die Spätregen waren reichlich gewesen, aber bald schon schlossen sich die Luken des Himmels, die Wasser verliefen sich, und es trocknete das Land. Die triumphierende Sonne, Marduk-Baal, trunken von seinem Siege über den triefenden Leviathan, waltete flammend am Himmel, goldene Speere ins Blaue schleudernd, und so hitzig war schon um die Wende des zweiten und dritten Monats seine Herrschaft, daß für die Saaten zu fürchten gewesen wäre, wenn nicht ein Wind sich aufgemacht hätte, dem Lea's Sechster, Sebulun, seine sympathische Herkunft anroch, so daß er sagte:

»Meine Nase ist angenehm berührt von diesem Wind, denn er führt die Feuchte der Weite und bringt den lindernden Tau. Seht doch an, was da Gutes vom Meere kommt, ich sage es immer. Am Großen Grünen sollte man wohnen und an Sidon grenzen und die Welle befahren, statt der Lämmer zu warten, – das lacht mir weniger. Auf der Welle und auf der gekrümmten Planke kann man zu Leuten gelangen, die einen Schwanz haben und ein leuchtendes Horn auf der Stirn. Ferner zu solchen mit so großen Ohren, daß sie den ganzen Körper bedecken, und anderen, deren Leib mit Gras bewachsen ist, – ein Mann vom Hafen Chazati hat mir's erzählt.«

Naphtali stimmte ihm zu. Es wäre gut, mit den Grasbewachsenen Nachrichten zu tauschen. Wahrscheinlich wußten weder sie noch die Geschwänzten und Ohrlappigen das geringste von dem, was vorgehe in der Welt. Die anderen widersprachen und wollten vom Meere nichts wissen, auch wenn es den Tauwind spende. Es sei Unterweltsgebiet, voll von Chaosungeheuern, und ebensogut könne Sebulun die Wüste verehren. Namentlich Schimeon und Levi, roh aber fromm, vertraten diese Anschauung, obgleich auch sie fürs Hirtenleben im Grunde nicht viel übrighatten, ihm nur um der Eroberung willen anhingen und lieber ein wilderes Handwerk betrieben hätten.

Die Erntearbeiten, die mit der Einbringung der Gerste begonnen hatten, boten allen eine willkommene Abwechslung, und sie waren heiter im Schweiß, wie der Mensch es ist in diesen Wochen des Lohnes, also daß sogar ihr Verhältnis zu Joseph, der ebenfalls sicheln und binden half, sich unwillkürlich schon etwas zu lösen und zu mildern begonnen hatte, als dieser durch unglaubwürdige Schwatzhaftigkeit wieder alles verdarb und aufs letzte verschlimmerte. Davon sogleich. Was Jaakob betraf, so war er wenig berührt von der kalendermäßigen Freudenstimmung seiner Umgebung, der Ausgelassenheit der erntenden Bauern, in deren Mitte seine Leute das Ihre besorgten. Auf diese ging von seiner Haltung, die alljährlich dieselbe war, sogar ein gewisser dämpfender Druck aus, und zwar ohne daß er selbst auf dem Felde erschienen wäre. Dies geschah nur ganz ausnahmsweise und sollte freilich gerade dieses Jahr einmal geschehen, nämlich auf besonderes Bitten Josephs, der dafür seine Gründe hatte. Im ganzen aber kümmerte Jaakob sich nicht um Saat und Mahd, sondern betrieb sein bißchen Landwirtschaft gleichsam ohne hinzusehen und nur aus Klugheit, nicht aus innerem Hange, von welchem eher das Gegenteil sein Verhältnis zu dieser Sphäre bestimmte, nämlich die Glaubensgleichgültigkeit, ja Abneigung des Mondhirten gegen den Schollendienst des roten Ackerbauers. Die Erntezeit schuf ihm geradezu eine gewisse Verlegenheit; denn er zog Nutzen, für sein Teil, aus dem Fruchtbarkeitskult, den die Landeskinder von Frühling zu Frühling den Sonnenbaalen und lieben Frauen ihrer Tempel gewidmet hatten und dem seine Seele doch ferne war. Solcher Mitgenuß beschämte ihn etwas und verschloß seine Lippen vor dem Dankbarkeitsjubel der Einbringenden.

Nun also ließ er nach der Gerste den Weizen ernten zu seiner Selbstversorgung, und da jedes Paar Arme gebraucht wurde, ja eine Anzahl Mietskräfte für diese Wochen durch Eliezer waren aufgenommen worden, unterbrach Joseph seine Studien mit dem Alten, um auch für seine aparte Person vom rosigen Morgen bis an den Abend auf dem Felde zu schaffen, sein Krummeisen in die Ährenbüschel hauend, die seine Rechte zusammenraffte, Garben mit Stroh zu binden und sie mit den Brüdern und Knechten auf Karren zu laden oder den Eseln aufzuhängen, die sie zur Dreschtenne trugen. Es ist anzuerkennen, daß er es willig und fröhlich tat, ohne es für Raub zu achten, und in aller Bescheidenheit, – zu welcher freilich gewisse Enthüllungen seines Innenlebens, die er sich gerade damals gönnte, in krassem Gegensatz standen. Schließlich wäre es ihm ein leichtes gewesen, von Jaakob Befreiung von der Feldfron zu erlangen, aber er dachte nicht daran, teils weil die Arbeit ihm gesunde Freude machte, teils, und dies wirklich vor allem, weil sie ihn den Brüdern näherte und er's in frohem Stolze genoß, mit ihnen zusammenzuwirken, sich von ihnen rufen zu hören, ihnen nach besten Kräften zur Hand zu gehen, – das ist buchstäblich wahr; die Werkgemeinschaft mit ihnen, die praktisch das Verhältnis besserte, erhob ihm das Herz, sie machte ihn glücklich, und Widersprüche widerlegen hier nichts; sie heben in aller zerstörenden Unvernunft die Tatsache nicht auf, daß er die Brüder liebte und, so unvernünftig, ja gänzlich verblendet nun dies wieder anmuten möge, auf ihre Liebe vertraute, so daß er glaubte, ihr einiges zumuten zu dürfen, – einiges, denn unseligerweise dachte er, es wäre nicht viel.

Die Feldarbeit ermüdete ihn sehr, und des öfteren schlief er zwischenein. Er schlief auch in jener Mittagsstunde, die alle Jaakobssöhne, Benjamin ausgenommen, dort draußen zur Ruhe und Mahlzeit unter einem braunen Schattentuch, das über krummen Stangen aufgehängt war, versammelt sah. Sie hatten das Brot gebrochen und plauderten, auf ihren Fersen kauernd, im bloßen Schurz allesamt, die Körper gerötet von der Kraft Baals, die zwischen weißen Sommerwolken niederflammte auf das halb abgeerntete Land, das da und dort, wo die Sichel stopplige Breschen in sein sonnengelbes Ährengedränge geschlagen, mit aneinandergelehnten Garben besetzt und ringsum von niedrigen Schottermauern eingesäumt war, hinter denen anderer Leute Arbeit begann. In einiger Entfernung erhob sich ein Hügel, der den Jaakobsleuten als Tenne diente. Man sah beladene Esel unterwegs dorthin und Männer droben, die mit Gabeln die Halme auseinanderwarfen vor Ochsen, die dreschend darübergingen.

Joseph also, auch er nur im Arbeitsschurz und mit geflammter Haut, schlief im gemeinsamen Schatten auf seinem Arm in Hockerstellung. Er hatte, als er sich legte, den ihm zunächst sitzenden Issakhar, genannt »der knochige Esel«, in aller Treuherzigkeit gebeten, ihm eins seiner Knie zu leihen, daß es ihm das Haupt erhebe; aber Issakhar hatte gefragt, ob er ihm den Kopf vielleicht auch krauen und ihm die Fliegen wehren solle, und ihn geheißen, sich wie immer zu betten, nur ohne ihn zu benutzen. Darüber hatte Joseph kindlich gelacht wie über einen guten Witz und sich schlafen gelegt ohne Haupterhebung. Er fand sie anderweitig, wie sich herausstellen sollte, aber niemand sah es ihm an, zumal niemand sich um ihn kümmerte. Nur Ruben ging zuweilen mit dem Blick über ihn hin. Des Schlafenden Gesicht war ihm zugewandt. Es war nicht ruhig. Seine Stirn, seine Lider zuckten, und der gelöste Mund rührte sich wie zum Sprechen.

Währenddem erörterten die Brüder die Vorteile oder Nachteile eines Gerätes, dessen man sich neuerdings vielfach zum

Dreschen bediente, der Dreschtafel, die, von Ochsen gezogen, mit den an ihrer Unterseite befestigten spitzen Steinen die Ähren zerriß. Daß dies das Verfahren beschleunigte, war unbestritten. Aber mehrere behaupteten, das Worfeln nachher mache mehr Arbeit, als wenn man oft und gründlich das tretende Vieh über die Frucht getrieben. Auch von einem Dreschwagen sprach man, den manche Bauern gebrauchten und der auf Walzen mit schneidenden Eisenscheiben lief. Darüber erwachte Joseph und setzte sich auf.

»Ich habe geträumt«, sagte er und blickte verwundert lächelnd unter den Brüdern umher.

Sie drehten die Köpfe, wandten sie wieder weg und redeten weiter.

»Geträumt habe ich«, wiederholte er und strich mit der Hand über die Stirn, indem er, immer noch verwirrt und glücklich lächelnd, ins Leere sah, »so wirklich und wunderbar!«

»Das ist deine Sache«, erwiderte Dan und richtete kurz die stechenden Augen auf ihn. »Besser hättest du getan, ohne Traum zu schlafen, wenn du schon schlafen mußt, denn Traumschlaf erquickt nicht.«

»Wollt ihr meinen Traum nicht hören?« fragte Joseph.

Hierauf antwortete niemand. Dagegen setzte einer von ihnen, es war Jehuda, das landwirtschaftliche Gespräch in einem Tone fort, der die gebührende Antwort auf eine solche Frage gewissermaßen enthielt.

»Es ist notwendig«, sprach er kalt und laut, »die Eisenscheibchen sehr scharf zu halten, sonst schneiden sie nicht, sondern quetschen nur, und das Korn tritt nicht recht aus der Ähre. Sagt aber selbst, ob auf die Leute Verlaß ist, zumal die Gemieteten, daß sie sie hinlänglich wetzen. Sind aber die Rädchen sehr scharf, so zerschneiden sie leicht auch die Frucht, und es geschieht, daß das Mehl ...«

Joseph hörte ein Weilchen ihrer über ihn hinweggehenden Unterhaltung zu. Schließlich unterbrach er sie und sagte:

»Verzeiht, Brüder, aber ich möchte euch meinen Traum doch erzählen, den ich geträumt habe in diesem Schlaf, es drängt mich dazu. Er war nur kurz, aber so wirklich und wunderbar, daß ich ihn nicht für mich behalten mag, sondern von Herzen wünschte, er stünde euch vor Augen wie mir, daß ihr vor Ergötzen lachtet und euch die Schenkel schlüget.«

»Nun höre einmal!« sagte Juda wieder und schüttelte den Kopf. »Was ficht dich an, daß du uns mit deinen Sachen behelligst, die uns nicht scheren? Denn es schiert uns doch dein Inwendiges nicht und das Gebräu deines Schlafes, und was dir aufsteigt aus dem Bauche zum Kopf nach dem Essen. Das ist unanständig und geht uns nichts an, also schweig!«

»Aber es geht euch an!« rief Joseph eifrig. »Es geht euch alle an, denn ihr kommt alle darin vor und ich auch, und ist mein Traum so ganz zum Sinnen und Staunen für uns alle, daß ihr die Köpfe werdet sinken lassen und drei Tage lang fast an nichts anderes denken!«

»Soll er's also nicht in wenigen Worten aussagen, ohne Umstände, daß wir's hören in Kürze?« fragte Ascher... Genäschige sind auch neugierig, und neugierig waren sie übrigens alle und hörten im Grunde sehr gern erzählen, das Wirkliche und das Erdichtete, Mär, Traum und Lieder der Urzeit.

»Gut«, sagte Joseph glücklich, »wenn ihr denn wollt, so erzähle ich euch mein Gesicht, das wird sich empfehlen, schon wegen der Deutung. Denn wer da träumt, soll nicht deuten, sondern ein anderer. Träumet ihr, so will ich's euch wohl auslegen, das kostet mich nichts, ich bitte den Herrn, und er gibt mir's. Aber mit eigenem ist es was andres.«

»Nennst du das ›ohne Umschweife‹?« fragte Gad.

»Hört denn...« begann Joseph. Aber Ruben wollt' es im letzten Augenblick noch verhindern. Er hatte den Herrn des Schleiers über alldem nicht aus den Augen gelassen, und ihm ahnte nichts Gutes.

»Joseph«, sagte er, »ich kenne nicht deinen Traum, denn ich lag nicht mit in deinem Schlaf, sondern du warst darin allein. Aber mir scheint, es bliebe besser ein jeder allein mit seinen Träumen, und du behieltest für dich, was dir träumte, daß wir zur Arbeit gingen.«

»Bei der Arbeit waren wir«, griff Joseph seine Worte auf, »denn auf dem Acker sah ich uns alle miteinander, uns Söhne Jaakobs, und wir ernteten den Weizen.«

»Großartig!« rief Naphtali. »Du läßt dir Dinge träumen, höchst träumerische, das leugne einer! Man muß von Wunder sagen, wie weit er her ist, dein Traum, und wie so gar wild und bunt!«

»Es war aber nicht unser Acker«, fuhr Joseph fort, »sondern ein anderer, wunderlich fremd. Doch sagten wir nichts darüber. Schweigend arbeiteten wir miteinander und banden Garben, nachdem wir die Frucht geschnitten.«

»Na, das ist ein Träumchen vor dem Herrn!« sagte Sebulun. »Ein Gesicht ohnegleichen! Wir hätten wohl erst binden sollen und dann schneiden, du Narr? Müssen wir's wirklich zu Ende hören?«

Einige standen schon achselzuckend auf und wollten gehen.

»Ja, hört es zu Ende!« rief Joseph mit erhobenen Händen. »Denn jetzt kommt das Wunderbare. Jeder banden wir eine Garbe der Brotfrucht, und waren da zu zwölfen, denn auch Benjamin, unser jüngster Bruder, war mit dabei auf diesem Felde und band sein Gärbchen mit euch im Kreise.«

»Fasele nicht!« gebot Gad. »Wie denn: ›Mit euch im Kreise‹. Du willst sagen: ›Mit uns im Kreise!‹«

»Nicht doch, Gaddiel, anders vielmehr! Denn ihr bildetet den Kreis, ihr elfe, und bandet, ich aber stand und band meine Garbe in euerer Mitte.«

Er schwieg und sah in ihre Gesichter. Sie hatten sämtlich die Brauen emporgezogen und mit leisem Schütteln die Köpfe in den Nacken gelegt, daß ihnen die Adamsäpfel hervortraten. In diesem Kopfschütteln und diesem Emporziehen der Brauen lag spöttisches Erstaunen, Warnung und Besorgnis. Sie warteten.

»Hört nun, wie es kam und wie mir's wunderbar träumte!« sagte Joseph wieder. »Da wir unsere Garben gebunden hatten, ein jeder die seine, ließen wir sie und gingen von ihnen hinweg, als hätten wir da nichts weiter zu tun, und sprachen nichts. Wir waren aber zwanzig Schritt miteinander gegangen, oder vierzig, siehe, da blickte Ruben sich um und wies schweigend zurück mit der Hand auf die Stätte, da wir gebunden. Ruben, du warst es. Alle standen und schauten, die Hände über den Augen. Und sehen: Meine Garbe inmitten steht da, ganz aufrecht, und eure aber, die sie umringen, neigen sich vor ihr im Kreise, neigen sich, neigen sich, und meine steht.«

Längeres Stillschweigen.

»Ist das alles?« fragte Gad sehr kurz und leise in die Stille hinein.

»Ja, danach erwachte ich«, erwiderte Joseph kleinlaut. Er war ziemlich enttäuscht von seinem Traum, der als solcher, namentlich durch Rubens stilles Zurückdeuten auf das selbständige Gebaren der Garben, ein höchst eigentümliches, drückend-beglückendes Gepräge getragen hatte, aber, in Worte gefaßt, sich vergleichsweise dürftig, ja albern ausnahm und nach Josephs Meinung keinerlei Wirkung auf die Hörer ausgeübt haben konnte, ein Gefühl, in dem Gads »Ist das alles?« ihn noch bestärkte. Er schämte sich.

»Es ist dies und das«, sagte Dan nach einem neuen Stillschweigen mit gepreßter Stimme, oder eigentlich so, daß nur die ersten Silben seiner Äußerung Ton hatten, die letzten aber in einem Flüstern erstickten.

Joseph hob den Kopf. Er schöpfte neuen Mut. Es schien, daß dennoch sein Traum, wie er ihn erzählt hatte, nicht aller Wirkung auf die Brüder bar gewesen war. »Ist das alles?« war niederschlagend gewesen, aber »dies und das« war tröstlich und hoffnungsreich; es bedeutete »Allerlei« und »Gar nicht wenig«, es bedeutete »Potztausend« und dergleichen. Er sah in ihre Gesichter. Sie waren bleich allesamt, und in allen standen senkrechte Falten zwischen den Brauen, was zusammen mit starker Blässe einen eigentümlichen Eindruck macht. Ebenso wird ein solcher erzeugt, wenn in bleichen Mienen die Nasenflügel sehr stark gespannt sind oder die Unterlippe zwischen die Zähne geklemmt ist, wie es hier gleichfalls mehrfach zu beobachten war. Außerdem ging allen der Atem sehr stark, und da er's nicht ganz in gleichem Takte tat, so war es ein zehnfach unregelmäßig durcheinandergehendes Schnaufen, das unter dem Schattentuch geschah und als Erzeugnis seiner Erzählung, zusammen mit der herrschenden Blässe, den Joseph wohl etwas betreten hätte machen können.

Das tat es auch in gewissem Grade, aber auf die Weise, daß ihm dies alles wie die Fortsetzung seines Traumes erschien, dessen seltsamen Doppelcharakter einer unheimlichen Freude und freudigen Unheimlichkeit diese Wirklichkeit bewahrte; denn der erzielte Eindruck auf die Brüder war zwar nicht ganz glücklich, aber er war offenbar viel stärker, als Joseph zeitweise zu hoffen gewagt hatte, und die Genugtuung darüber, daß seine Erzählung kein Mißerfolg gewesen war, wie er schon hatte befürchten müssen, hielt seiner Beklommenheit die Waage.

Daran änderte es nichts, daß Jehuda, nach längerem allgemeinen Schnaufen und Lippenzerren, kehlig heiseren Tones hervorstieß:

»Ein ekelhafterer Unsinn ist mir zeit meines Lebens nicht zu Ohren gekommen!« – Denn auch dies war zweifellos der Ausdruck einer, wenn auch nicht ganz glücklichen, Ergriffenheit.

Wieder herrschten Schweigen, Blässe und Nagen.

»Balg! Giftpilz du! Großhans! Stinkender Blähwind!« brüllten Schimeon und Levi auf einmal los. Sie konnten nicht nacheinander sprechen und einen Reim aufeinander machen, wie sie gewöhnlich taten; sie schrien gleichzeitig und durcheinander, hochrot die Gesichter, hoch aufgeschwollen die Adern an ihren Stirnen, und es bewahrheitete sich hier das Gerücht, das wissen wollte, im Zorne sträube sich ihnen das Brusthaar zu Stacheln und habe das beispielsweise auch beim Wüten gegen Schekem, die Stadt, getan: Es war wirklich so, jetzt konnte man es einmal beobachten, die Haare auf ihren Brustknochen sträubten sich ihnen deutlich und standen gerade ab, indes sie mit Ochsenstimmen durcheinander schrien:

»Du Widerwart, Dünkellaps, Hundsfott und frecher Flunkerer! Was willst du dir haben träumen lassen und was gesehen haben hinter deinen Lidern, du Gauch, du Dorn im Fleische, du Stein des Anstoßes, daß wir dir's deuten sollen und sollen dir's auslegen auch noch, du Garbe von Unausstehlichkeit?! ›Neigen sich, neigen sich‹, was, das träumst du dir, schamloser Duckmäuser, und zwingst uns ehrliche Männer, es anzuhören?! Alle wedeln sie schlaff im Kreise dahin, unsere Garben, deine aber steht! Ist etwas so Grundwiderliches je im Weltall erhört worden? Pfui Scheol, Dreck und Spucke! Vater- und Königsmacht möchtest du ausüben, was, dahier über uns, weil du dir, Gleisner und Erbschleicher, die Ketônet tückisch gestohlen hinter dem Rücken der oberen Brüder! Aber wir werden dich lehren, wie es mit Stehen und Neigen bestellt ist, und werden dir noch die Herren zeigen, daß du uns deinen Namen nennst und es merkst, wie unverschämt du gelogen!«

So die Dioskuren in wüstem Gebrüll. Danach gingen alle Zehn unter dem Tuch hervor und aufs Feld hinweg, noch immer bleich und rot und lippennagend. Ruben aber sagte im Weggehen: »Du hörst es, Knabe.« Joseph saß noch eine Weile nachdenklich dort, verwirrt und betrübt, weil die Brüder ihm seinen Traum nicht hatten glauben wollen. Denn dies hatte er namentlich herausgehört, daß sie ihm nicht glaubten, da die Zwillinge mehreres von Flunkerei und Lüge geschrien hatten. Das betrübte ihn, und er fragte sich, wie er es ihnen beweisen könne, daß er kein Wort zuviel gesagt und ihnen nur redlich erzählt hatte, was er wirklich in ihrer Mitte geträumt. Wenn sie ihm nur glaubten, dachte er, würde auch die Verstimmung, die sie gezeigt hatten, von ihnen weichen; denn hatte er ihnen nicht aufrichtig brüderliches Vertrauen erwiesen, indem er ihnen zu wissen gab, was Gott ihm im Traum gezeigt, damit sie Wunder und Freude wie er empfänden und mit ihm über den Sinn berieten? Es war unmöglich, daß sie ihm den Glauben an die Unerschütterlichkeit ihrer Gemeinschaft verargten, der ihn bestimmt hatte, ihnen Gottes Gedanken anzuzeigen. Er wurde darin freilich erhoben über sie; jedoch daß sie darum, die Älteren, zu denen er in gewissem Sinn immer aufgeblickt hatte, die Gedanken Gottes nicht sollten ertragen können, wäre ihm eine zu große Enttäuschung gewesen, als daß er's zu denken vermocht hätte. Da er aber einsah, daß für heute ein ganz heiter ungetrübtes Zusammenwirken leider nicht mehr möglich war, so unterließ er es lieber, zu ihnen aufs Feld zu gehen, sondern wandte sich nach Hause und suchte Benjamin, sein leiblich Brüderchen, auf, um ihm zu berichten, er habe den Großen einen verhältnismäßig durch und durch bescheidenen Traum erzählt, nämlich den und den; aber sie hätten ihn ihm nicht glauben wollen, und die Zwillinge seien heftig geworden, obgleich doch das Garbengesicht im Vergleich mit dem Himmelfahrtstraum, von dem er kein Wort gesagt, die demütigste Sache von der Welt gewesen sei.

Turturra war froh, daß nicht vom ungeheueren Himmelstraum die Rede gewesen war, und fand für sein Teil an dem Garbentraum so herzliches Gefallen, daß Joseph sich für den etwas schiefen Erfolg bei den Älteren dadurch vollauf entschädigt fand. Namentlich, daß auch sein Gärbchen mit dabei gewesen war im Kreise und sich verneigt hatte, freute den Kleinen, und er sprang und lachte deswegen, so sehr entsprach es seiner Gesinnung.

Die Beratung

Unterdessen standen die Zehne auf dem Feld in der sich neigenden Sonne beisammen in einem Haufen und stützten sich auf ihre Geräte, indes sie sich berieten in Sorge und Wut. Anfänglich hatte, wozu Schimeon und Levi in ihrer Schimpfrede das Zeichen gegeben, die Auffassung – oder doch die stillschweigende Übereinkunft – unter ihnen geherrscht, daß der Verhaßte sich den Traum ausgedacht, ihn nur lügenhafterweise berichtet habe. Sie hätten an dieser Voraussetzung, die eine innere Schutzmaßregel für sie alle war, gern festgehalten. Aber Juda war es gewesen, der, gleichsam damit in der Überlegung nichts versäumt werde, auf die Möglichkeit hingewiesen hatte, daß der Junge wirklich so geträumt und nicht aufgeschnitten habe; und seitdem rechneten alle nicht nur im stillen, sondern ausdrücklich mit dieser Aufstellung, indem sie sie wieder in zwei Fälle zerlegten: nämlich daß entweder der Traum, wenn wirklich geträumt, von Gott gekommen sei, was allgemein als die gegenständlich katastrophalste Denkbarkeit betrachtet wurde, oder daß er mit Gott nichts zu tun habe, sondern seine Quelle einzig der krasse und durch den Besitz der Ketônet übermäßig genährte Dünkel des Grasaffen gewesen sei, der ihm so unleidliche Gesichte vorgaukle. In der Debatte meinte Ruben, wenn Gott im Spiele sei, so sei man ohnmächtig und habe anzubeten – nicht Joseph, aber den Herrn. Sei dagegen der Traum aus Dünkel geboren, so könne man die Achseln darüber zucken und den Träumer seiner Narrheit überlassen. Zugleich kam er auf die Wahrscheinlichkeit zurück, daß der Knabe kindisch den Traum erfunden und sie zum besten gehalten habe, wofür er Prügel verdiene.

Wirklich, des großen Ruben Antrag lautete auf Prügel zur Strafe der Lügenhaftigkeit. Da er aber zugleich empfahl, die Achseln zu zucken, so konnte es mit den Prügeln nicht sehr schwer gemeint sein, denn unter Achselzucken prügelt man ohne rechten Nachdruck. Immerhin mochte auffallen, daß Ruben gerade die Möglichkeit wahrhaben wollte, die nach seinem eigenen Dafürhalten mit Prügeln verbunden war. Hörte man aber genauer hin, so schien es, als ob er mit dieser Gedankenverbindung die Brüder von anderen Annahmen ablenken und sie damit verlocken wollte, es auch ihrerseits mit der Lügenhypothese zu halten, weil er besorgte, daß sie aus der Annahme, Gott selbst habe den Traum gesandt, durchaus nicht die Schlußfolgerung der Bescheidung und Anbetung, sondern vielmehr unbestimmt schlimmere als bloße Prügel zu ziehen geneigt sein würden. Tatsächlich fand er sie wenig bereit, das Persönliche vom Sachlichen zu trennen und ihr Verhalten zu Joseph von der Unterscheidung bestimmen zu lassen, ob dieser nur aus leerem Dünkel geträumt habe oder ob sein Traum ein Licht auf die wirkliche Sachlage, das heißt: auf Gottes Willen und Pläne werfe. Aus ihren Reden ging nicht deutlich hervor, in welchem dieser Fälle Joseph ihnen verabscheuungswürdiger und viperähnlicher erscheine – eher womöglich noch im zweiten. Kam wirklich der Traum von Gott und war er ein Sendzeichen der Erwählung, so war gegen Gott freilich nichts zu sagen, – so wenig wie gegen Vater Jaakob etwas zu sagen war wegen seiner ehrwürdigen Schwäche. An Joseph ging alles aus in ihren Gedanken. Wenn Gott ihn erwählt hatte zu ihren Ungunsten und ihre Garben schmählich wedeln ließ vor der seinen, so war eben Gott betört von ihm, wie Jaakob es war, und das war die Folge derselben Gleisnerei, mit der er sie beim Vater untertrat. Gott war groß, heilig und unverantwortlich, aber Joseph war eine Viper. Man sieht (und auch Ruben sah es), ihre Vorstellung von Josephs Verhältnis zu Gott stimmte aufs beste mit der überein, die dieser selbst davon hegte: sie sahen es an wie sein Verhältnis zum Vater. Und so mußte es sein, denn nur gemeinsame Voraussetzungen schaffen den rechten Haß.

Re'uben fürchtete diese Gedankengänge; darum suchte er den Joseph nicht zu verteidigen, indem er zuließ, daß vielleicht Gott ihm den Traum gesandt habe, sondern wollte sie bereden, an Flunkerei zu glauben und den Schelm dafür zu züchtigen, wenn auch unter Achselzucken. In Wirklichkeit war ihm nach Achselzucken so wenig zu Sinn wie den anderen. Das Grausen in der Herzgrube, dem der gerade Gad als erster andeutende Worte verliehen hatte und das jetzt nicht nur die Vier von den Mägden, sondern alle Zehn empfanden – dies Grausen, das aus tief eingeborenen und gewöhnlich ruhenden, jetzt aber aufgeregten und heraufgerufenen sagenhaft-prophetischen Beziehungsgreueln von vertauschter Erstgeburt, Weltherrschaft und Brüderdienstbarkeit stammte –, Rubens Seele hatte vielleicht am allerstärksten teil daran, nur daß es bei ihm sich nicht, wie bei den anderen, in unnennbare Wut gegen den Erreger der Beklemmung umsetzte, sondern in ebenso unnennbare Rührung über die plappernde Unschuld des Erkorenen und in eine staunende Schicksalsverehrung.

»Es fehlt nur, daß er ›beugen‹ gesagt hätte«, stieß Gaddiel zwischen seinen zusammengebissenen Zähnen hervor.

»Er hat ›neigen‹ gesagt«, bemerkte Issakhar, der Knochige, der im Grunde die Ruhe liebte, auch ihretwegen gern etwas hinnahm und trug und hier eine Einzelheit gewahrte, die allenfalls etwas abwiegelnd wirken konnte.

»Das weiß ich«, antwortete Gad. »Aber erstens mag er es nur aus Tücke gesagt haben, und zweitens ist es derselbe Unflat so und so.«

»Doch nicht so ganz«, widersprach Dan aus Spitzfindigkeit, die zu seinem Bilde gehörte und die er aus frommer Treue gegen dies Bild zu üben nie unterließ. »Sich neigen ist nicht genau so viel wie sich beugen, es ist, unter uns gesagt, etwas weniger.«

»Wieso!« schrien Schimeon und Levi, entschlossen, ihre wilde Dummheit zu bekunden, ob die Gelegenheit nun günstig war oder nicht.

Dan und einige andere, auch Ruben, vertraten die These, »Sich neigen« führe eine geringere Bedeutung als »Sich beugen«. Beim Sichneigen, sagten diese, stehe nicht fest, ob es aus innerer Überzeugung geschähe oder nicht vielmehr auf eine äußerliche und leere Gebärde hinauslaufe. Auch »neige« man sich nur einmal oder dann und wann; dagegen »beuge« man sich immerdar, auf die Dauer und in seinem Herzen, indem man den Tatsachen aufrichtig damit Rechnung trage, also daß man, wie Ruben auseinandersetzte, sich aus Klugheit »neigen« könne, ohne sich wahrhaft zu »beugen«, sich aber auch »beugen« und dabei zu stolz sein könne, sich zu »neigen«. Jehuda meinte dagegen: diese Unterscheidung könne praktisch nicht aufrecht gehalten werden, denn es handle sich ja um einen Traum, und in einem solchen sei das Sichneigen eben nur der bildliche Ausdruck für jenes Betragen, welchem Ruben die Bezeichnung »Sichbeugen« vorbehalten wissen wolle. Traumgarben seien natürlich nicht zu stolz, sich zu »neigen«, wenn es ihren Bindern bestimmt sei, sich zu »beugen«. Hier warf der junge Sebulun ein, nun sei man ja glücklich mit ebendem beschäftigt, was Joseph unverschämterweise beantragt habe und wozu man doch keineswegs sich herbeizulassen gewillt gewesen sei, nämlich mit der Deutung des Schandtraumes; und diese Feststellung erregte solch Ärgernis, daß die Beratung, unter den Rufen Schimeons und Levis, das alles sei Gegackel und Gefackel, und beleidigenden Tatsachen beuge man sich weder, noch neige man sich vor ihnen, sondern man schaffe sie aus der Welt, wie sie es zu Schekem getan hätten, – stehenden Fußes und ohne ein anderes Ergebnis als das ungestillter Erbitterung abgebrochen wurde.

Sonne, Mond und Sterne

Und Joseph? Ohne eine Vorstellung davon, wie die Zehne sich mit seinem Traume quälten, kümmerte er sich um nichts als darum, daß sie ihm nicht hatten glauben wollen, und sann also auf nichts als darauf, sie gläubig zu machen, – gläubig in doppelter Hinsicht –: auf die Wirklichkeit seines Traumes und auf seine Wahrheit. Wie geschah das am besten? Dringlich fragte er sich so und wunderte sich später selbst, daß er sich keine Antwort gewußt hatte, sondern daß diese Antwort ihm hatte gegeben werden oder sich ihm selbst hatte geben müssen. Er träumte nämlich einfach noch einmal: eigentlich denselben Traum, nur in so viel pomphafterer Gestalt, daß die Bestätigung viel nachdrücklicher war, als wenn nur das Garbengesicht sich wiederholt hätte. Nachts, unter offenem Sternenhimmel träumte er so, auf der Tenne, wo er um diese Zeit öfters mit einigen Brüdern und Knechten die Nächte verbrachte, um das Getreide zu hüten, das noch nicht ausgedroschen und noch nicht in den Gruben des Feldes verwahrt war; und es bedeutet keinerlei Aufklärung darüber, woher die Träume kommen, wenn man bemerkt, daß die Anschauung der Himmelsheere vor dem Einschlafen sein Träumen wohl modelnd beeinflußt, auch die Nähe und Schlafgenossenschaft einiger von denen, die er zu überzeugen wünschte, insgeheim einen starken Reiz auf sein Traumorgan ausgeübt haben mochte. Sogar soll nicht unerwähnt bleiben, daß er desselbigen Tages unter dem Unterweisungsbaum ein Lehrgespräch, die letzten Dinge betreffend, mit dem alten Eliezer gepflogen hatte, wobei es sich um Weltgericht und Segenszeit, um Gottes Endsieg über alle Gewalten, denen die Völker so lange geräuchert, gehandelt hatte: um den Triumph des Retters über die heidnischen Könige, Sternenmächte und Tierkreisgötter, welche er beugen und stürzen, im Unteren verschließen und zu glorreich-alleiniger Weltherrschaft übersteigen werde... Hiervon träumte Joseph, aber auf so konfuse Weise, daß eine kindische Verwechslung und Gleichsetzung des eschatologischen Gotteshelden mit seiner eigenen Träumerperson ihm dabei unterlief und er sich selbst, den Knaben Joseph, tatsächlich als Herrn und Gebieter des ganzen durch den Tierkreis rollenden Weltenumlaufs erblickte oder vielmehr empfand, – denn von erzählbarer Anschauung konnte bei diesem Traum nun schon gar nicht die Rede sein, und bei der Wiedergabe war Joseph gezwungen, ihn auf die einfachsten und kürzesten Worte zu bringen, sein inneres Erlebnis schlechthin auszusagen, ohne es als Vorgang zu entwickeln, was nicht dazu beitrug, es dem Hörer annehmbarer zu machen.

Die Form der Mitteilung machte ihm denn auch schon Sorge, als er nachts aus dem Traume auffuhr, voll Freude, nunmehr einen so schlagenden Beweis für die Glaubwürdigkeit des vorangegangenen in Händen zu haben. Und zwar bezog diese Sorge sich vor allem gleich auf die Frage, ob denn die Brüder ihm überhaupt zur Rechtfertigung Gelegenheit gewähren, das heißt: ihm erlauben würden, noch einen Traum zu berichten – das schien ihm zweifelhaft. Schon das erstemal hatte wenig gefehlt, und sie hätten ihm ihre Aufmerksamkeit nicht geschenkt oder vorzeitig entzogen. Wieviel näher lag diese Befürchtung, da die Erfahrungen, die sie mit ihrer Neugier gemacht, ihnen nicht ungemischt angenehm gewesen zu sein schienen.

Darum galt es, Vorkehrungen gegen die Verweigerung ihres Gehörs zu treffen, und schon nachts auf der Tenne fand Joseph sich Rat, wie dies anzustellen sei. Am Morgen ging er zum Vater, wie es seine Gewohnheit war, da Jaakob ihn in jeder Frühe sogleich zu sehen, ihm in die Augen zu blicken, sich seines Wohlseins zu versichern und ihn für den Tag zu segnen wünschte, und sagte:

»Recht guten Morgen, mein Väterchen, du Gottesfürst! Siehe, ein neuer Tag, den die Nacht gebar, ich glaube, er wird gar warm werden. Einer reiht sich an den anderen nach Art einer Perlenschnur, und dem Kinde gefällt das Leben. Namentlich zu dieser Frist, da wir einbringen, sagt es ihm zu. Auf dem Felde ist's schön, man rackere nun oder raste, und bei gemeinsamer Rührigkeit befreunden sich die Menschen.«

»Was du sagst, klingt mir angenehm«, erwiderte Jaakob. »So vertragt ihr euch wohl auf Tenne und Acker und kommt miteinander aus in dem Herrn, die Brüder und du?«

»Vorzüglich«, antwortete Joseph. »Von kleinen Unstimmigkeiten abgesehen, wie der Tag sie mit sich bringt und der Welt Zerstückelung sie zeitigt, geht alles am Schnürchen; denn mit redlichem Wort, sei's auch einmal etwas derb, wird die Irrung geklärt, und dann herrscht wieder Eintracht. Ich wollte, das Väterchen wäre des einmal Zeuge. Nie bist du dabei, und oft wird's bedauert in unsrer Gemeinschaft.«

»Ich liebe das Ackerwerk nicht.«

»Versteht sich, versteht sich. Und doch ist's schade, daß die Mannschaft den Herrn nicht sieht und sein Auge nicht weiß über aller Verrichtung, zumal die Gemieteten, auf die kein Verlaß ist. So klagte mein Bruder Jehuda mir jüngst vertraulich, daß sie zumeist die Rädchen am Dreschwagen nicht ordentlich wetzen: da quetschen sie nur, statt zu schneiden. So geht's, wenn der Herr sich nicht sehn läßt.«

»Ich muß deinen Vorwurf wohl gelten lassen.«

»Vorwurf? Behüte Gott meine Zunge! Eine Bitte ist's, deren das Reis sich vermißt im Namen von Elfen. Auch sollst du unser Rackern nicht teilen, den Erddienst, das Baalswerk, wer mutet dir's zu, sondern nur unsre gute Rast, wenn wir das Brot brechen bei gipfelnder Sonne im Schatten und schwatzen uns eins, wir Söhne von Einem und Vieren, und wer was weiß, der erzählt einen Schwank oder Traum. Da haben wir oft uns angestoßen mit den Ellbogen, der eine den andern, und untereinander mit Nicken gemeint, wie lieblich es wäre, im Kreise zu hegen das Vaterhaupt.«

»Ich will einmal kommen.«

»Gejauchzt! Komm heute gleich und beehre die Söhne! Die Arbeit geht schon zu Rande – es ist keine Zeit zu verlieren. Heut also – ist's ausgemacht? Ich sage den Rotäugigen nichts und verplaudere mich nicht vor den Söhnen der Mägde, die Freude soll sie übernehmen. Das Kind aber wird wissen bei sich, wem sie's alle verdanken und wer es zierlich eingefädelt in Treue und Schläue.«

So Josephs Anschlag. Und wirklich, um dieses Tages Mittag saß Jaakob bei seinen Söhnen unter dem Schattentuch auf dem Felde, nachdem er die Korngruben besichtigt und auf der Tenne die Schärfe der Räder des Dreschwagens mit dem Daumen geprüft hatte. Die Verblüffung der Brüder war groß. Der Träumer hatte die letzten Tage her die Stunde ihrer Rast nicht geteilt. Nun war er wieder da, den Kopf im Schoße des Vaters. Es war klar, daß er da sein mußte, wenn sie der Vater besuchte, nur fragte sich, was den Alten denn plötzlich herbeigeführt hatte. Sie saßen recht steif und schweigsam, alle schicklich bekleidet mit Rücksicht auf Jaakobs Gesinnung. Der wunderte sich, wie doch so gar nicht jene gesunde Vertraulichkeit hervortreten wollte, die nach Josephs Worten das Kennzeichen der Stunde hätte sein sollen. Es mochte die Ehrfurcht sein, die sie hintanhielt. Selbst Joseph war schweigsam. Er hatte Angst, obgleich er im Schoße des Vaters lag und sich durch dessen Gegenwart Rückendekkung und freie Rede geschaffen hatte. In Wahrheit war er besorgt um seinen Traum und um den Erfolg seines Traumes. Mit einem Satz war er ausgesagt und gar nicht erweiterungsfähig. Wenn Gad etwa fragen würde, ob das alles sei, so würde er ein geschlagener Knabe sein. Die Kürze hatte den Vorzug, daß alles sofort heraus war, ehe sich's einer versah, und niemand ihn unterbrechen konnte. Aber die Wirkung auf die Gemüter mochte leicht an einer gewissen großartigen Dürftigkeit des Berichtes scheitern. Ihm klopfte das Herz.

Fast hätte er den Augenblick versäumt, seinen Streich noch zu führen, denn da es langweilig war, drohte verfrühter Aufbruch. Doch hätten selbst die Vorzeichen eines solchen seine berechtigte Zaghaftigkeit sehr möglicherweise nicht zu überwinden vermocht, wenn nicht Jaakob zuletzt noch sich gütig erkundigt hätte: »Wie war es denn, hörte ich nicht, ihr erzähltet euch Schnurren und Träume, im Schatten um diese Stunde?«

Sie schwiegen verwirrt.

»Ja, Schnurren und Träume!« rief Joseph erregt. »Wie gingen sie uns sonst in einzelnen Fällen behend von den Lippen. Weiß jemand was Unerhörtes?« fragte er dreist in die Runde.

Sie starrten ihn an und schwiegen.

»Ich aber weiß etwas«, sprach er und richtete sich auf aus dem Schoße mit ernster Miene. »Ich weiß einen Traum, den ich geträumt in dieser Nacht auf der Tenne, den sollt ihr hören, Vater und Brüder, und sollt erstaunen. Mir träumte«, setzte er wieder an und stockte. Eine gewisse bedenkliche Veränderung und Verzerrung ging vor mit seinen Gliedern, dies krampfige Steigen von Nacken und Schultern, dies Sichverdrehen der Arme. Er senkte den Kopf, und das Lächeln seiner Lippen schien beschönigen und entschuldigen zu wollen, daß seine Augen plötzlich weiß waren. »Mir träumte«, wiederholte er kurzatmig, »und ich sah im Traume – dies sah ich. Ich sah: Die Sonne, der Mond und elf Kokabim warteten mir auf. Sie kamen und neigten sich vor mir.«

Niemand rührte sich. Jaakob, der Vater, hielt streng seinen Blick gesenkt. Es war recht still; aber in der Stille begab sich ein schlimmes, geheimes und dabei unüberhörbares Geräusch. Das waren die Brüder, die mit den Zähnen knirschten. Die meisten knirschten, indem sie die Lippen geschlossen hielten. Aber Schimeon und Levi bleckten sogar die Zähne dabei.

Jaakob hörte das Knirschen. Ob auch Joseph es auffaßte, ist ungewiß. Er lächelte, den Kopf auf der Schulter, bescheiden und beschaulich vor sich hin. Es war heraus, mochten sie nun damit anfangen, was sie wollten. Sonne, Mond und Sterne, elf an der Zahl, hatten ihm aufgewartet. Mochten sie sich's überlegen.

Jaakob blickte scheu in die Runde. Er fand das Erwartete: Zehn Augenpaare waren wild und dringlich auf ihn gerichtet. Er nahm sich zusammen, machte sich stark. So rauh wie nur irgend möglich sagte er hinter dem Knaben:

»Jehoseph! Was für ein Traum ist das, der dir geträumt hat, und was soll es heißen, daß du so träumst und erzählst uns das Abgeschmackte? Soll ich und deine Mutter und Brüder kommen, dich anzubeten? Deine Mutter ist tot – damit beginnt der Irrwitz, doch viel fehlt, daß er damit endete. Schäme dich! Nach menschlichem Ermessen ist, was du uns auftischtest, dermaßen ungereimt, daß du ebenso gut nur ›Aulasaulalakaula‹ hättest lallen können, es hätte dieselben Dienste getan. Ich bin in meiner Seele enttäuscht, daß du es mit reichlich siebzehn Jahren und trotz aller Geistesklärung durchs Schriftlich-Vernünftige, die ich dir angedeihen lasse durch Eliezer, meinen Ältesten Knecht, noch immer nicht weitergebracht hast im Gottesverstande, daß du dir so Unehrbares träumen läßt und spielst vor Vater und Brüdern den Haselanten. Sei hiermit gestraft von mir! Ich würde dich härter strafen und dich vielleicht sogar schmerzhaft am Haare zausen, wenn dein Geschwätz nicht allzu kindisch gewesen wäre, als daß der Reifere sich möchte anfechten lassen davon und der Gesetzte versucht sein könnte, dir's heimzuzahlen mit Strenge. Lebt wohl, Söhne Lea's! Gegrüßt nach der Mahlzeit, Söhne Silpa's und Bilha's!«

Damit stand er auf hinter Joseph und ging. Seine Strafrede, ihm abgenötigt von den Blicken der Söhne, hatte ihn viel gekostet, und zu hoffen war nur, daß sie die Buben befriedigt hatte. Wenn wirklicher Zorn darin gewesen war, so hatte er dem Umstand gegolten, daß Joseph nicht ihm allein seinen Traum vertraut hatte, sondern so töricht gewesen war, die Brüder zu Zeugen zu machen. Hätte er's darauf angelegt, dem Vater Verlegenheit zu bereiten, er hätte es, dachte Jaakob, nicht passender beginnen können. Das würde er ihm schon noch sagen unter vier Augen, da er's soeben nicht hatte sagen dürfen und wohl durchschaute, daß der Durchtriebene sich der Brüder zum Schutze bedient hatte gegen ihn, wie seiner gegen die Brüder. Er hatte Mühe, ein gerührtes und entzücktes Lächeln ob dieser Verräterei aus seinem Bart zu vertreiben, während er heimwärtsging. Und war auch die Sorge echt gewesen, die aus seinem Schelten gesprochen hatte, um des Kindes Seelenheil, der Kummer über seine Traumneigung und Krampfkünderei, so waren doch beide, Ärger und Ängstlichkeit, nur schwache Bewegungen im Vergleich mit der zärtlich-halbgläubigen Genugtuung, die ihn ob Josephs anmaßender Träumerei erfüllte; ganz unsinnigerweise bat er Gott, der Traum möchte von ihm gekommen sein, – was doch, wenn dieser, wie wahrscheinlich, eben nicht im Spiele gewesen war, ein völlig absurdes Ansuchen darstellte, und war im Begriffe, Tränen der Liebe zu vergießen, wenn er sich vorstellte, es seien wirkliche, traumbildhaft gewordene Vorgefühle künftiger Größe gewesen, die das Kind, unschuldsvoll und ohne sich klare Rechenschaft über ihre Tragweite abzulegen, ausgeschwatzt hatte. Der schwache Vater! Er hatte wohl ergrimmen mögen über das Bild, daß er und sie alle kommen würden, den Nichtsnutz anzubeten. Das war ihm mißlich zu hören, – denn betete er ihn nicht an?

Fragt man nach den Brüdern, so brachen sie, kaum daß sich Jaakob entfernt, ebenfalls auf wie ein Mann und drängten ins Freie. Nach zwanzig stürmischen Schritten ins Feld hinaus blieben sie stehen zu kurzer, bewegter Beratung. Der große Ruben führte das Wort; er lehrte sie, was hier zu tun. Hinweg – das war es. Hinweg allesamt vom Vaterherde in freiwillige Verbannung. Das werde, sagte Ruben, eine würdige und packende Kundgebung sein und die allein mögliche Antwort von ihrer Seite auf diesen Greuel. Hinweg von Joseph, dachte er, damit kein Unglück geschähe. Doch sagte er's nicht, sondern wußte die Maßregel gänzlich ins Licht stolz strafenden Protestes zu setzen.

Noch diesen Abend redeten sie vor Jaakob und taten ihm kund, sie gingen. An einem Orte, wo solche Träume geträumt würden, und wo man sie erzählen dürfe, ohne eine andere Gefahr zu laufen, als allenfalls vielleicht, wenn es schlimm wurde, etwas am Haar gezaust zu werden, – an einem solchen Ort, sagten sie, blieben sie nicht, sie hätten dort nichts verloren. Die Ernte, sagten sie, sei mit ihrer kräftigen Hilfe beendet, nun wendeten sie sich gen Schekem, nicht nur die Sechs, sondern auch die Vier, – alle Zehn; denn Schekems Auen seien gut und fett, und in unveränderlicher, wenn auch unbedankter Treue würden sie dort des Vaters Herden weiden, das Lager zu Hebron aber sähe sie nicht wieder; zumal dort ganz und gar ehrrührig geträumt werde. Sie neigten und beugten sich, sagten sie (und taten es auch zugleich), vor ihm, dem Vater, zum Abschied in Ehrfurcht. Ihm Leid zuzufügen oder auch nur Bedauern einzuflößen durch ihren Hingang, brauchten sie nicht zu besorgen, denn Jaakob, der Herr, das sei bekannt, gebe Zehn für Einen.

Jaakob senkte das Haupt. Fing er wohl an, zu befürchten, die Gefühlsherrlichkeit, in der er sich nachahmend gefiel, werde übel vermerkt am Orte des Vorbilds?

Fünftes Hauptstück: Die Fahrt zu den Brüdern

Die Zumutung

Wir hörten: Jaakob hatte das Haupt geneigt, als die Verbitterten vom Vaterherde sich losgesagt hatten, und er hob es von da an nur selten noch. Die Jahreszeit, die nun einfiel, diese Zeit der dörrenden Glut und der schlimmsten Sonnenverbrennung alles Landes – denn es näherte sich der Augenblick, da die Sonne zu schwinden beginnt, und obgleich dies der Jahrespunkt war, an dem die Rechte ihm einst den Joseph beschert hatte, im Tammuz-Mond, pflegte Jaakobs Gemüt doch unter der kohligen Öde dieses Kreislaufviertels zu leiden –: die Jahreszeit also mochte seiner Niedergeschlagenheit wohl Vorschub leisten und ihm dienlich sein, sie sich selbst zu erklären. Der wahre Grund seiner Gedrücktheit war aber doch die einmütige Kundgebung der Söhne, ihr Weggang, dies Ereignis, von dem man zu viel sagen würde, wenn man behauptete, es hätte dem Jaakob großen Schmerz bereitet – so nicht; in seinem Herzen gab er wirklich »Zehn für Einen«, aber es war etwas anderes, es in Wirklichkeit tun und damit rechnen zu müssen, daß die Aufkündigung der Gemeinschaft durch die Brüder endgültigen Sinn erweisen und daß er, Jaakob, statt mit zwölf Söhnen mit zweien dastehen werde als ein entlaubter Stamm. Das war erstens der Stattlichkeit abträglich, außerdem aber schuf ihm die Vorstellung eine sorgenvolle Gottesverlegenheit; denn er fragte sich, wie groß die Verantwortung sein werde, die er damit vor dem planenden Herrn der Verheißung auf sich lud. Hatte der Zukunftsvolle es nicht klüglich verhindert, daß alles nur eben nach Jaakobs Herzen ging und er fruchtbar wurde allein in Rahel? Hatte Er ihn nicht zahlreich gemacht auch gegen sein Herz durch Labans List, und waren sie nicht alle, auch die von den Ungeliebten, Früchte des Segens und Träger des Unabsehbaren? Jaakob sah sehr wohl ein, daß seine Auserwählung Josephs eine üppig-eigensinnige

Privat- und Herzensangelegenheit war, die, durch ihre Folgen, nur in schädigenden Widerstreit mit Gottes unbestimmt weitläufigen Anschlägen zu geraten brauchte, um sich als sträflicher Übermut zu erweisen. Dies aber schien sie im Begriffe zu tun: Denn mochte auch Josephs Torheit der unmittelbare Anlaß des Zerwürfnisses gewesen sein und Jaakob ihm schmerzlich zürnen deswegen, so täuschte er sich doch nicht darüber, daß er und sonst niemand für diese Torheit vor Gott und Menschen aufzukommen hatte. Er haderte mit sich selbst, indem er mit Joseph haderte. Hatte es Unheil gegeben, so war der Knabe nur dessen Mittler gewesen, und haftbar dafür war Jaakobs liebendes Herz. Was hätte es geholfen, sich das zu verbergen? Gott wußte es, und vor Gott verbarg man sich nicht. Der Wahrheit die Ehre geben, das war Abrams Erbschaft, und es hieß weiter nichts, als sich kein X für ein U machen über das, was Gott wußte.

Dies waren die Gewissenserwägungen, die Jaakob anstellte in der Zeit nach der Weizenernte und die seine Entschlüsse bestimmten. Sein Herz hatte Schlimmes gestiftet; es mußte sich überwinden, den verzärtelten Gegenstand seiner Schwäche, der des Schadens Mittler gewesen war, auch zum Mittler des Ausgleichs zu machen und ihm zu diesem Zweck etwas zuzumuten, ihn ein wenig rauh anzufassen zur Buße für ihn und das eigene Herz. Darum rief er den Knaben ziemlich bestimmten Tones an, da er ihn von ferne sah, und sprach:

»Joseph!«

»Hier bin ich!« antwortete dieser und war gleich zur Stelle. Denn er freute sich, angerufen zu werden, da der Vater seit der Brüder Weggang wenig mit ihm gesprochen hatte und ein ahnungsvolles Unbehagen auch in ihm, dem Toren, von jenem letzten Beisammensein zurückgeblieben war.

»Höre einmal«, sagte Jaakob, indem er aus irgendwelchen Gründen den Zerstreuten spielte, nachdenklich mit den Augen blinzelte und den Bart durch die Hand streichen ließ, »wie ist mir denn, weiden deine Brüder, die Älteren, nicht allesamt miteinander im Tale Schekem?«

»Doch«, erwiderte Joseph, »des glaube auch ich mich wohl zu

entsinnen, und narrt mich nicht mein Gedächtnis, so wollten sie einmal alle zusammen gen Schekem ziehen, deiner Herden zu warten, die da weiden, der fetten Auen wegen, die es dort gibt, und weil dieses Tal hier das Deine nicht alles trägt.«

»So ist es«, bestätigte Jaakob, »und es ist dies, weswegen ich dich rief. Denn ich höre nichts von den Söhnen Lea's, und von den Kindern der Mägde bleibt mir die Kunde aus. Mir ist unbekannt, wie es steht auf den Auen dort, ob Jizchaks Segen war bei der Sommerlammung oder ob Leberfäule und Aufblähen mir das Meine verheeren. Über das Befinden meiner Kinder, deiner Brüder, weiß ich nichts und höre nicht, ob sie in Frieden das Weiderecht üben in einem Burgbann, wo, wie ich mich erinnere, einst schwere Geschichten geschahen. Das macht mir Gedanken, und es war in solchen Gedanken, daß ich beschloß, dich zu ihnen zu senden, damit du sie mir grüßest.«

»Hier bin ich!« rief Joseph wieder. Er blitzte den Vater mit weißen Zähnen an und schlug halb hüpfend den Boden mit seinen Fersen vor lauter Bereitwilligkeit.

»Wenn ich's überschlage«, fuhr Jaakob fort, »so gehst du ins achtzehnte Jahr deiner Geburt, und es ist Zeit, daß man dich etwas rauh anfaßt und auf die Probe stellt deine Mannheit. Daher mein Beschluß, dir diese Sendreise zuzumuten, daß du hinwegziehst von mir auf kurze Zeit zu deinen Brüdern, um sie alles zu fragen, was ich nicht weiß, und kehrst zurück zu mir mit Gottes Hilfe nach zehn oder neun Tagen und sagst mir's an.«

»Aber hier bin ich ja!« entzückte sich Joseph. »Die Einfälle Väterchens, meines Herrn, sind golden und silbern! Ich werde eine Reise tun über Land, ich werde die Brüder besuchen und nach dem Rechten sehen im Tale Schekem, das ist ein Spaß! Hätt' ich mir etwas wünschen dürfen nach Herzenslust, – dies und nichts anderes wär' es gewesen!«

»Du sollst«, sagte Jaakob, »nicht nach dem Rechten sehen bei den Brüdern. Danach zu sehen, sind sie Manns genug, sie selber, und brauchen das Kind nicht. Auch ist es die Meinung nicht, in der ich dich sende. Sondern du sollst dich vor ihnen neigen mit Ziem und Umgangsform und sprechen: ›Ich bin gekommen etliche Tagereisen weit, um euch zu begrüßen und nach eurem Befinden zu fragen, aus eigenem Antriebe sowie auf Weisung des Vaters, denn wir begegneten einander in diesem Wunsche.‹«

»Gib mir den Parosch zu reiten! Er ist hochbeinig und zäh, sehr stark von Knochen und gleicht meinem Bruder Issakhar.«

»Es spricht für deine Mannhaftigkeit«, erwiderte Jaakob nach einer Pause, »daß du dich freust auf die Sendreise und erachtest es nicht als sonderliche Zumutung, hinwegzuziehen von mir auf eine Anzahl von Tagen, so daß der Mond sich verändert aus einer Sichel zum Halbrund, ohne daß ich dich sehe. Sage aber deinen Brüdern: ›Der Vater wollt' es.‹«

»Bekomm' ich den Parosch?!«

»Ich bin zwar gewillt, dich rauh anzufassen nach deinem Alter, den Esel Parosch aber geb' ich dir nicht, denn er ist bockig, und seine Klugheit entspricht nicht seinem Feuer. Viel besser für dich ist die weiße Hulda, ein freundlich behutsam Tier, auch schmuck von Ansehen, wenn du unter Leuten reisest, die sollst du reiten. Damit du aber erkennst, daß ich dir etwas zumute, und die Brüder erkennen es auch, so verordne ich, daß du die Fahrt allein zurücklegst, von hier nach Schekems Flur. Denn ich gebe dir keine Knechte mit und lasse den Eliezer dir nicht zur Seite reiten. Sondern selbständig sollst du fahren, auf eigene Hand, und zu den Brüdern sprechen: ›Allein komm' ich auf einem weißen Esel, euch zu besuchen, so wollt' es der Vater.‹ Dann mag es sein, daß du die Rückfahrt zu mir nicht einzeln machen mußt und allein, sondern daß die Brüder mit dir ziehen, einige oder alle. Jedenfalls ist solches mein Hintergedanke bei dieser Zumutung.«

»Das will ich schon einfädeln«, versprach Joseph, »und mache mich anheischig, sie dir zurückzubringen, dergestalt, daß ich dir Bürge sein will und mich vermesse: Ich kehre nicht wieder, es sei denn, ich bringe sie dir!«

Dies sinnlos herausgeschwatzt, tanzte Joseph mit dem Vater herum und jubelte über Jah, weil er auf eigene Hand eine Reise tun und die Welt sehen sollte. Dann lief er zu Benjamin und zu

Eliezer, dem Alten, es denen zu erzählen. Jaakob aber blickte ihm nach mit Kopfnicken und sah wohl, daß, wenn hier von einer Zumutung die Rede sein konnte, sie ihn betraf und daß er niemanden hart anfaßte denn sich selbst. Doch war es nicht in Ordnung so, und wollte es nicht seines Herzens Haftpflicht für Joseph? Er würde das Kind eine Reihe von Tagen nicht sehen, das schien ihm Buße genug für seine Schuld; er ließ sich nicht träumen und hatte keinerlei Begriff davon, was man an höherem Ort unter »Hart anfassen« verstand. Er rechnete mit einem Fehlschlagen von Josephs Sendung, insofern er in Erwägung zog, daß dieser ohne die Brüder zurückkehren möchte. Das fürchterlich Umgekehrte drang nicht in seine Vorstellung; das Schicksal schloß es zur eigenen Sicherung davon aus. Da alles anders kommt, als man denkt, ist das Verhängnis sehr behindert durch die fürchtend vorwegnehmenden Gedanken des Menschen, die einer Beschwörung gleichen. Darum lähmt es die sorgende Einbildungskraft, daß sie auf alles verfällt, nur nicht auf das Verhängnis, welches so der Abbiegung durch den vorstellenden Gedanken entgeht und seine ganze Urwüchsigkeit und schmetternde Schlagkraft bewahrt.

Während der kleinen Vorbereitungen, die Josephs Ausflug erforderte, fühlte Jaakob sich sinnig-bedeutend an vergangene Schicksalstage erinnert: an seine eigene Abfertigung von zu Hause durch Rebekka nach der von ihr geleiteten Segensvertauschung, und seine Seele war voll feierlicher Empfindung der Wiederkehr. Man muß sagen, daß es eine gewagte Zusammenschau war, die er da anstellte; denn seine Rolle hielt den Vergleich nicht aus mit der Rebekka's, dieser heldenmütigen Mutter, die wissend ihr Herz geopfert, den richtigstellenden Betrug gefügt und dann, im Bewußtsein wahrscheinlichen Nimmerwiedersehens, den Liebling in die Fremde entlassen hatte. Das Thema unterlag mancher Abwandlung. Es war wohl so, daß auch Joseph vor der Wut verkürzten Brudertums von Hause mußte, doch nicht von der Wut floh er hinweg, sondern Jaakob sandte ihn sozusagen in Esau's Arme: Die Szene am Jabbok war es, auf die er es abgesehen und mit deren Wiederkehr er es so eilig hatte, die äußere Demütigung, die äußerlich-notdürftige und vorbehaltvolle Versöhnung, die Überpflasterung des Unschließbaren, den Schein-Ausgleich des Nichtauszugleichenden. Der Würdig-Weiche war weit entfernt von Rebekka's handelnder und die Folgen auf sich nehmender Entschlossenheit. Was er anstrebte mit Josephs Sendung, war nichts als die Wiederherstellung des – als unhaltbar doch sattsam erwiesenen – vorigen Zustandes; denn daß nach der Zehne Heimkehr das alte Spiel, zusammengesetzt aus Jaakobs Schwäche, dem blinden Übermut Josephs und tödlicher Vergrämung der Brüder sich heillos fortgesetzt haben würde und notwendig zu denselben Ergebnissen hätte führen müssen, bezweifelt wohl niemand.

Gleichviel, der Goldsohn ward abgefertigt zur Reise von wegen Bruderzwistes: so weit war es Wiederkehr, und Jaakob sorgte für weitere Ähnlichkeit, indem er auch Josephs Abreiten auf die erste Morgenfrühe ansetzte, noch vor Sonnenaufgang, da es seinerzeit so gewesen war. Kaum daß er Jaakob war bei diesem Abschiede; er war viel eher Rebekka, war Mutter. Lange hielt er den Scheidenden, murmelte Segenssprüche an seiner Wange, nahm einen Schutz vom eigenen Halse und hing ihn ihm um, drückte ihn wieder und tat alles in allem mit ihm, als solle Joseph auf wer weiß wie lange oder für immer, siebzehn Tage weit oder mehr, gen Naharajim ins Wildfremde reisen, da doch der Junge, mit Mundvorrat übermäßig ausgerüstet, zu seinem größten Vergnügen sich anschickte, auf sicheren Wegen einen Sprung nach dem unfernen Schekem zu tun. Da sieht man, daß der Mensch sich unverhältnismäßig gehaben kann, wenn man sein eigenes Bewußtsein zum Maßstabe nimmt, während sein Benehmen, unter dem Gesichtswinkel des ihm unbewußten Schicksals betrachtet, nur allzu passend erscheint. Dies kann zum Troste werden, wenn das Bewußtsein sich lichtet und wir erfahren, wie es gemeint war. Darum sollten Menschen nie leichten Abschied voneinander nehmen, damit sie unter Umständen sich doch sagen können: Wenigstens habe ich ihn noch recht an mein Herz gedrückt.

Unnütz zu bekunden, daß dieser Abschied am Reisemorgen,

zur Seite der wohlbepackten, mit bunten Wollblumen und Glasperlen geschmückten Hulda, nur ein Letztes war, dem viele Ratschläge, Empfehlungen und Abmahnungen vorangegangen waren: Jaakob hatte den Knaben den Weg und seine Stationen gelehrt, so genau er sie wußte, ihn, ganz nach Mutterart, vor Überhitzung und Erkältung gewarnt, ihm die Namen von Männern und Glaubensverwandten in verschiedenen Ortschaften genannt, bei denen der Reisende nächtigen mochte, ihm streng untersagt, sich, wenn er die Stätte Urusalim berühre und am Baals-Tempel die Behausungen der Geweihten erblicke, die dort für die Aschera webten, mit einer von ihnen auch nur in das kleinste Gespräch einzulassen, und ihm vor allem immer wieder eingeschärft, sich ausgesucht artig gegen die Brüder zu verhalten: es könne nicht schaden, so hatte er ihn angewiesen, wenn Joseph sich siebenmal vor ihnen niederwürfe und sie recht oft als seine Herren anspräche, – dann würden sie wahrscheinlich beschließen, fortan die Hand mit ihm in die Schüssel zu tauchen und ihm nicht mehr von der Seite zu gehen ihr Leben lang.

Von alldem wiederholte Jaakob-Rebekka manches beim letzten Lebewohl im Morgengrauen, bevor er dem Jungen erlaubte, das Bein über den Esel zu schwingen und schnalzend abzureiten gen Mitternacht. Er ging sogar noch ein Stück weit redend neben der morgenmunteren Hulda her, konnte aber nicht lange Schritt halten und blieb entsagend stehen, das Herz schwerer, als passen wollte. Er fing einen letzten Blitz auf der Zähne des Zurücklachenden und hob die Hand gegen ihn. Dann entzog eine Wegbiegung ihm des Sohnes Gestalt, und er sah den Joseph nicht mehr, der abgeritten war.

Joseph fährt nach Schekem

Dieser nun, nicht mehr sichtbar dem Vaterauge, aber an seinem Orte wohlig vorhanden und bei sich selbst, trabte, weit hinten auf der Kruppe seines Tieres sitzend, die schlanken braunen Beine vorgestreckt und den Oberkörper keck zurückgeworfen, im zarten Schein der Morgensonne auf der Straße nach Beth-Lachem durch das Bergland dahin. Seine Laune paßte durchaus zu den erkennbaren Umständen, und daß der Vater den Abschied unverhältnismäßig gestaltet, nahm er mit heiterer Nachsicht und Liebesverwöhnung hin, wobei nicht im geringsten sein Herz durch das Bewußtsein beschwert wurde, daß er bei dieser ersten Trennung der Vatersorge ein Schnippchen geschlagen hatte.

Jaakob nämlich hatte in Verhaltungsmaßregeln für den Reisenden sich weitläufig ergangen und keine Vorschrift noch Warnung vergessen; nur eine hatte er verabsäumt, eine Rücksicht und höchst erforderliche Schonung hatte er, durch Schuld eines sonderbaren und nicht ganz unsträflichen Gedankenausfalls, dem Jungen anzuempfehlen vergessen und dachte auch nicht daran, bis der Gegenstand, den die Vermahnung hätte betreffen sollen, ihm gräßlich wieder vor Augen kam: Die Schleier-Ketônet hatte er ihm nicht zu Hause zu lassen befohlen, und das hatte Joseph sich listig schweigend zunutze gemacht. Er führte sie mit sich. Er brannte dermaßen darauf, sich der weiteren Welt darin zu zeigen, daß er buchstäblich gezittert hatte, der Vater möchte im letzten Augenblick sich die Untersagung einfallen lassen, ja, wir halten für möglich, daß er in diesem Falle den Alten belogen und erklärt haben würde, die heilige Stickerei liege im Kasten, während sie in Wahrheit sich heimlich unter seinem Gepäck befand. Vom Rücken seines Reittiers, der milchweißen Hulda, eines reizenden Geschöpfes, dreijährig, klug und willfährig, wenn auch zu harmlosem Schabernack geneigt, von jenem rührenden Humor, den das verschlossene Wesen der Kreatur zuweilen durchblicken läßt, mit beredsamen Sammetohren und drollig-wolliger Stirnmähne, hinabwachsend bis zu den großen und lustig-sanften Augen, deren Winkel sich nur allzu bald mit Fliegen füllten, – von Hulda's Rücken hing beiderseits mancherlei Reisebedarf und Zehrung herab: der Ziegenschlauch mit saurer Dünnmilch gegen den Durst, Deckelkörbe und Tontöpfe mit Grieß- und Obstkuchen, Sangen, gesalzener Ölfrucht, Gurken, gerösteten Zwiebeln und frischen Käsen. Dies alles und mehr, zur eigenen Stärkung des Reisenden wie auch zu Geschenken an die Brüder bestimmt, hatte der Vater sorgsam in Augenschein genommen und nur in ein Behältnis nicht Einblick getan, das seit alters das allerüblichste Gerät auf Wanderschaft bildete: Es war ein rundes Leder, das als Tischtuch, eigentlich selbst als Tischplatte beim Speisen diente und am Rande mit metallenen Ringen benäht war. Sogar der Bedu der Wüste, und gerade er, benutzte es, es kam von ihm. Durch die Ringe zog er einen Strick und hängte zur Reise den Eßtisch als Beutel ans Tier. So hatte auch Joseph getan, und in dem Tisch-Beutel, zu seiner diebischen Freude, stak die Ketônet.

Wozu gehörte sie ihm und war sein Erbe, wenn er sich nicht auf Reisen sehen lassen sollte darin? In Heimatsnähe kannten ihn die Leute auf Wegen und Feldern und riefen ihm erfreut seinen Namen zu. Weiterhin aber, nach einigen Stunden, als sie ihn nicht mehr kannten, war es gut, sie nicht allein an dem reichlichen Mundvorrat, den er führte, merken zu lassen, daß es ein Feiner war, der vorüberritt. Darum, zumal auch die Sonne stieg, zog er bald das Prunkstück hervor und tat es sich an nach Geschmack, den Kopf damit schützend, so daß der Myrtenkranz, den er wie gewöhnlich trug, nicht mehr auf seinem Haar, sondern auf dem sein Gesicht umrahmenden Schleier saß.

An diesem Tage erreichte er die Stätte nicht mehr, für die er sich auch so geschmückt und wo er nach Jaakobs bewegter Weisung wie nach eigenem Triebe sich zu verweilen, zu opfern und anzubeten gedachte; und doch wäre von Beth-Lachem, wo er bei einem Manne aus Jaakobs Freundschaft, einem Zimmerer, welcher an Gott glaubte, unterstand, nur noch ein Feldweg bis dorthin gewesen. Am zweiten Morgen aber, nach der Verabschiedung von dem Gastfreund, seinem Weibe und seinen Gesellen, war bald der Ort erreicht, und Hulda wartete unter dem gestützten Maulbeerbaum, während Joseph, angetan mit dem bräutlichen Erbstück, an dem Stein, den man einst am Wege aufgerichtet, seine Gebete und Libationen darbrachte, – dem Gedenkstein für Gott, der durch ihn gemahnt sein mochte, was er hier einst getan.

Es war morgenstill zwischen den Weinbergen und felsigen Ackerparzellen und noch kein Hin und Her auf der Straße gen Urusalim. Ein kleiner Wind spielte gedankenlos in dem blanken Laube des Baumes. Die Landschaft schwieg, und schweigend nahm die Stätte, wo Jaakob einst das Labanskind eingebettet, die Spenden und Andachtsbezeigungen des Sohnes hin. Er stellte Wasser zum Steine und legte Rosinenbrot dazu, küßte den Boden, darunter ein bereitwilliges Leben vergangen war, und richtete sich wieder auf, um mit erhobenen Händen, die Augen und Lippen, die er von der Vergangenen hatte, zum Himmel gewandt, Verehrungsformeln zu murmeln. Nichts antwortete aus der Tiefe. Das Vergangene schwieg, in Gleichgültigkeit gebannt, der Sorge unfähig. Was davon Gegenwart hatte hier am Ort, das war er selbst, der ihr Brautkleid trug und ihre Augen zum Himmel wandte. Hätte es ihn nicht mahnen und warnen mögen, das Mütterliche, aus seinem eigenen Fleisch und Blut, darin es am Leben war? Nein, dort war es gebannt durch blinde, verhätschelte Knabentorheit und konnte nicht reden.

Also zog Joseph wohlgemut seines Weges weiter, auf Straßen und bergigen Richtpfaden. Es war die gelungenste Reise von der Welt; kein Mißgeschick noch irgendein unvorhergesehener Zwischenfall beeinträchtigte ihre Glückhaftigkeit. Nicht gerade, daß die Erde ihm entgegengesprungen wäre; aber gefällig breitete sie sich vor ihm hin und bot ihm erfreuten Gruß durch der Leute Augen und Münder, wohin er kam. Längst kannte man ihn nicht mehr persönlich, aber sein Typ ist außerordentlich populär in diesen Zonen, und nicht zuletzt durch die Kraft des Schleiers erregte seine Erscheinung Gunst und Freude bei allen, die ihn sahen, zumal bei den Weibern. Sie saßen, Kinder säugend, an den grell besonnten, aus Lehm und Mist gebackenen, gelöcherten Wällen der Dörfer, und das Behagen, das das Trinken der Brut ihnen bereitete, wurde verstärkt durch den Anblick des Hübschen und Schönen, der vorüberritt.

»Gesundheit, du Augapfel!« riefen sie ihm zu. »Gesegnet sei, die dich Herzblatt gebar!« –

»Vollkommene Gesundheit!« erwiderte Joseph und wies ihnen die Zähne. »Dein Sohn soll über viele gebieten!«

»Tausend Dank!« riefen sie hinter ihm her. »Astaroth begünstige dich! Du ähnelst einer ihrer Gazellen!« Denn sie schworen alle auf Aschera und hatten nur ihren Dienst im Kopf.

Manche hielten ihn, wiederum vermöge des Schleiers, aber auch auf Grund seines vielen Mundvorrats, geradezu für einen Gott und zeigten Neigung, ihn anzubeten. Doch war dies nur auf dem platten Lande so, nicht auch in ummauerten Städten, die da Beth-Schemesch oder Kirjath-Ajin, auch Kerem-Baalat oder ähnlich hießen und an deren Teichen und Torplätzen er mit den Leuten plauderte, bald umringt von ihnen in großer Anzahl. Denn er brachte sie zum Erstaunen durch eine Bildung, wie Städter sie lieben, redete ihnen von Gottes Zahlenwundern, von den Äonen, von den Geheimnissen des Pendels und den Völkern des Erdkreises, erzählte ihnen auch, damit sie sich geschmeichelt fühlten, von der Dirne aus Uruk, die den Waldmenschen zur Gesittung bekehrte, und legte bei alldem so viel Anmut des Mundes und erfreuliche Form an den Tag, daß sie untereinander meinten, er könne recht wohl der Mazkir eines Stadtfürsten und eines großen Königs Erinnerer sein.

Er ließ Sprachkenntnisse glänzen, die er mit Hilfe Eliezers erworben, und redete unterm Tore chettitisch mit einem Manne aus Chatti, mitannisch mit einem aus dem Norden und einige Worte ägyptisch mit einem Viehhändler aus dem Delta. Es war nicht viel, was er wußte, aber ein Gescheiter redet mit zehn Worten besser als ein Dummer mit hundert, und er verstand es, wenn nicht dem Unterredner, so doch denen, die zuhörten, den Eindruck wunderbar polyglottischer Beliebigkeit zu erwecken. Einem Weibe, das schreckhaft geträumt hatte, deutete er am Brunnen ihren Traum. Ihr hatte geschienen, daß ihr Söhnchen, ein dreijähriger Knabe, plötzlich größer gewesen war, als sie selbst, und einen Bart gehabt hatte. Das bedeute, sagte er ihr, indem er vorübergehend weiße Augen bekam, daß ihr Sohn sie bald verlassen und sie ihn zwar wiedersehen werde, aber erst nach vielen Jahren, als erwachsenen Mann mit einem Bart... Da das Weib sehr arm war und möglicherweise genötigt sein würde, ihren Sohn in die Sklaverei zu verkaufen, hatte die Deutung eine gewisse Wahrscheinlichkeit für sich, und die Leute bewunderten die Vereinigung von Schönheit und Weisheit, die der junge Reisende verkörperte.

Immer luden mehrere ihn zu sich ein, daß er ihr Gast sei auf einige Tage. Er aber versäumte sich nicht mehr, als Menschenfreundlichkeit gebot, und befolgte, so gut es ging, des Vaters Reiseordnung. Von den drei Nächten, die seine vier Wandertage trennten, verbrachte er noch eine in einem Hause, als Gast eines Silberschmiedes, namens Abisai, welcher den Jaakob einst besucht hatte und dem Gotte Abrahams zwar nicht unbedingt und ausschließlich anhing, aber ihm große Neigung entgegenbrachte und die Tatsache, daß er aus dem Mondmetall Abgötter herstelle, damit entschuldigte, daß er schließlich leben müsse. Das gestand Joseph ihm weltmännisch zu und schlief unter seinem Dache. Die dritte der kurzen Dunkelheiten verging ihm im Freien, in einem Feigenhain, wo er sich bettete; denn er hatte der übermäßigen Hitze wegen am Tage gerastet und gelangte so spät zur dritten Station, daß er nicht mehr Einlaß begehren mochte. Ähnlich aber erging es ihm auch zuletzt, da er seinem Ziele schon nahe war. Denn auch die Hochstunden des vierten Tages hatte er unterm Zwang der Sonne in Ruhe verbracht, und da er tags unter Bäumen geschlafen hatte und erst gegen Abend weitergezogen war, geschah es, daß die zweite Nachtwache herangekommen war, als er im schmalen Tale Schekem anlangte. So begünstigt aber bis dahin seine Reise verlaufen war, es war toll und verteufelt: von Stund an, da er hier einzog und im Lichte des noch als gehöhlte Barke dahinschwimmenden Mondes die umringte Stadt mit Burg und Tempel am Hange Garizims gelagert sah, – von diesem Augenblick an ging nichts mehr recht, sondern alles schief und verquer bis zum äußersten, so daß Joseph versucht war, diesen Umschlag der Schicksalslaune mit der Person des Mannes in Zusammenhang zu bringen, der ihm vor Schekem in der Nacht begegnete und sich für die letzte Weile, die der Veränderung aller Dinge vorausging, zu seinem Begleiter aufwarf.

Man liest, er sei irre gegangen auf dem Felde. Aber was heißt hier »irre gehen«? Hatte der Vater ihm zuviel zugemutet, und machte Jung-Joseph seine Sache so schlecht, daß er fehlging und sich verirrte? Keineswegs. Herumirren ist nicht sich verirren, und wenn einer sucht, was nicht da ist, braucht er nicht fehlzugehen, um nichts zu finden. Joseph hatte zu Schekem im Tale mehrere Knabenjahre verbracht, und die Gegend war ihm nicht fremd, wenn es auch eine Art von Traumvertrautheit war, in der er sie wiedererkannte, und wenn auch Nacht herrschte dazumal und dünnes Mondlicht. Er verirrte sich nicht, er suchte; und da er nicht fand, so ward sein Suchen zum Irrgang im Leeren. Bei schweigender Nacht, sein Tier am Zaume führend, wanderte er umher in dem welligen Gebreite von Wiesen- und Ackerland, auf das dunkel im Sternenschein die Berge schauten, und dachte: Wo mögen die Brüder sein? Er stieß wohl auf Schafhürden, darin die Gepferchten im Stehen schliefen; ob's aber Jaakobsschafe seien, war ungewiß, und Menschen gab es nicht, – die Stille war auffallend.

Da hörte er eine Stimme und vernahm, daß ein Mann ihn fragte, dessen Schritte er hinter sich nicht hatte kommen hören, der ihn aber eingeholt hatte, so daß er an seiner Seite war. Wäre er dem Joseph entgegengekommen, so hätte ihn dieser gefragt; so aber ließ der Mann sich nicht fragen, sondern fragte selbst:

»Wen suchst du?«

Er fragte nicht: »Was suchst du hier?«, sondern einfach: »Wen suchst du?«, und es mag sein, daß diese entschiedene Art zu fragen die ziemlich kindische und gedankenlose Antwort Josephs mitbestimmte. Der Junge war auch recht müde im Kopf, und seine Freude über das Zusammentreffen mit einem Menschen in dieser verwünschten Irrnacht war so groß, daß er den Mann, nur eben weil er ein Mensch war, sogleich zum Gegenstand eines einfältiganschmiegsamen und unlogischen Vertrauens machte. Er sagte:

»Meine Brüder suche ich. Sage mir, lieber Mann, doch, bitte, wo sie hüten!«

Der »liebe Mann« nahm keinen Anstoß an der Einfalt dieses Ersuchens. Er schien in der Lage, sich darüber hinwegzusetzen, und unterließ es, dem Suchenden die Unvollständigkeit seiner Angabe bewußt zu machen. Er antwortete:

»Hier nun einmal nicht, noch auch nicht in der Nähe.«

Verwirrt betrachtete Joseph ihn von der Seite. Er sah ihn recht gut. Der Mann war eigentlich noch kein Mann in des Wortes vollster Bedeutung, sondern nur einige Jahre älter als Joseph, doch höher gewachsen, ja lang, in einem ärmellosen Leinenkleide, das bauschig durch den Gürtel hinaufgezogen und so zum Wandern kniefrei gemacht war, und einem über die eine Schulter zurückgeworfenen Mäntelchen. Sein Kopf, auf etwas geblähtem Halse sitzend, erschien klein im Verhältnis, mit braunem Haar, das in schräger Welle einen Teil der Stirn bis zur Braue bedeckte. Die Nase war groß, gerade, und fest modelliert, der Zwischenraum zwischen ihr und dem kleinen, roten Munde sehr unbedeutend, die Vertiefung unter diesem aber so weich und stark ausgebildet, daß das Kinn wie eine kuglige Frucht darunter hervorsprang. Er wandte den Kopf in etwas gezierter Neigung zur Schulter und blickte über diese aus nicht unschönen, aber mangelhaft geöffneten Augen mit matter Höflichkeit auf Joseph hinab, schläfrig verschwommenen Ausdrucks, wie er entsteht, wenn einer zu blinzeln verabsäumt. Seine Arme waren rund, aber blaß und ziemlich kraftlos. Er trug Sandalen und einen Stock, den er sich offenbar selbst zum Wandern geschnitten.

»Hier nun einmal nicht?« wiederholte der Knabe. »Wie kann das sein? Sie sagten so bestimmt, daß sie alle miteinander gen Schekem zögen, da sie von Hause gingen. Kennst du sie denn?«

»Obenhin«, antwortete sein Begleiter. »Soweit es erforderlich. O nein, sehr vertraut bin ich nicht mit ihnen, nicht allzusehr. Warum suchst du nach ihnen?«

»Weil der Vater mich zu ihnen gesandt hat, daß ich sie grüße und bei ihnen nach dem Rechten sehe.«

»Was du sagst. Du bist also ein Bote. Auch ich bin ein solcher. Ich mache oft Botenwege an meinem Stabe. Aber ich bin auch ein Führer.«

»Ein Führer?«

»Ja, allerdings. Ich führe die Reisenden und öffne ihnen die Wege, das ist mein Geschäft, und darum sprach ich dich an und fragte dich, da ich sah, daß du in die Irre suchtest.«

»Du scheinst zu wissen, daß meine Brüder nicht hier sind. Weißt du aber auch, wo sie sind?«

»Ich glaube wohl.«

»So sage es mir!«

»Verlangt dich so sehr nach ihnen?«

»Gewiß, mich verlangt nach meinem Ziel, und das sind die Brüder, zu denen der Vater mich sandte.«

»Nun, ich will es dir nennen, dein Ziel. Da ich hier vorbeikam das vorige Mal auf meinen Botengängen, vor einigen Tagen, hörte ich deine Brüder sagen: ›Auf, wir wollen gen Dotan ziehen mit einem Teile der Schafe, daß wir uns einmal verändern!‹«

»Nach Dotan?«

»Warum nicht nach Dotan? Es fiel ihnen ein, und sie taten's. Die Weide ist würzig im Tale Dotan, und die Leute der Ortschaft auf ihrem Hügel sind handelsfroh; sie kaufen Sehnen, Milch und Wolle. Was wunderst du dich?«

»Ich wundere mich nicht, denn es ist kein Wunder. Aber es ist ein Unstern. Ich war so sicher, die Brüder hier anzutreffen.«

»Du kennst es wohl wenig«, fragte der Fremde, »daß etwas nicht gleich nach deinem Kopfe geht? Du scheinst mir ein Muttersöhnchen.«

»Ich habe gar keine Mutter«, versetzte Joseph verdrießlich.

»Ich auch nicht«, sagte der Fremde. »Aber ein Vatersöhnchen scheinst du mir also.«

»Laß das auf sich beruhen«, erwiderte Joseph. »Rate mir lieber: Was fang' ich nun an?«

»Sehr einfach. Du ziehst nach Dotan.«

»Aber es ist Nacht, und wir sind müde, Hulda und ich. Nach Dotan, soviel weiß ich von früher, ist es mehr als ein Feldweg von hier. Mit Muße ist's eine Tagereise.«

»Oder eine Nachtfahrt. Da du bei Tag unter Bäumen

schliefst, mußt du die Nacht wahrnehmen, dein Ziel zu erreichen.«

»Wie weißt du, daß ich unter Bäumen schlief?«

»Nun, entschuldige, ich sah es. Ich kam an meinem Stabe vorbei, wo du lagst, und ließ dich zurück. Nun fand ich dich hier.«

»Ich weiß nicht den Weg nach Dotan, zumal in der Nacht«, klagte Joseph. »Der Vater hat ihn mir nicht beschrieben.«

»Sei also froh«, erwiderte der Mann, »daß ich dich fand. Ich bin ein Führer und führe dich, wenn du willst. Ich öffne dir die Pfade nach Dotan ganz ohne Entgelt, denn ich muß ohnedies dorthin auf meinem Botengang, und führe dich auf kürzestem Weg, wenn es dir recht ist. Wir können abwechselnd auf deinem Esel reiten. Ein hübsches Tier«, sagte er und betrachtete Hulda mit seinen mangelhaft geöffneten Augen, deren Blick von so matter Abschätzigkeit war, daß er in Widerspruch stand zu des Mannes Worten. »Hübsch wie du selbst. Nur hat es zu schwache Fesseln.«

»Hulda«, sagte Joseph, »ist neben Parosch der beste Esel in Jisraels Stall. Man hat nie gefunden, daß sie zu schwache Fesseln hätte.«

Der Fremde verzog das Gesicht. »Du tätest besser«, sagte er, »mir nicht zu widersprechen. Es ist das mehrfach unsinnig, zum Beispiel, weil du auf mich angewiesen bist, um zu deinen Brüdern zu gelangen, und zweitens, weil ich älter bin als du. Diese beiden Gründe werden dir einleuchten. Wenn ich sage: Dein Esel hat gebrechliche Fesseln, so sind sie gebrechlich, und es ist kein Anlaß für dich, sie zu verteidigen, als hättest du den Esel gemacht, da du doch nur vor ihn treten kannst und ihn nennen. Und da wir beim Namen sind, so möchte ich dich auch gleich ersuchen, den guten Jaakob vor mir nicht ›Jisrael‹ zu nennen. Das ist unschicklich und mir ärgerlich. Gib ihm seinen natürlichen Namen und unterlaß hochtrabende Bezeichnungen!«

Angenehm war der Mann nicht. Seine matte, über die Achsel redende Höflichkeit schien jeden Augenblick bereit, in gereizte Verstimmung überzugehen, und zwar aus unberechenbaren Gründen. Diese Neigung zur Übellaune stand im Widerspruch zu der Hilfsbereitschaft, mit der er sich des in die Irre Suchenden angenommen, und entwertete sie gewissermaßen, nämlich so, daß der Eindruck entstand, als entspräche sie nicht eigenem Antriebe. Oder war es dem Fußgänger einfach um eine Reitgelegenheit nach Dotan zu tun gewesen? Tatsächlich nahm zuerst einmal er auf dem Esel Platz, da sie sich auf den Weg machten, und Joseph ging nebenher. Gekränkt über das Verbot, den Vater als Jisrael zu bezeichnen, sagte dieser:

»Aber es ist sein Ehrenname, den er sich am Jabbok errungen in schwerem Sieg!«

»Ich finde es lächerlich«, erwiderte der andere, »daß du von Sieg redest, wo doch von einem solchen überall nicht und auf keine Weise die Rede sein kann. Ein artiger Sieg, von dem einer aus dem Hüftgelenk hinkt sein Leben lang und trägt zwar einen Namen davon, aber nicht gerade dessen, mit dem er rang. – Übrigens«, sagte er plötzlich und vollführte eine höchst sonderbare Bewegung der Augen, die er nicht nur aufschlug, sondern schnell und gleichsam rundum schielend im Kreise herumrollte, »laß es gut sein und nenne deinen Vater nur Jisrael, – bitte sehr. Es hat seine Richtigkeit, und meine Widerrede entfuhr mir nur so. Auch bemerke ich«, fügte er hinzu und ließ noch einmal die Augäpfel herumlaufen, »daß ich auf deinem Esel sitze. Ist es dir recht, so steige ich ab, daß du aufsitzest.«

Ein sonderbarer Mann. Er schien seine Unfreundlichkeit zu bereuen, aber die Reue machte nicht den Eindruck der Vollwertigkeit und Eigenwüchsigkeit, – sie tat es sowenig wie seine Hilfsbereitschaft. Joseph dagegen war freundlich aus sich selbst und hielt es mit dem Grundsatz, daß man der Sonderbarkeit am besten mit erhöhter Freundlichkeit begegnet. Er antwortete:

»Da du mich führst und öffnest mir aus Güte die Wege zu meinen Brüdern, so hast du ein Recht auf mein Tier. Bleib nur noch sitzen, wenn ich bitten darf, und tauschen wir später! Du bist den ganzen Tag gegangen, während ich reiten konnte.«

»Besten Dank«, sagte der Jüngling. »Deine Worte sind zwar nicht mehr als gehörig, aber ich danke dir dennoch bestens. Ich bin vorübergehend gewisser Erleichterungen in meinem Fortkommen beraubt«, setzte er hinzu und rückte die Schultern. »Machen Sendreisen und Botengänge dir Vergnügen?« fragte er dann.

»Ich freute mich sehr, als der Vater mich rief«, antwortete Joseph. »Wer sendet denn dich?«

»Ach, du weißt, daß viele Boten hin und wider gehen zwischen den großen Herrschaften im Aufgang und Mittag durch dieses Land«, erwiderte der junge Mann. »Wer dich eigentlich schickt, das weißt du gar nicht; der Auftrag geht durch viele Münder, und es hilft dir wenig, ihn bis zu seinem Ursprung zu verfolgen, jedenfalls mußt du dich auf die Sohlen machen. Jetzt habe ich einen Brief zu besorgen in Dotan«, sagte er, »den ich hier in meiner Gürtelfalte trage. Aber ich sehe es kommen, daß ich auch noch den Wächter werde machen müssen.«

»Den Wächter?«

»Ja, es steht mir niemand dafür, daß ich nicht beispielsweise einen Brunnen werde zu bewachen haben oder sonst eine Stätte, auf die es ankommt. Bote, Führer und Wächter – man betätigt sich, wie es trifft und je nach dem, worauf es dem Befinden der Auftraggeber noch ankommt. Ob es einem Vergnügen macht und man sich eigentlich dafür geschaffen fühlt, ist eine andere Frage, die ich dahingestellt sein lassen will. Ebenso, ob man Sinn hat für die ursprünglichen Anschläge, aus denen die Aufträge hervorgehen. Ich will diese Fragen, wie gesagt, offenlassen, aber unter uns gesagt, ist viel unbegreifliche Angelegentlichkeit im Spiel. Liebst du die Menschen?«

Er fragte unvermittelt, und dennoch kam die Frage dem Joseph nicht überraschend; denn die ganze matt-verdrießliche Redeweise seines Führers war die eines mit den Menschen hochmütig-unzufriedenen und von der Notwendigkeit, unter ihnen seinen Geschäften nachzugehen, belästigten Individuums. Er antwortete:

»Wir lächeln einander meistens, die Menschen und ich.«

»Ja, weil du bekanntlich hübsch und schön bist«, sagte der andere. »Darum lächeln sie dir, und dann lächelst du zurück, um sie in ihrer Narrheit zu bestärken. Du tätest besser, ihnen eine finstere Miene zu zeigen und ihnen zu sagen: ›Was soll euer Lächeln? Diese Haare werden kläglich ausfallen und diese jetzt weißen Zähne auch; diese Augen sind nur ein Gallert aus Blut und Wasser, sie sollen dahinrinnen, und diese ganze hohle Anmut des Fleisches soll schrumpfen und schmachvoll vergehen.‹ Es wäre anständig, wenn du sie zu ihrer Ernüchterung daran erinnertest, was sie ohnedies wissen, worüber sie sich aber von dem liebedienerisch lächelnden Augenblick hinwegtäuschen lassen. Solche Geschöpfe wie du sind nichts als ein flüchtig gleißender Betrug über den inneren Greuel alles Fleisches unter der Oberfläche. Ich sage nicht, daß auch nur diese Haut und Hülle vom Appetitlichsten wäre mit ihren dünstenden Poren und Schweißhaaren; aber ritze sie nur ein wenig, und die salzige Brühe geht frevelrot hervor, und weiter innen wird's immer greulicher und ist eitel Gekröse und Gestank. Das Hübsche und Schöne müßte durch und durch hübsch und schön sein, massiv und aus edlem Stoff, nicht ausgefüllt mit Leimen und Unrat.«

»Da mußt du dich«, sagte Joseph, »an Guß- und Schnitzbilder halten, an den schönen Gott zum Beispiel, den die Weiber im Grünen verstecken und suchen ihn wehklagend, daß sie ihn in der Höhle bestatten. Der ist hübsch durch und durch, massiv aus Olivenholz, nicht blutig und dunstig. Damit es aber scheine, er sei nicht massiv, sondern blute vom Zahn des Ebers, malen sie ihm rote Wunden und täuschen sich selber, daß sie weinen mögen ums liebe Leben. So ist's nun einmal: Entweder das Leben ist Täuschung oder die Schönheit. Du findest nicht beides im Wahren vereinigt.«

»Pf!« machte der Führer und rümpfte sein fruchtrundes Kinn, indem er vom Esel herab mit halb geschlossenen Augen über die Schulter auf den Nebenhergehenden blickte.

»Nein«, setzte er nach einer Pause hinzu, »sage, was du willst, es ist ein ekles Geschlecht, das Unrecht trinkt wie Wasser und längst schon wieder die Flut verdient hätte, doch ohne Rettungskasten.«

»Du hast wohl recht mit dem Unrecht«, versetzte Joseph. »Bedenke aber, daß alles zu zweien ist in der Welt, Stück und

Gegenstück, damit man es unterscheide, und wenn neben dem einen das andere nicht wäre, so wären sie beide nicht. Ohne Leben wäre kein Tod, ohne Reichtum die Armut nicht, und käme die Dummheit abhanden, wer wollte von Klugheit reden? So ist's aber auch mit Reinheit und Unreinheit, das ist doch klar. Das unreine Vieh spricht zum reinen: ›Bedanke dich bei mir, denn wäre ich nicht, wie wüßtest du, daß du rein bist, und wer würde dich also nennen?‹ Und der Böse zum Gerechten: ›Falle mir zu Füßen, denn ohne mich, wo wäre dein Vorzug?‹«

»Eben«, erwiderte der Fremde. »Das ist es eben, daß ich sie von Grund auf mißbillige, diese Welt der Zweiheit, und ich begreife die Angelegentlichkeit nicht für ein Geschlecht, in dem von Reinheit nur rückbezüglich und ganz vergleichsweise nur die Rede sein kann. Aber immer muß sein gedacht sein, und immerfort hat man es vor mit ihnen wunder wie weittragend, daß man dies und das und ich weiß nicht was in die Wege leite ihr bißchen Zukunft betreffend, wie nun auch ich dich Beutel voll Wind in die Wege leiten muß, damit du zu deinem Ziele kommst – es ist recht langweilig!«

Der verdrießliche Bursche, warum leitet er mich dann in die Wege, wenn es ihm so lästig ist? dachte Joseph. Es ist doch dumm, den Gefälligen zu spielen und dann zu maulen. Entschieden hat er's nur aufs Reiten abgesehen. Er könnte auch einmal absitzen, wir wollten doch wechseln. Recht wie ein Mensch redet er, dachte er und lächelte heimlich über diese Gewohnheit der Leute, ihre eigene Art zu hecheln und sich selbst dabei auszunehmen, also daß der Mensch zu Rate saß über den Menschen, gleichsam als wäre er keiner. Darum sagte er:

»Ja, da redest du nun übers Menschengeschlecht und sitzest darüber zu Rate, aus wie schlechtem Stoff es sei. Aber es gab eine Zeit, da den Kindern Gottes selbst der Mensch nicht aus zu schlechtem Stoffe war, daß sie eingingen zu seinen Töchtern, und wurden Riesen und Gewaltige daraus.«

Der Führer drehte den Kopf in seiner gezierten Art über die dem Joseph entgegengesetzte Schulter.

»Was du für Histörchen kennst!« antwortete er mit einem

Kichern. »Für deine Jahre weißt du Bescheid in den Vorkommnissen, das muß ich sagen. Für mein Teil, des sei bedeutet, halte ich die Geschichte für eitel Klatsch. Wenn sie aber wahr ist, so will ich dir sagen, warum die Kinder des Lichts so taten und sahen nach den Töchtern Kains. Sie taten's aus übergroßer Verachtung, jawohl. Weißt du, wohin die Verderbnis gediehen war der Töchter Kains? Sie gingen mit aufgedeckter Blöße und waren Mann und Weib wie Vieh. Ihre Hurerei spottete so sehr aller Grenzen, daß man es gleichsam nicht mit ansehen konnte, ohne davon ergriffen zu werden, – ich weiß nicht, ob du das verstehst. Sie trieben es über die Maßen, warfen die Kleider zur Erde und gingen nackend auf den Markt. Wenn sie die Scham nicht gekannt hätten, so hätte es angehen mögen, und den Kindern des Lichts wäre ihr Anblick nicht so in die Glieder gefahren. Aber sie kannten die Scham genau, sie waren von Gottes wegen sogar sehr schamhaft, und ihre Lust bestand eben darin, die Scham unter ihre Füße zu treten: ist so etwas auszuhalten? Der Mann buhlte mit seiner Mutter und Tochter und seines Bruders Weibe offen auf den Straßen, und sie hatten alles in allem nur eines im Sinn: den greulichen Genuß der verletzten Scham. Mußte das den Kindern Gottes nicht in die Glieder fahren? Sie wurden verführt durch Verachtung, – kannst du das nicht verstehen? Der letzte Rest von Respekt war dahin bei ihnen vor diesem Geschlecht, das man ihnen auf die Nase gesetzt, als ob sie nicht genug gewesen wären für die Welt, und das sie hatten achten sollen um höherer Angelegentlichkeit willen. Sie fanden, der Mensch sei einzig zur Unzucht da, und ihre Geringschätzung nahm buhlerischen Charakter an. Wenn du das nicht verstehst, bist du nur ein Kalb.«

»Ich kann es zur Not verstehen«, erwiderte Joseph. »Woher weißt du es übrigens?«

»Fragst du deinen Eliezer auch, woher er es weiß, was er dich lehrt? So viel wie er weiß ich auch von den Vorkommnissen und wohl noch etwas darüber, denn als Bote, Führer und Wächter kommt man herum in der Welt und erfährt das Verschiedenste. Ich kann dich versichern, daß die Flut schließlich nur kam, weil sich herausstellte, daß die Geringschätzung der Himmelskinder für den Menschen bereits buhlerisch geworden war: das gab den Ausschlag; sonst wäre sie vielleicht nie gekommen, und ich will nur hinzufügen, daß es darauf abgesehen war, auf seiten der Kinder des Lichts, die Flut zu erzwingen. Aber leider gab es dann ja den Rettungskasten, und es kam der Mensch zum Hintertürchen wieder herein.«

»Seien wir froh deswegen«, sagte Joseph. »Wir würden anderen Falles hier nicht plaudernd dahinziehen gen Dotan und abwechselnd den Esel benutzen laut unserer Verabredung.«

»Ja, richtig!« versetzte der andere und rollte wieder rundum schielend die Augäpfel im Kreise. »Ich vergesse alles im Plaudern. Ich muß dich ja in die Wege leiten und dich bewachen, daß du zu deinen Brüdern kommst. Wer ist aber wichtiger, der Wächter oder der Bewachte? Nicht ohne Bitterkeit muß ich antworten: der Bewachte ist wichtiger; denn für ihn ist der Wächter da, und nicht umgekehrt. Daher will ich jetzt absitzen, daß du reitest und ich gehe im Staube daneben.«

»Das kann ich mit ansehen«, sagte Joseph, indem er aufsaß. »Es ist ja der reine Zufall, daß du auch nur zeitweise reiten kannst und mußt nicht den ganzen Weg im Staube gehen.«

So zogen sie weiter unter den Sternen bei dünnem Mondlicht, von Schekem nordwärts gen Dotan, durch enge und weite Täler, über steile Berge, voll Zedern- und Akazienwald, vorüber an schlafenden Dörfern. Auch Joseph schlief stundenweise, wenn er auf dem Esel saß und der Führer im Staube ging. Da er aber einmal – es war schon ums Morgendämmern – erwachte aus solchem Schlaf, bemerkte er, daß am Behange des Esels ein Körbchen mit Preßobst und ein anderes mit gerösteten Zwiebeln fehlte, und mußte feststellen, daß die Gürtelfalte des Führers entsprechend dicker geworden war. Der Mann stahl! Das war eine peinliche Entdeckung, und es erwies sich, wie wenig Grund er gehabt hatte, sich selber auszunehmen, indem er das Menschengeschlecht hechelte. Joseph sagte kein Wort, zumal er selbst im Gespräch das Unrecht verteidigt hatte um seines Gegenteiles willen. Auch war der Mann ja ein Führer und also dem

Nabu geweiht, dem Herrn des Westpunktes im Kreislauf, der in die unterweltliche Welthälfte führt, ein Diener des Gottes der Diebe. Die Annahme lag nahe, daß er eine fromme Symbolhandlung vollführt hatte, indem er seinen Schützling im Schlafe bestahl. Darum sagte Joseph nichts über seinen Befund, sondern achtete die Unehrlichkeit des Mannes, die Frömmigkeit sein mochte. Aber peinlich war ihm die Entdeckung gleichwohl, daß der Führer ausdrücklich gestohlen hatte. Es lag darin über das Wie und Wohin seiner Führung eine Andeutung, die den Joseph unliebsam berührte und ihm etwas das Herz beklemmte.

Nicht lange aber, so geschah etwas viel Schlimmeres als der Diebstahl. Die Sonne war aufgegangen hinter Feld und Wald, und Dotans grüner Hügel war schon in Sicht: schräg rechts lag er vor ihnen im Morgenstrahl, die Ortschaft auf seiner Kuppe. Joseph, der gerade zu Esel saß, während der Dieb den Zügel hielt, schaute dorthin: Da gab es einen Ruck und Sturz, und es war geschehen. Hulda war in ein Erdloch getreten mit einem Vorderfuß, war eingeknickt und konnte sich nicht mehr erheben. Sie hatte die Fessel gebrochen.

»Gebrochen!« sagte der Führer nach kurzer gemeinsamer Untersuchung. »Jetzt sieh dir die Bescherung an! Sagte ich's nicht, daß sie zu dünne Fesseln hat?«

»Daß du scheinbar recht behalten, sollte dich nicht freuen angesichts dieses Unsterns, und gar nicht in Betracht kommen sollte es in diesem Augenblick. Du hast sie geführt und nicht achtgegeben, so daß sie unglücklich ins Loch trat.«

»Ich habe nicht achtgegeben, und mich klagst du an? Das ist rechte Menschenart, durchaus einen Schuldigen haben zu müssen, wenn etwas schief gegangen ist, wie man's vorhersagen konnte!«

»Es ist auch rechte Menschenart, durchaus das Unglück vorausgesagt haben zu wollen und einen unnützen Triumph darin zu suchen. Sei froh, daß ich dich nur der Unachtsamkeit anklage; ich hätte anderes gegen dich vorzubringen. Du hättest mir auch nicht raten sollen, die Nacht durch zu reisen; so hätten wir Hulda nicht übermüdet, und nie wäre die Kluge gestrauchelt.«

»Meinst du, daß ihre Fessel wieder heil wird von deinen Klagen?«

»Nein«, sagte Joseph, »das meine ich nicht. Aber nun bin ich wieder so weit, zu fragen: Was fang' ich an? Ich kann doch mein Tier hier nicht liegenlassen mit all seinem Behange an Mundvorrat, davon ich die Brüder beschenken wollte in Jaakobs Namen. Es ist noch viel, obgleich ich einiges verzehrt und anderes mir anderweitig abhanden gekommen. Soll Hulda hier hilflos verenden, derweil die Tiere des Feldes meine Schätze fressen? Ich bin nahe daran, zu weinen vor Verdruß.«

»Und wer wieder Rat weiß«, erwiderte der Fremde, »bin ich. Sagte ich nicht, daß ich gelegentlich auch wohl einmal den Wächter mache, wenn's sich ergibt? Wohlan, gehe nur zu! Ich will hier sitzen und deinen Esel bewachen, nebst den Eßbarkeiten, und den Vögeln und Räubern wehren. Ob ich mich ursprünglich dafür geschaffen fühle, ist eine Frage für sich, die hier nicht zur Erörterung steht. Genug, ich will sitzen als Eselswächter, bis du zu deinen Brüdern gekommen bist und kehrst mit ihnen zurück oder ein paar Knechten, die Schätze zu holen und nach dem Tiere zu sehen, ob es zu heilen ist oder zu töten.«

»Danke«, sagte Joseph. »So wollen wir's machen. Ich sehe schon, du bist recht wie ein Mensch, du hast deine guten Seiten, und vom anderen reden wir nicht. Ich spute mich, wie ich kann, und kehre wieder mit Leuten.«

»Darauf verlaß ich mich. Du kannst nicht fehlgehen: um den Hügel herum und dann zurück in das Tal dahinter ein fünfhundert Schritt durch Busch und Klee, – da findest du deine Brüder, unfern einem Brunnen, in dem kein Wasser ist. Wenn du vom Esel noch etwas brauchst, so besinn dich. Einen Kopfschutz etwa gegen die steigende Sonne?«

»Du hast recht«, rief Joseph, »das Mißgeschick raubt mir alle Gedanken! Das laß ich nicht hier«, sagte er und zog die Ketônet aus dem beringten Lederbeutel, »auch nicht in deiner Hut, so gute Seiten du aufweisest. Das nehme ich mit zum Gange in

Dotans Tal, daß ich doch stattlich daherkomme, wenn schon nicht auf der weißen Hulda, wie Jaakob es wollte. Gleich hier tu' ich's um und an vor deinen Augen – so – und so – und etwa noch so! Wie gefällt dir's? Bin ich ein bunter Schäfervogel in meinem Rock? Mami's Schleiergewand, wie steht es dem Sohne?!«

Von Lamech und seiner Strieme

Unterdessen saßen die von Lea und die Söhne der Mägde hinterm Hügel im Grunde des Tals alle Zehn um ein niedergebranntes Feuer, daran sie ihr Morgenmus gekocht hatten, und starrten in die Asche. Sie waren alle schon zeitig, unter ihren gestreiften Zelten hervor, die fern im Busche standen, an den Tag gegangen, – zu verschiedenen Zeitpunkten, aber alle sehr früh, und einige schon vor Morgengrauen, da der Schlaf ihnen wenig gemundet hatte; denn selten mundete er einem von ihnen, seitdem sie Hebron verlassen, und die Veränderungslust, die sie bestimmt hatte, die Weiden Schekems mit Dotans Flur zu vertauschen, war eben nur aus der trügerischen Hoffnung gekommen, er möchte ihnen anderwärts besser munden.

Sie waren, mürrisch und vor Steifheit der Glieder manchmal über das am Boden kriechende und Schlingen bildende Wurzelgeflecht des Ginsters stolpernd, zum Brunnen gegangen, der vorn bei den Schafen war, wo die Herde das Feld bedeckte, und der lebendiges Wasser hatte, während die Zisterne hier in der Nähe um diese Jahreszeit trocken und leer von Wasser war; sie hatten getrunken, sich gewaschen und angebetet, nach den Lämmern gesehen und sich dann zusammengefunden, wo sie zu essen pflegten: im Schatten einer Gruppe rotstämmiger und ausladend astreicher Kiefern. Man hatte offene Aussicht hier: über das ebene, nur mit Buschwerk und einzelnen Bäumen besetzte Land hin, auf den Hügel, den Dotan, die Ortschaft, krönte, das ferne Gewimmel der Schafe und sanftes Gebirge in hinterster Sicht. Die Sonne war schon ziemlich hoch gestiegen. Es duftete nach erwärmten Kräutern, nach Fenchel, Thymian und anderen Aromen des Feldes, beliebt bei den Schafen.

Die Jaakobssöhne saßen im Kreise auf ihren Fersen, das nachglimmende Reisig mit dem Topfe darüber in ihrer Mitte. Sie hatten längst fertig gegessen und saßen tatenlos, mit geröteten Augen. Ihre Leiber waren gesättigt, aber in ihren Seelen nagte ein Hunger und trockener Durst, den sie nicht zu nennen gewußt hätten, der ihnen jedoch den Schlaf verdarb und die Kräftigung aufhob, die ihnen das Morgenmahl hätte zuführen sollen. Ein Dorn saß ihnen im Fleisch, jedem einzelnen, der nicht herauszuziehen war, der schwärte, quälte und zehrte. Sie fühlten sich schlaff, und den meisten von ihnen schmerzte der Kopf. Wenn sie die Fäuste zu ballen versuchten, so ging's nicht. Wenn diejenigen, die einst das rächende Blutbad zu Schekem angerichtet um Dina's willen, sich prüften, ob sie jetzt noch, heute und hier, die Männer seien zu solcher Tat, so fanden sie: nein, sie seien die Männer nicht mehr; der Gram, der Wurm, der schwärende Dorn, der zehrende Hunger im Innern entnervte und entmannte sie. Wie schmählich mußten namentlich Schimeon und Levi, die wilden Zwillinge, diesen Zustand empfinden! Der eine stocherte stumpf mit seinem Hirtenstabe in der letzten Glut. Der andere, Schimeon, den Oberleib hin und her wiegend, erhob in der Stille einen halblauten Singsang, in den nach und nach einige andere summend einstimmten, denn es war ein uraltes Lied, Bruchstück einer halb verwehten, nicht vollständig überlieferten Ballade oder Epopöe aus versunkenen Zeiten:

»Lamech, der Held, nahm der Weiber zwei,
Ada und Zilla mit Namen genannt.
›Ada und Zilla, höret mein Lied,
Ihr Weiber Lamechs, vernehmt meinen Spruch!
Einen Mann erschlug ich, weil er mich kränkte,
Einen Jüngling streckt' ich für meine Strieme.
Siebenmal gerochen ward Kain,
Doch Lamech siebenundsiebzigmal!‹«

Sie wußten nicht mehr davon, was voranging weder noch weiter Folgendes, und schwiegen also. Aber sie hingen dem abgerissenen Klange nach und sahen Lamech, den Helden, mit ihres Geistes Auge, wie er voll heißen Stolzes daherkam in Waffen von seiner Tat und den sich bückenden Weibern kündete, daß er sein Herz gewaschen. Sie sahen auch den von ihm Gestreckten im blutigen Grase liegen, das nur wenig schuldige Sühnopfer für Lamechs wild empfindliche Ehre. Das robuste Wort »Mann« ward zum Zarteren bestimmt im Reime durch den Jünglingslaut, der in seiner blutenden Holdheit mitleidige Regungen hätte begünstigen können. Sie waren allenfalls Ada's und Zilla's, der Weiber, Sache gewesen, doch mochten sie nur zur Würze ihrer Anbetung dienen von Lamechs unbestechlich mörderischer Mannheit und anspruchsvoller Rachsucht, die ehern und alt das Lied und seine Gesinnung beherrschte.

»Lamech hieß er«, sprach Lea's Levi und zerstieß stochernd verkohltes Reisig. »Wie gefällt er euch? Ich fragte das, weil er mir gut und eher vorzüglich gefällt. Das war noch einer, ein Kerl, ein Löwenherz, von echtem Schrot, so was gibt es nicht mehr. Im Liede gibt es das ausschließlich noch, man singt's und erlabt sich daran und denkt vergangener Zeiten. Der mochte vor seine Weiber treten gewaschenen Herzens, und wenn er sie heimsuchte, eine nach der anderen, mit seiner Kraft, so wußten sie, wen sie empfingen, und zitterten vor Lust. Trittst du auch wohl so, Juda, vor Schua's Tochter und du, Dan, vor die Moabiterin? Sagt mir doch an, was aus dem Menschengeschlecht geworden ist seit dazumal, daß es nur noch Klügler und Frömmler erzeugt, doch keine Männer?«

Ihm antwortete Ruben:

»Ich will dir sagen, was aus des Mannes Hand nimmt seine Rache und macht, daß wir ungleich geworden Lamech, dem Helden. Es ist zweierlei: Babels Satzung und Gottes Eifer, die sprechen beide: Die Rache ist mein. Denn die Rache muß von dem Manne genommen sein, sonst zeugt sie wild weiter, geil wie der Sumpf, und die Welt wird voll Blutes. Welches war Lamechs Los? Du weißt es nicht, denn das Lied kündet's nicht mehr. Aber der Jüngling, den er schlug, hatte einen Bruder oder Sohn, der schlug den Lamech zu Tode, daß die Erde auch sein Blut empfange, und aus Lamechs Lenden wiederum einer schlug Lamechs Mörder um seiner Rache willen, und so immer fort, bis weder aus Lamechs Samen noch aus dem Samen des Ersterschlagenen einer mehr übrig war und die Erde ihr Maul schließen mochte, denn sie war satt. So aber ist es nicht gut, es ist Sumpfzeugung der Rache und hat keine Regel. Darum, als Kain den Habel erschlagen, heftete Gott ihm sein Zeichen an, daß er ihm gehöre, und sprach: Wer ihn totschlägt, das soll siebenfältig gerochen werden. Babel aber setzte ein das Gericht, daß der Mann dem Rechtsurteil sich beuge für Blutschuld und nicht wuchere die Rache.«

Darauf Silpa's Sohn, Gad, in seiner Geradheit:

»Ja, so sprichst du, Ruben, mit dünner Stimme, die aus deinem mächtigen Leibe kommt, unerwartet, sooft man's hört. Hätte ich deine Glieder, ich wollte nicht reden wie du und die Läufte verteidigen mit ihren Veränderungen, die den Helden entmannen und aus der Welt bringen das Löwenherz. Wo ist der Stolz deines Leibes, daß du mit dünner Stimme redest und willst Gott die Rache anheimgeben oder dem Blutgericht? Schämst du dich nicht vor Lamech, der sprach: ›Diese Sache ist eine Sache zu dreien, zwischen mir und dem, der mich kränkte, und der Erde?‹ Kain sprach zu Habel: ›Wird Gott mich trösten, wenn Naëma, unsere süße Schwester, deine Gaben annimmt und dir lächelt, oder wird's das Gericht entscheiden, wem sie gehören soll? Ich bin der Erstgeborene, so ist sie mein. Du bist ihr Zwilling, so ist sie dein. Das macht nicht Gott aus noch Nimrods Gericht. Laß uns aufs Feld gehen, daß wir es ausmachen!‹ Und er machte es aus mit ihm, und wie ich hier sitze, Gaddiel genannt, den Silpa gebar auf Lea's Schoß, so bin ich für Kain.«

»Und ich meinerseits wollte kein junger Löwe mehr heißen, wie das Volk mich nennt«, sagte Jehuda, »wenn ich nicht auch für Kain wäre und mehr noch für Lamech. Der hielt auf sich, meiner Treu, und schätzte nicht niedrig ein seinen Stolz. ›Siebenmal?‹ sprach er. ›Pah! Ich bin Lamech. Siebenundsiebzigmal will ich gerochen sein, und da liegt er, der Laffe, um meiner Strieme willen!‹«

»Was mag's für eine Strieme gewesen sein«, frug Issakhar, der knochige Esel, »und worin mag's der erbärmliche Jüngling versehen haben gegen Lamech, den Recken, daß der nicht Gott noch Nimrod die Rache ließ, sondern nahm sie vielfältig mit eigener Hand?«

»Das weiß man nicht mehr«, erwiderte diesem sein Halbbruder Naphtali, von Bilha. »Des Jünglings Frechheit ist unbekannt, und was Lamech abwusch mit seinem Blut, das ist aus der Welt Gedächtnis gekommen. Doch hab' ich's vom Hörensagen, daß Männer in unseren Zeiten viel eklere Schande schlucken, als Lamech sich bieten ließ. Sie schlucken sie, sagt man, die feigen Schlucker, und machen sich fort, woandershin, da sitzen sie dann, und in ihnen gärt der Schandfraß, daß sie nicht essen noch schlafen mögen, und sähe sie Lamech, den sie bewundern, so träte er sie hinten hinein, denn weiter sind sie nichts wert.«

Er sagte es mit boshaft geläufiger Zunge, verzerrten Gesichts. Die Zwillinge ächzten und suchten die Fäuste zu ballen, doch ging's nicht. Sebulun sprach:

»Das waren Ada und Zilla, die Weiber Lamechs. Ada ist schuld, das will ich euch sagen. Denn sie gebar Jabal, den Urahn derer, die in Zelten wohnen und Viehzucht treiben, Abrams Ahn, Jizchaks und Jaakobs, unseres sanften Vaters. Da haben wir den Verderb und die Bescherung, daß wir keine Männer mehr sind, wie du sagst, Bruder Levi, sondern Klügler und Frömmler, und sind als wie mit der Sichel verschnitten, daß Gott erbarm'! Ja, wären wir Jäger oder gar Seefahrer, das wäre was andres. Aber mit Jabal, Ada's Sohn, kam die Zeltfrömmigkeit in die Welt, das Schäferwesen und Abrams Gottessinnen, das hat uns entnervt, daß wir zittern, dem würdigen Vater ein Leides zu tun, und der große Ruben spricht: Die Rache ist Gottes. Aber ist denn auf Gott Verlaß und auf seine Gerechtigkeit, wenn er im Streite Partei ist und flößt selber dem nichtswürdigen Jüngling die Frechheit ein vermittelst abscheulicher Träume? Wir können gegen die Träume nichts tun«, rief er leidend, so daß seine Stimme sich überschlug, »wenn sie von Gott sind und es bestimmt ist, daß wir uns beugen!«

»Aber gegen den Träumer könnten wir etwas tun«, schrie Gad, auch er aus gequälter Brust, »auf daß«, setzte Ascher hinzu, »die Träume herrenlos wären und nicht mehr wüßten, wie wahr werden!«

»Das hätte geheißen«, erwiderte Re'uben, »sich wider Gott setzen so und so. Denn es ist gleich, sich gegen den Träumer erheben oder gegen Gott, wenn die Träume von ihm sind.« Er redete in der Vergangenheitsform, sagte nicht »hieße«, sondern »hätte geheißen«, zum Zeichen, die Frage sei abgetan.

Dan war es, der nach ihm sprach. Er sagte:

»Hört, Brüder, und achtet auf meine Worte, denn Dan wird Schlange und Otter genannt, und einer gewissen Spitzfindigkeit wegen taugt er zum Richter. Es ist wohl wahr, und Ruben hat recht: Tränkt man's dem Träumer ein, auf daß die Träume herrenlos und ohnmächtig werden, so setzt man sich freilich dem Zorne aus derer, die Willkür üben, und beschwört auf sich die Rache der Ungerechten, das ist nicht zu leugnen. Aber darauf, spricht Dan, muß man's ankommen lassen, denn es ist nichts zu erdenken, was ärger wäre, oder so arg nur wie der Träume Erfüllung. Um diese aber hat man die Willkür dann jedenfalls gebracht, und möge sie auch zürnen und wüten, – die Träume suchen umsonst ihren Träumer. Man muß vollendete Tatsachen schaffen, so lehrt's das Geschehene. Hat nicht auch Jaakob dies und jenes erlitten für seinen Trug und nichts zu lachen gehabt in Labans Diensten um Esau's bitterer Tränen willen? Nun, er hat's ausgestanden, denn den Hauptvorteil hatte er weg, den Segen, der war in Sicherheit und beiseite gebracht, und kein Gott, welcher immer, hätte etwas dagegen vermocht, beim besten Willen. Ausstehen muß man Tränen und Rache um des Gutes willen, denn was beiseite gebracht und in Sicherheit, das kommt nicht wieder...«

Hier verwirrten sich seine Worte, die doch so spitzfindig begonnen. Aber Ruben erwiderte, und es war seltsam, den baumstarken Mann so blaß zu sehen:

»Du hast gesprochen, Dan, und magst nun schweigen. Denn wir sind von dannen gezogen und haben uns geschieden vom Vaterherd. Was uns ärgerte, ist fern in Sicherheit, und in Sicherheit sitzen auch wir, zu Dotan, fünf Tage von dort, das ist die vollendete Tatsache.«

Darauf und nach diesen Gesprächen ließen sie alle die Häupter hängen, tief hinab, fast zwischen die Knie, die hochstanden, da sie auf ihren Fersen saßen, und hockten da in sich gebückt um die Asche wie zehn Bündel Leidwesens.

Joseph wird in den Brunnen geworfen

Es geschah aber, daß Ascher, Silpa's Sohn, neugierig auch im Grame, ein wenig über die Knie schielte und seine Augen ins Land gehen ließ. Da sah er es fern im Lichte zucken wie einen Silberblitz, der verschwand, doch gleich wieder aufblinkte, und als er genauer hinspähte, da waren es zwei und mehrere Blitze, die einmal einzeln und ein andermal gleichzeitig erschimmerten, an verschiedenen Punkten, doch nahe beisammen.

Ascher stieß Gad in die Seite, seinen Vollbruder, der neben ihm saß, und wies ihm mit dem Finger das Irrlicht, damit er ihm hülfe, es zu verstehen. Und da sie es prüften, die Hand über die Augen legten und sich mit den Mienen berieten, wurden andere aufmerksam durch ihre Unruhe; es wandten sich solche um, die mit dem Rücken gegen die Weite gesessen; sie sahen einander nach den Augen und folgte einer der Richtung, in der das Schauen des andern ging, bis alle die Köpfe gehoben hatten und gemeinsam hinausspähten nach einer Gestalt, die da näherwandelte und an der das Gleißen war.

»Ein Mann kommt und gleißt«, sprach Juda. Nach einer Weile aber, während der sie schauend warteten und die Gestalt heranwachsen ließen, erwiderte Dan:

»Ein Jüngling vielmehr.«

Und in demselben Augenblick wurden sie alle auf einmal in ihren braunen Gesichtern so fahl wie Ruben schon vorher, und ihre Herzen schlugen in wild beschleunigtem Gleichtakt wie Pauken, so daß es ein dumpfes Konzert und hohles Poltern war an dem Ort in atemloser Stille.

Joseph kam über das Gebreite daher, im bunten Rock, den Kranz auf der Schleierkapuze, gerade auf sie zu.

Sie glaubten es nicht. Sie saßen, die Daumen in die Wangen gedrückt, die Finger vor den Mündern, den Ellenbogen aufs Knie gestützt, und starrten über ihre Fäuste hinweg mit quellenden Augen auf das sich nähernde Blendwerk. Sie hofften zu träumen und fürchteten es. Mehrere weigerten sich, in Schrekken und Hoffnung, noch dann die Wirklichkeit zu begreifen, als der Kommende sie schon so naheher anlächelte, daß kein Zweifel mehr möglich war.

»Ja, ja, gegrüßt!« sagte er mit seiner Stimme und trat vor sie hin. »Traut euren Augen nur, liebe Männer! Ich bin gekommen von Vaters wegen auf Hulda, der Eselin, um nach dem Rechten zu sehen bei euch und um –« Er stockte betreten. Sie saßen ohne Wort und Regung und stierten, eine unheimlich verzauberte Gruppe. Wie sie aber so saßen, wurden, obgleich doch kein Sonnenaufgang noch -untergang war, der sich in ihren Gesichtern hätte malen können, diese Gesichter so rot wie die gewundenen Stämme der Bäume in ihrem Rücken, rot wie die Wüste, dunkelrot wie der Stern am Himmel, und ihre Augen schienen Blut verspritzen zu wollen. Er trat zurück. Da erscholl ein dröhnendes Röhren, das Zwillings-Stiergebrüll, das die Eingeweide erschütterte, und mit langgezogenem Schrei wie aus e i n e r gequälten Kehle, einem verzweifelt frohlockenden Ahhh der Wut, des Hasses und der Erlösung, sprangen sie auf alle Zehn in wildgenauer Gleichzeitigkeit und stürzten sich auf ihn.

Sie fielen auf ihn, wie das Rudel verhungerter Wölfe auf das Beutetier fällt; es gab kein Halten und kein Besinnen für ihre blutblinde Begierde, sie stellten sich an, als wollten sie ihn in mindestens vierzehn Stücke zerreißen. Ums Reißen, Zerreißen und Abreißen war's ihnen wirklich vor allem in tiefster Seele zu tun. »Herunter, herunter, herunter!« schrien sie keuchend, und einhellig war die Ketônet gemeint, das Bildkleid, das Schleiergewand, das mußte von ihm herunter, wenn es auch schwer hielt in solchem Getümmel; denn verschlungen war es ihm angetan, um Kopf und Schultern befestigt, und ihrer waren zu viele für eine Tat, sie waren einander im Wege, stießen einer den andern von dem fliegend und fallend zwischen ihnen Umhergeprellten weg und trafen sich wechselseitig mit Schlägen, die ihm galten und von denen freilich noch immer hinlängliche für ihn abfielen. Er blutete sofort aus der Nase, und sein eines Auge schloß sich zur blauen Beule.

Das Drüber und Drunter aber machte sich Ruben zunutze, der alle überragend mitten unter ihnen war und auch »Herunter, herunter!« schrie. Er heulte mit den Wölfen. Er tat, wie allezeit diejenigen getan haben, die eine entfesselte Menge notdürftig zu lenken vorhatten und, um sich Einfluß auf die Ereignisse zu wahren, mit scheinbarem Eifer am Schlimmen teilnahmen, damit Schlimmeres verhütet werde. Er gab sich den Anschein, als würde er gestoßen, stieß aber in Wahrheit selbst, indem er, so gut er konnte, diejenigen, die daran waren, auf Joseph einzuschlagen und ihm das Gewand abzureißen, von ihm hinwegpuffte, um ihn nach Möglichkeit zu schützen. Namentlich auf Levi hatte er acht, von wegen seines Hirtenstabes, und stolperte beständig gegen ihn. Trotz seinen Manövern aber ging es dem entsetzten Jungen so schlecht, wie er's, der Gehegte, sich nie hätte träumen lassen. Er taumelte fassungslos, den Kopf zwischen den Schultern, die Ellbogen gespreizt unter diesem Hagelgewitter wüster Brutalität, das aus blauem Himmel, ohne greulicherweise sich im geringsten darum zu kümmern, wohin es traf, auf ihn niederprügelte und seinen Glauben, sein Weltbild, seine wie ein Naturgesetz feststehende Überzeugung, daß jedermann ihn mehr lieben müsse als sich selbst, in kurze und kleine Stücke schlug.

»Brüder!« stammelte er mit gespaltener Lippe, von der ihm das Blut, zusammen mit dem aus der Nase, über das Kinn lief. »Was tut...« Eine Kopfnuß, der Ruben nicht hatte zuvorkommen können, riß ihm das Wort vom Munde; ein äußerst bedenkenloser Fauststüber ins Magenweiche zwischen den Rippen ließ ihn sich niederkrümmen und unter der Meute verschwinden. Es ist nicht zu leugnen, vielmehr zu betonen, daß die Aufführung der Jaakobssöhne, soviel Gerechtigkeit ihr zur Seite stehen mochte, die allerbeschämendste war, ja geradezu rückfällig genannt werden mußte. Sie gingen unter die Menschheit hinab und erinnerten sich ihrer Zähne, um dem Blutend-Halbohnmächtigen das Mutterkleid vom Leibe zu reißen, da ihre Hände leider noch mehr zu tun hatten. Sie waren nicht stumm dabei, und nicht nur »Herunter, herunter!« war ihre Parole. Wie arbeitende Männer, die ziehen und wuchten, sich mit eintönigen Rufen zum gemeinsamen Werke betäuben, so sie: Aus den Tiefen ihrer Erbitterung holten sie Abgerissenes, das sie wieder und wieder hervorächzten, um sich in Wut damit zu halten und die Besinnung zu scheuchen. »Neigen sich, neigen sich!« »Sieh nach dem Rechten!« »Dorn du im Fleische!« »Schleichendes Übel!« »Da – deine Träume!« – Und der Unselige?

Ihm war, was mit der Ketônet geschah, das Entsetzlichste und Unfaßlichste von allem; es war ihm schmerz- und grauenhafter als alle verbeulende Unbill, die nebenherlief. Er trachtete verzweifelt, das Gewand zu bewahren, die Trümmer und Lappen davon noch an sich zu halten, schrie mehrmals auf: »Mein Kleid!« und bettelte in Ängsten der Jungfräulichkeit: »Zerreißt es nicht!« noch, als er schon nackend war. Denn die Entschleierung geschah allzu gewalttätig, als daß sie sich eben nur auf den Schleier hätte beschränken können. Hemdrock und Schurz gingen mit herunter, ihre Fetzen lagen vermengt mit denen des Kranzes, des Schleiers im Moose umher, und auf den Bloßen, das Gesicht mit den Armen notdürftig Deckenden gingen die Schläge des Haufens – »Neigen sich, neigen sich!« »Da – deine Träume!« – erbarmungslos nieder, abgelenkt und in ihrer Wirkung ein wenig beeinträchtigt einzig vom großen Ruben, der immer fortfuhr, den Gestoßenen zu spielen und dabei die anderen von Joseph fortzustoßen, indem er so tat, als seien sie ihm hinderlich, seinerseits recht nach Lust und Wut auf das Opfer einzuschlagen. »Dorn du im Fleische!« »Schleichendes Übel!« rief auch er. Dann aber rief er etwas anderes, was der Augenblick ihm eingab, rief es laut und wiederholt, damit alle es hörten und ihre Sinnlosigkeit davon lenken ließen: »Binden! Ihn binden!« »An Händen und Füßen!« Es war eine neue Parole, die er da ausgab, neu und in größter Hast zum Guten erfunden. Sie sollte der unabsehbaren Aktion ein vorläufiges Ziel setzen und eine Atempause herbeiführen, durch die Rubens angstvoller Wunsch, das Äußerste abzuwenden, etwas Zeit gewinnen würde. In der Tat, solange man beschäftigt war, Joseph zu binden, würde man ihn nicht schlagen; und wenn er gebunden lag, würde etwas vorderhand Befriedigendes getan und ein Abschnitt der Handlung erreicht sein, bei dem man zurücktreten und Weiteres zu überlegen haben würde. Dies Rubens eilige Berechnung. Und so propagierte er seine Losung mit einem verzweifelten Eifer, als bezeichne sie das einzig Zweckmäßige und Vernünftige, was jetzt zu geschehen habe, und als sei jeder ein Narr, der nicht darauf höre. »Da – deine Träume!« schrie er. »Binden – ihn binden!« »Dummköpfe ihr!« »Rächt euch wie Tröpfe!« »Statt mich zu stoßen, bindet ihn lieber!« – »Ist denn kein Strick da?!« rief er noch einmal aus voller Kraft.

Doch. Gaddiel zum Beispiel trug einen Strick um den Leib, und er nahm ihn ab. Da ihre Köpfe leer waren, mochte Rubens Parole darin Platz nehmen. Sie fesselten den Nackten, banden ihn mit ein und demselben langen Strick an Armen und Beinen, verschnürten ihn gehörig, so daß er stöhnte, und Ruben beteiligte sich emsig an dem Werk. Als es geschehen war, trat er zurück und wischte sich aufatmend den Schweiß, als habe er's die ganze Zeit allen zuvorgetan.

Die anderen standen mit ihm, vorläufig außer Gefecht gesetzt, keuchend, in verwilderter Muße. Vor ihnen lag Rahels Sohn, kläglich zugerichtet. Er lag auf seinen gefesselten Armen, den Hinterkopf steil im Kraute, die Knie hochgezogen, mit fliegenden Rippen, zerbeult, verbleut, und über seinen von brüderlicher Wut begeiferten Körper, an dem Moos und Staub klebten, lief in schlängelnden Rinnsalen der rote Saft, der der Schönheit entquillt, wenn man ihre Oberfläche verletzt. Sein eines nicht verhauenes Auge suchte entsetzensvoll seine Mörder und schloß sich zuweilen krampfhaft wie im Reflexschutz gegen neue Gewalttat.

Die Untäter standen pustend und übertrieben ihre Erschöpfung, um die Ratlosigkeit zu verdecken, die bei keimender Besinnung sich ihrer bemächtigte. Sie ahmten den Ruben nach im Schweißwischen mit dem Handrücken, bliesen die Lippen auf und machten Gesichter, die eine der Rachetat nachklingende ungeheuer gerechte Entrüstung zum Ausdruck brachten, als wollten sie sagen: »Was auch geschehen sein möge – kann irgendein Mensch uns einen Vorwurf daraus machen?« Sie sagten es auch in Worten, die sie zu ihrer Rechtfertigung vor einander und vor jedem außer ihnen waltenden Urteil kurz ausatmend hervorstießen: »So ein Gauch!« – »So ein Dorn!« – »Dem haben wir's gezeigt!« – »Dem haben wir's ausgetrieben!« – »Sollte man's glauben?!« – »Kommt hier daher!« – »Kommt hier daher vor uns!« – »Im bunten Rock!!« – »Uns vor die Augen!« – »Will nach dem Rechten sehn!« – »Aber wir sahn danach!« – »Daß er's gedenke!«

Aber indem sie dies ausstießen, regte sich – gleichzeitig in ihnen allen – ein Grauen, zu dessen Übertäubung all diese Stoßredensarten eigentlich dienen sollten; und wenn man das heimliche Grauen näher besah, so war's der Gedanke an Jaakob.

Du großer Gott, was hatte man mit des Vaters Lamm gemacht – vom Zustande, in dem Rahels jungfräuliches Erbe sich befand, noch ganz zu schweigen? Wie würde der Ausdrucksvolle sich anstellen, wenn er's gewahrte oder erfuhr, wie würden sie dann bestehen vor ihm, und wie würde es ihnen allen ergehen? Re'uben dachte an Bilha. Schimeon und Levi dachten an Schekem und an Jaakobs Grimm, wie er über sie gekommen, als sie von ihrer Heldentat heimgekehrt waren. Naphtali, er besonders, hielt sich zum vorläufigen Troste gegenwärtig, daß Jaakob fünf Tage entfernt und vollkommen ahnungslos war; ja, zum ersten Male empfand Naphtali den trennenden und in Unwissenheit haltenden Raum als großen Segen. Die Raumesmacht jedoch, das begriffen alle, würde nicht aufrechtzuhalten sein. Über ein kleines mußte Jaakob alles erfahren, wenn nämlich

Joseph ihm wieder vor Augen kam, und der Gefühlssturm mit zuckenden Flüchen und rollenden Donnerworten, der dann unvermeidlich war, würde nicht auszustehen sein. Sie hatten tiefe Kindesangst davor, so ausgewachsene Burschen sie waren, Angst vor dem Fluch als Gebärde und Angst vor des Fluches Sinn und Folgen. Verflucht würden sie sein allesamt, das war klar, weil sie die Hand erhoben gegen das Lamm, und endgültig-ausdrücklich würde der Gleisner über sie erhoben sein als Erberwählter!

Die Erfüllung der Schandträume – ihr eigen Werk! Genau das also, um was der Gott durch die Schaffung vollendeter Tatsachen hätte gebracht werden sollen. Sie fingen an zu bemerken, daß der große Ruben sie dumm gemacht hatte mit seiner Parole. Da standen sie nun, und da lag der Segensdieb, leidlich gezüchtigt zwar und gebunden, aber waren das vollendete Tatsachen zu nennen? Etwas anderes, wenn Joseph dem Alten nicht wieder vor Augen kam, wenn dieser Vollendetes und Endgültiges erfuhr. Dann würde freilich der Jammer noch gräßlicher sein – nicht auszudenken. Aber an ihnen – das war einzurichten – würde er dann vorbeigehen. Am Halben waren sie schuldig. Am Ganzen mußten sie es nicht sein. Das überlegten sich alle gleichzeitig in ihren Köpfen, wie sie da standen – auch Ruben. Er konnte nicht umhin, diesen Sachverhalt anzuerkennen. Die Schläue, mit der er die Handlung zum Stehen gebracht, war aus seinem Herzen gekommen. Sein Verstand sagte ihm, daß zuviel geschehen war, als daß nicht mehr hätte geschehen müssen. Daß dieses Mehr zu geschehen und dennoch um Gott nicht und um keinen Preis zu geschehen hatte, bildete die Wirrnis seines Geistes. So ingrimmig und verlegen hatte des großen Ruben muskulöses Gesicht noch niemals dreingeschaut.

Jeden Augenblick fürchtete er zu hören, was unvermeidlich laut werden mußte und worauf ihm die Antwort fehlte. Da wurde es laut, und er hörte es. Einer sprach es aus, gleichviel wer; Ruben sah nicht hin, wer es zufällig war; der notwendige Gedanke war aller: »Er muß fort.«

»Fort«, nickte Ruben mit grimmiger Bestätigung. »Du sagst es. Du sagst nicht, wohin.«

»Überhaupt fort«, antwortete die Stimme. »Er muß in die Grube fahren, daß es ihn nicht mehr gibt. Es hätte ihn schon lange nicht geben dürfen, jetzt aber darf es ihn ganz und gar nicht mehr geben.«

»Ganz deiner Meinung!« versetzte Ruben mit bitterem Hohn. »Und dann treten wir vor Jaakob, seinen Vater, ohne ihn. ›Wo ist der Knabe?‹ wird er gelegentlich fragen. ›Es gibt ihn nicht mehr‹, antworten wir dann. Sollte er aber fragen: ›Warum gibt's ihn nicht mehr?‹, so werden wir antworten: ›Wir haben ihn umgebracht.‹«

Sie schwiegen.

»Nein«, sagte Dan, »nicht so. Hört mich, Brüder, ich bin Schlange und Otter genannt, und eine gewisse Spitzfindigkeit ist mir nicht abzusprechen. So machen wir's: Wir lassen ihn in die Grube fahren, in eine Grube hinab, in den dürren Brunnen hier, halb verschüttet, darin kein Wasser ist. Da ist er in Sicherheit und beiseite gebracht und mag sehen, was seine Träume sind. Vor Jaakob aber lügen wir und sprechen sicheren Mundes: ›Wir haben ihn nicht gesehen und wissen nicht, ob's ihn noch gibt oder nicht. Wo nicht, so hat allenfalls ein reißend Tier ihn gefressen. O Jammer!‹ Wir müssen ›O Jammer!‹ hinzufügen um der Lüge willen.«

»Still!« machte Naphtali. »Er liegt ja nahebei und hört uns!«

»Was macht das?« erwiderte Dan. »Er wird's niemandem ansagen. Daß er's hört, ist ein Grund mehr dafür, daß er nicht von hier gehen darf, aber er durfte schon vorher nicht, und es geht nun alles in eins. Wir können ruhig reden vor ihm, denn er ist schon so gut wie tot.«

Ein Klagelaut kam von Joseph her, aus seiner von der Fesselung hochgezerrten Brust, auf der zart und rot die mütterlichen Sterne standen. Er weinte.

»Hört ihr's, und erbarmt es euch nicht?« fragte Ruben.

»Ruben, was soll das«, erwiderte ihm Juda, »und was redest du von Erbarmen, möge es sich auch einmischen bei dem einen oder anderen von uns so gut wie bei dir? Löscht sein Weinen in dieser Stunde es aus, daß die Kröte unverschämt war all ihrer

Lebtage bis über den Himmel hinaus und uns untertreten hat beim Vater mit schändlichster Gleisnerei? Kommt Erbarmen auf gegen das Notwendige, und ist's ein durchschlagender Grund, daß er von hier gehe und alles ansage? Also, was frommt's, vom Erbarmen zu reden, wenn sich's auch einmischt? Hat er nicht schon gehört, wie wir lügen werden vor Jaakob? Das geht über sein Leben bereits, daß er's gehört hat, und ob mit oder ohne Erbarmen, Dan sprach die Wahrheit: Er ist schon so gut wie tot.«

»Ihr habt recht«, sagte Ruben da. »Wir wollen ihn in die Grube werfen.«

Wieder weinte Joseph jammervoll auf.

»Aber er weint ja noch«, meinte einer erinnern zu müssen.

»Soll er nicht einmal mehr weinen dürfen?« rief Ruben. »Laßt ihn doch weinend in die Grube fahren, was wollt ihr mehr!«

Hier fielen Worte, die wir nicht unmittelbar wiedergeben, weil sie eine neuzeitliche Empfindlichkeit erschrecken und, eben in unmittelbarer Form, die Brüder, oder einige von ihnen, in ein übertrieben schlechtes Licht setzen würden. Es ist Tatsache, daß Schimeon und Levi sowie der gerade Gad sich erboten, dem Gefesselten kurzerhand den Garaus zu machen. Jene wollten es mit dem Stabe besorgen, ausholend mit beider Arme Kraft nach guter Kainsart, daß er hin sei. Dieser ersuchte um den Auftrag, ihm rasch mit dem Messer die Kehle zu durchschneiden, wie Jaakob einst mit den Böcklein getan, deren Fell er brauchte zum Segenstausch. Diese Vorschläge wurden gemacht, es ist nicht zu leugnen; aber es liegt nicht in unseren Wünschen, daß der Leser endgültig mit den Jaakobssöhnen zerfalle und ihnen auf immer die Verzeihung verweigere, darum lassen wir es nicht geradezu in den Worten der Brüder laut werden. Es wurde gesagt, weil es gesagt werden mußte, weil es, in unserer Sprache zu reden, in der Konsequenz der Dinge lag. Und es war wiederum nur folgerecht, daß diejenigen es über die Lippen brachten und sich dafür zur Verfügung stellten, zu deren Rolle auf Erden es am besten paßte und die damit, sozusagen, ihrem Mythus sich gehorsam erwiesen: die wilden Zwillinge und der stramme Gad.

Aber Ruben erlaubte es nicht. Es ist bekannt, daß er Widerstand leistete und nicht wollte, daß dem Joseph wie Habel oder wie den Böcklein geschah. »Dem widerspreche und widerstehe ich«, sagte er und berief sich auf seine Eigenschaft als Lea's Erster, in welcher er trotz Fall und Fluch wohl noch ein Wort mitzureden habe. Der Knabe sei ja so gut wie tot, sie hätten es selbst gesagt. Er weine nur noch etwas, das sei alles, und es genüge, ihn in die Grube zu werfen. Sie sollten ihn doch ansehen, ob das noch Joseph, der Träumer, sei, er sei ja schon unkenntlich von dem Geschehenen, woran er, Ruben, sich wie einer beteiligt habe, sich auch noch besser beteiligt hätte, wenn er nicht wäre von allen Seiten gestoßen worden. Aber das Geschehene sei eben nur ein Geschehen gewesen, kein Tun, so könne man es nicht nennen. Es sei zwar durch sie, die Brüder, geschehen, aber sie hätten's nicht getan, sondern es sei so mit ihnen dahingefahren. Jetzt aber wollten sie klaren Sinnes und nach ausdrücklichem Beschluß einen Greuel tun und die Hand wider den Knaben erheben, daß sie des Vaters Blut vergössen, während es bisher nur geflossen sei, wenn auch durch sie. Aber fließen und vergießen, das sei ein Unterschied in der Welt wie Geschehen und Tun, und wenn sie das nicht unterschieden, so seien sie am Verstande zu kurz gekommen. Ob sie als Blutgericht eingesetzt seien, fragte er, zu urteilen in eigener Sache und dann den Blutspruch auch noch selbst zu vollziehen? Nein, kein Blutvergießen, er dulde es nicht. Was ihnen nach dem Geschehenen zu tun bleibe, sei, den Knaben in die Grube zu befördern und das Weitere dem Geschehen zu überlassen.

So der große Ruben, aber es hat nie jemand geglaubt, daß er sich selbst betrog, dem Erz- und Grundunterschied von Tun und Geschehen gar so strenggläubig anhing und meinte, den Jungen in der Grube verkommen zu lassen, das heiße nicht, die Hand wider ihn erheben. Wenn etwas später Jehuda die Frage stellte, was es denn hülfe, den Bruder zu erwürgen und sein Blut zu verbergen, so hätte er damit den Ruben nichts Neues gelehrt. Längst hat die Menschheit in Rubens Herz geblickt und gesehen, daß er nichts wollte, als Zeit gewinnen – er hätte nicht sagen können, wofür –, Zeit ganz einfach, die Hoffnung zu fristen, daß er Joseph errette aus ihrer Hand und ihn so oder so dem Vater zurückbringe. Es war die Furcht Jaakobs und grimmig verschämte Liebe zu dem Verhaßten, die ihn dies heimlich betreiben – und auf Verrat sinnen ließen an dem Brüderclan, es ist nicht anders zu nennen. Aber Re'uben, das dahinschießende Wasser, hatte allerlei gut zu machen an Jaakob von wegen Bilha's, und wenn er ihm den Joseph zurückbrachte von hier, würde dann nicht die Geschichte von damals mehr als wettgemacht, der Fluch von ihm genommen und seine Erstgeburt wiederhergestellt sein? Wir geben uns nicht die Miene, genau über Rubens Dichten und Trachten Bescheid zu wissen, und wünschen nicht, die Motive seines Betreibens zu verkleinern. Aber verkleinern wir sie denn, wenn wir als möglich anheimstellen, er habe im stillen gehofft, das Rahelskind zugleich zu erretten und zu besiegen?

Übrigens stieß er kaum auf Widerstand bei den Brüdern mit seiner Forderung, sich des Tuns zu enthalten und das Geschehen walten zu lassen. Es wäre ihnen wohl allen recht gewesen, wenn ihr Tun, solange es noch ein Geschehen war, in e i n e m blinden Zuge zum Ziel geführt hätte; aber es nach der nun einmal eingetretenen Besinnungspause als reines Tun nach ausdrücklichem Blutbeschluß zu vollenden, hatte im Grund niemand Lust, auch die Zwillinge nicht, so wild sie waren, auch Gaddiel nicht, so stramm er sich gab; sie waren recht froh, daß ihnen der Auftrag, den Kopf und die Kehle betreffend, nicht zuteil wurde, sondern daß abermals Rubens Autorität und seine Parole durchschlugen: wie vorhin die des Bindens, so nun die des Brunnens.

»Zur Grube!« hieß es, und sie ergriffen den Strick, mit dem Joseph gebunden war, faßten zu da und dort und zerrten den Armen querfeldein gegen den Ort, wo sie abseits in der Trift die leere Zisterne wußten. Einige hatten sich vorgespannt, zu zerren, einige halfen seitwärts nach, und ein paar trabten hinterdrein. Re'uben trabte nicht, sondern wanderte mit langen Schritten an des Transportes Beschluß, und wenn ein Stein kam, ein böser Wurzelstumpf oder hartes Gebüsch, so griff er den

Hingeschleiften an und hob ihn auf, daß er nichts Unnützes erleide.

So ging's zur Grube mit Joseph mit Hoihupp und Hoihe, denn eine Art von Lustigkeit ergriff die Brüder bei dieser Fahrt, der taube Übermut vieler bei gemeinsamem Werk, so daß sie lachten und juxten und einander Blödes zuriefen, wie etwa: sie schleppten eine Garbe, wohl gebunden, die solle sich neigen ins Loch, in den Brunnen, in die Teufe hinab. Das war aber nur, weil sie sich alle erleichtert fühlten, nicht nach dem Muster Habels oder der Böcklein tun zu müssen; und dann auch, damit sie Josephs Flehen und Wehklagen nicht hörten, der immerfort mit seiner gespaltenen Lippe jammerte:

»Brüder! Erbarmen! Was tut ihr! Macht halt! Ach, ach, wie geschieht mir!«

Das half ihm nichts, dahin ging's mit ihm im Trabe durch Kraut und Busch eine gute Strecke weit über Land bis zu einem moosigen Abhang, den ging es hinunter, und unten war ein kühler Grund, gemauert, mit Eichen- und Feigengebüsch im trümmerhaften Gemäuer und zersprungenem Fliesenboden, wo hinab einige steile und schadhafte Stufen führten: über die schleppten sie Joseph, der sich in seinen Fesseln und in ihren Armen verzweifelt zu wehren begann, denn ihm grauste vor dem Brunnen, der da gebaut war, und vor dem Loch des Brunnens, besonders aber noch vor dem Brunnenstein, der nebenbei auf den Fliesen lag, bemoost und schadhaft, bestimmt, das Loch zu verschließen. Doch wie auch Joseph sich sträubte und weinte, sein unverschlossenes Auge entsetzensvoll in des Rundes Schwärze gerichtet, – sie hißten ihn auf den Rand mit Hoihupp und Hoihe und stießen ihn gar ins Übergewicht, daß er fallen mußte, wer wußte, wie tief.

Es war tief genug, wenn auch nicht abgründig, kein bodenloser Schlund. Solche Brunnen reichen oft dreißig Meter und mehr in die Erde hinab, aber dieser war außer Benutzung und seit langem schon stark verschüttet mit Erde und Bröckelgestein, vielleicht um alten Haders willen um den Ort. Wenn es fünf Klafter waren oder sechs, die Joseph hinabmußte unter Tag, so war's schon viel, wenn auch freilich zuviel, um da je wieder emporzusteigen bei verschnürten Gliedern. Auch stürzte er mit viel Lebensvorsicht und gesammelter Achtsamkeit, fand halben Halt da und dort mit Füßen und Ellenbogen am Mauerrand, die Fahrt zum Rutschen ermäßigend, und landete leidlich unverstaucht im Schutt, zum Schrecken von allerhand Käfern, Rasseln und Kellergewürm, die solches Besuches nicht gewärtig gewesen. Während er aber, irgendwie hingefallen, da unten bedachte, wie dies gegangen sei, taten die Brüder oben das übrige mit Mannesarmen und deckten sein Haus mit dem Stein in rufender Arbeit. Denn er war wuchtig, und nicht eines Mannes Werk war es, ihn auf die Grube zu wälzen, sondern alle faßten sie an und teilten sich in die Arbeit, zumal sie ein Stückwerk bildete an und für sich. Denn der alte Deckel, grünlich bemoost und wohl fünf Schuh groß im Durchmesser, war in zwei Hälften zersprungen, und als sie sie einzeln aufs Rund gewälzt hatten, da schlossen sie nicht einmal, sondern klafften, und durch den Spalt, hier breit und dort schmal, fiel etwas Tageslicht in den Brunnen. Zu dem blickte Joseph auf mit seinem sehenden Auge, wie er da irgendwie hingefallen lag in runder Tiefe, nackt und bloß.

Joseph schreit aus der Grube

Die Brüder nun, nach getanem Werke, setzten sich hin auf die Stufen des Brunnengelasses, um auszuruhen, und einige zogen Brot und Käse aus ihren Gürteltaschen, daß sie ein Frühstück hielten. Levi, roh, aber fromm, gab zwar zu bedenken, daß man nicht essen solle beim Blute; aber sie erwiderten ihm, es gebe kein Blut, das sei ja der Vorteil, daß auf diese Manier Blut weder geflossen noch vergossen sei; und so aß Levi auch.

Sie kauten blinzelnd und nachdenklich. Diese Nachdenklichkeit aber betraf vorderhand etwas ganz Nebensächliches, was ihnen dennoch für den Augenblick vor allem eindrucksvoll war. Ihre Hände und Arme, die beim Begräbnis tätig gewesen, trugen die Erinnerung an die Berührung mit Josephs bloßer Haut, und diese Erinnerung war überaus zart, obgleich die Berührung so unzärtlicher Art gewesen, und teilte sich ihren Herzen als eine Weichheit mit, der sie blinzelnd nachspürten, ohne sich recht auf sie zu verstehen. Auch war nicht die Rede davon unter ihnen, sondern was sie sprachen, galt nur der Feststellung, daß Joseph nun auf die Seite gebracht und samt seinen Träumen sicher aufgehoben sei, es galt der gegenseitigen Beruhigung darüber.

»Nun gibt's ihn nicht mehr«, sagten sie. »Uff, das wäre getan, und wir können nun ruhig schlafen.« Daß sie ruhig schlafen könnten, wiederholten sie desto nachdrücklicher, je zweifelhafter ihnen die Sache war. Sie mochten schlafen des Träumers wegen, der ausgeschieden war und dem Vater nichts würde ansagen können. Aber eben in diesem beruhigenden Gedanken war der an den Vater enthalten, der vergebens auf Josephs Heimkehr warten würde, ewig vergebens, und diese Vorstellung, soviel Sicherheit sie gewährte, lud keineswegs zum Schlafen ein. Es war für sämtliche zehn, ohne Ausnahme, auch für die wilden Zwillinge, eine grauenvolle Vorstellung, denn ihre Kindesfurcht vor Jaakob, vor der Zartheit und Macht seiner Seele war die ausgeprägteste, und daß Joseph nicht würde reden können, war erkauft mit einem Angriff auf diese pathetische Seele, den sie sich nur mit Schrecken vergegenwärtigten. Was sie an dem Bruder getan, hatten sie am Ende aus Eifersucht getan; aber man weiß ja, welches Gefühl in der Eifersucht seine Verzerrung erleidet. Sah man sich freilich die geölte Roheit Schimeons und Levi's an, so mochte die Bezugnahme auf dies Gefühl reichlich unpassend erscheinen, und ebendarum brauchen wir halbe Worte. Es gibt Fälle, denen nur mit halben Worten gedient ist.

Sie grübelten kauend und blinzelnd, an Händen und Armen das Nachgefühl der Sanftheit von Josephs Haut. Ihr Nachdenken war schwer, und es wurde erschwert und gestört durch das Weinen und Betteln des Versenkten, das dumpf aus dem Grabe zu ihnen drang. Denn nach dem Fall hatten seine Sinne sich so weit wieder gesammelt, daß er sich der Notwendigkeit erinnerte, zu jammern, und er flehte von unten:

»Brüder, wo seid ihr? Ach, geht nicht fort, laßt mich nicht allein im Grabe, es ist so modrig und schauervoll! Brüder, erbarmt euch und rettet mich einmal noch aus der Nacht der Grube, darin ich verderbe! Ich bin euer Bruder Joseph! Brüder, verbergt nicht eure Ohren vor meinem Seufzen und Schreien, denn ihr tut fälschlich an mir! Ruben, wo bist du? Ruben, ich rufe deinen Namen an, unten aus der Grube! Sie haben's mißverstanden! Ihr habt's mißverstanden, liebe Brüder, so helft mir doch und erlöst mein Leben! Ich kam zu euch von Vaters wegen fünf Tagereisen weit auf Hulda, der weißen Eselin, euch Geschenke zu bringen, Sangen und Obstkuchen, ach, wie ist's fehlgeschlagen! Der Mann ist schuld, daß es fehlschlug, der Mann, der mich führte! Brüder in Jaakob, hört und versteht mich, ich kam nicht zu euch, nach dem Rechten zu sehen, dazu braucht ihr das Kind nicht! Ich kam, mich zu neigen vor euch mit Ziem und Umgangsform und nach eurem Befinden zu fragen, daß ihr heimkehrtet zum Vater! Brüder, die Träume... War ich so ungezogen, euch Träume zu erzählen? Glaubt mir, ich habe euch vergleichsweise nur ganz bescheidene Träume erzählt, ich hätte euch... Ach, nicht das wollt' ich sagen! Ach, ach, meine Knochen und Sehnen rechts und links und alle meine Glieder! Mich dürstet! Brüder, es dürstet das Kind, denn es hat viel Bluts verloren um eines Irrtums willen! Seid ihr noch da? Bin ich schon ganz verlassen? Ruben, laß mich deine Stimme hören! Sag ihnen, daß ich nichts ansagen werde, wenn sie mich erretten! Brüder, ich weiß, ihr denkt, ihr müßt mich in der Grube lassen, weil ich's sonst ansagen werde. Beim Gotte Abrahams, Jizchaks und Jaakobs, bei eurer Mütter Häuptern und bei Rahels Haupt, meines Mütterchens, schwöre ich euch, daß ich's nicht ansagen werde, nie und nimmer nicht, wenn ihr mich einmal noch aus der Grube errettet, nur noch dies eine Mal!«

»Ganz gewiß würde er's ansagen, wenn nicht heute, so morgen«, murmelte Juda zwischen den Zähnen, und es war keiner, der nicht diese Gewißheit geteilt hätte, Ruben nicht ausgenommen, wie sehr sie in Widerstreit liegen mochte mit seinem schwebenden Hoffen und Planen. Desto geheimer aber mußte er dieses halten und es kräftig verleugnen; darum legte er die hohlen Hände an den Mund und rief:

»Wenn du nicht still bist, so werfen wir Steine auf dich, daß du gar dahin bist. Wir wollen nichts mehr hören von dir, denn du bist abgetan!«

Als Joseph das hörte und die Stimme Rubens erkannte, entsetzte er sich und verstummte, so daß sie ungestört blinzeln und den Vater fürchten konnten. Es lag so für sie, daß Jaakobs Harren und langsames Verzweifeln, das ganze gefühlvolle Elend, das sich zu Hebron vorbereitete, sie weiter nicht hätte anzugehen brauchen, wenn sie die Absicht gehabt hätten, ihre Selbstverbannung aufrechtzuhalten und in dauerndem Zerwürfnis mit dem Vaterherde zu leben. Das gerade Gegenteil jedoch war der Fall. Die Versenkung Josephs konnte nur einem Zwecke dienen: das Hindernis zu beseitigen, das zwischen ihnen und dem Herzen des Vaters stand, um das es ihnen allen aufs kindlichste zu tun war; und die Wirrnis bestand darin, daß sie sich gezwungen gesehen hatten, diesem zarten und machtvollen Herzen das Äußerste zuzufügen, um es für sich zu gewinnen. Tatsächlich war dies der Gesichtspunkt, unter dem sie alle zur Zeit die Dinge sahen. Nicht auf die Bestrafung des Frechen und nicht auf ihre Rache, noch auch nur in erster Linie auf die Zerstörung der Träume war es ihnen, so fühlten sie einmütig, angekommen, sondern darauf, den Weg freizumachen zum Herzen des Vaters. Er lag nun frei, und sie würden zurückkehren – ohne Joseph, wie sie ohne ihn ausgezogen waren. Wo war er? Er war ihnen nachgeschickt worden. Wird einem derjenige nachgeschickt, gegen dessen Leben der eigene Auszug eine Kundgebung war, und man kehrt ohne ihn wieder, so ist das fragwürdig. Nicht ohne ein gewisses schauerliches Recht wird einem dann die Frage nach dem Verbleibe dessen gestellt werden, ohne den man zurückkehrte. Selbstverständlich konnten sie diese Frage mit Achselzucken beantworten. Waren sie ihres Bruders Hirten? Nein, aber damit würde die Frage nicht beantwortet sein, sondern fortfahren, ihren großen, dringlich mißtrauischen Blick auf sie gerichtet zu halten, und unter diesem Blick, unter den Augen der Frage würden sie Zeugen sein des qualvollen Harrens, dessen Vergeblichkeit ihnen bekannt war, und des langsamen Verzweifelns, worein es der Natur der Dinge nach einzig ausgehen konnte. Das war eine Pönitenz, davor ihnen graute. Sollten sie also außenbleiben, bis die Hoffnung ausgebrannt sein und das Harren sich in die Erkenntnis ergeben haben würde, daß Joseph nicht wiederkehrte? Das würde lange währen, denn Harren ist zäh, und unterdessen konnte leicht die Frage sich selbst beantworten und für sie alle zum Fluche werden. Worauf es ankam, war offenbar, des Knaben Nimmerwiederkehr sofort und kurzerhand auf eine Weise klipp und klar zu stellen, die den Reinigungsbeweis für sie, die Verdächtigen, in sich trug. Dies arbeitete in ihnen allen, und in Dan, der Schlange und Otter genannt wurde, gedieh es zum Vorschlag. Denn er zog seine eigenen Gedanken von früher, man müsse dem Alten beibringen, ein wildes Tier habe Joseph geschlagen, mit gewissen Anregungen Gads und seiner Erinnerung an die Böcklein zusammen, die Jaakob einst zum Segenstausche geopfert, und sagte:

»Hört auf mich, Brüder, ich tauge zum Richter und weiß, wie wir's machen! Denn wir nehmen ein Tier der Herde und tun es ab mit Kehlschnitt, daß dahinläuft das Blut. In das Blut aber des Tieres tauchen wir das Ärgernis, das bunte Kleid, Rahels Brautgewand, das zerfetzt am Platze liegt. Das bringen wir vor Jaakob und sprechen zu ihm: ›Dies haben wir gefunden auf der Flur, zerrissen und voll Bluts. Ist es nicht deines Sohnes Kleid?‹ Dann mag er seine Schlüsse ziehn aus des Kleides Zustand, und es wird sein, als wiese ein Hirte dem Herrn die Reste des Schafes vor, das ein Löwe geschlagen: so ist er gereinigt und braucht sich nicht einmal freischwören von Schuld.«

»Still doch!« murmelte Juda, peinlich berührt. »Er hört es ja unterm Stein, was du sagst, und versteht, wie wir's machen wollen!«

»Was schadet's?« erwiderte Dan. »Soll ich flüstern und lispeln um seinetwillen? Das geht alles über sein Leben hinaus und ist unsere Sache, aber nicht seine mehr. Du vergißt, daß er so gut wie tot ist und abgetan. Wenn er's versteht und auch dies versteht, was ich jetzt mit ungekünstelter Stimme sage, so ist's gut bei ihm aufgehoben. Niemals haben wir frei und unbedacht reden dürfen, wenn er unter uns war, denn wir mußten gewärtig sein, daß er's dem Vater anzeigte und wir in die Asche kamen. Das ist's ja eben, daß wir ihn endlich unter uns haben als unsern Bruder, dem wir vertrauen mögen, und darf alles hören, so daß ich ihm eine Kußhand zuwerfen möchte in die Grube. Was dünkt euch also von meiner Eingebung?«

Sie wollten reden darüber, aber Joseph fing wieder zu jammern an und zu flehen und beschwor sie weinend von unten, es nicht zu tun.

»Brüder«, rief er, »tut's nicht mit dem Tiere und mit dem Kleide, tut es dem Vater nicht an, denn er übersteht's nicht! Ach, ich bitte euch nicht für mich, Leib und Seele sind mir gebrochen, und ich liege im Grabe. Schont aber den Vater und bringt ihm das blutige Kleid nicht, er ist des Todes! Ach, wenn ihr wüßtet, wie er mich verwarnt hat in seiner Bangigkeit von wegen des Löwen, wenn er mich alleinfand bei Nacht, und nun soll ich gefressen sein! Wenn ihr gesehen hättet, wie er mich abgefertigt zur Reise mit ängstlicher Sorgfalt, ich aber hielt es ihm lässig zugute! Weh mir, es ist wohl unklug, daß ich euch von seiner Liebe spreche zum Kinde, aber was soll ich tun, liebe Brüder, und wie mir raten, daß ich euch nicht reize? Warum ist doch mein Leben verschlungen mit dem seinen, daß ich euch nicht beschwören kann, seines zu schonen, ich bäte denn auch um meines? Ach, liebe Brüder, hört mein Weinen und tut seiner Bangigkeit das Schrecknis nicht an mit dem blutigen Kleide, denn seine weiche Seele erträgt's nicht, und er fällt auf den Rükken!«

»Nun«, sagte Ruben, »das steh' ich nicht aus, es ist unerträglich.« Und er stand auf. »Gefällt's euch, so gehen wir anderswohin und weiter weg. Man kann nicht reden bei seinem Jammern und sich nicht bedenken bei seinem Geschrei aus der Tiefe. Kommt zu den Hütten!« Er sagte es zornig, damit die Blässe seines muskelstarken Gesichtes aussähe wie Zornesblässe. Aber sie rührte daher, daß er erkannte, wie recht der Knabe mit seiner Angst hatte um den Vater. Denn auch er sah es kommen, daß dieser buchstäblich und ohne Redensart auf den Rücken fallen werde bei des Kleides Anblick. Daneben aber und ganz besonders hatte es dem Ruben die Wahrnehmung angetan, daß Joseph des Vaters gedachte in seiner Not und angstvolle Fürbitte einlegte für die Weichheit seiner Seele, – für diese vor allem und für sich selbst erst um ihretwillen. Schob er wohl jenen nur vor, um sich selbst zu bewahren, und deckte sich hinter ihm nach alter Gewohnheit? Nein, nein, es war anders diesmal. Ein anderer Joseph schrie hier unterm Steine hervor als der, den er einst an den Schultern geschüttelt, um ihn zu erwecken aus eitler Torheit. Was ihm nicht gelungen mit seinem Schütteln, das hatte offenbar der Sturz in die Grube vermocht: Joseph war aufgewacht, er bat für des Vaters Herz, er spottete dieses Herzens nicht mehr, sondern trug Reue und Sorge darum; und diese Entdeckung bestärkte den großen Ruben außerordentlich in seinen schwebenden Vorsätzen, machte ihm aber gleichzeitig ihre rat- und heillose Unbestimmtheit doppelt empfindlich.

Daher seine Blässe, als er aufstand und alle aufforderte, mit ihm den Ort zu verlassen, wo Joseph geborgen war. Sie taten es auch. Zusammen gingen sie weg von da, die Schleierfetzen aufzulesen am Ort der Verprügelung, sie zu den Zelten zu bringen und dort zu beratschlagen über die Eingebung Dans. So blieb Joseph allein.

In der Höhle

Es war ihm in der Seele schrecklich, in seinem Loche allein zu bleiben, und des längeren noch jammerte er hinter den Brüdern drein und flehte sie an, ihn nicht zu verlassen. Er wußte aber kaum, was er rief und weinte, und zwar, weil seine eigentlichen Gedanken nicht bei diesen mechanischen und oberflächlichen Bitten und Klagen waren, sondern unterhalb ihrer; und unter den eigentlichen gingen wieder noch eigentlichere dahin als ihre Schatten und Bässe im Tiefenstrom, so daß das Ganze einer bewegten Musik glich, senkrecht zusammengesetzt, von deren Führungen oben, mitten und unten sein Geist gleichzeitig in Anspruch genommen war. Dies bot auch die Erklärung dafür, daß er sich beim Flehen einen solchen Fehler hatte entschlüpfen lassen wie den: er habe den Brüdern nur sehr bescheidene Träume erzählt, verglichen mit anderen, die er auch noch geträumt. Dies auch nur einen Augenblick für einen mildernden Umstand zu halten, konnte nur jemandem unterlaufen, dessen Gedanken nicht voll bei dem waren, was er sagte, sondern in dem Mehreres vorging, und so war es mit Joseph.

Vieles ging in ihm vor schon seit dem ungeahnten und entsetzlichen Augenblick, da die Brüder auf ihn gefallen waren wie Wölfe und er mit dem Auge, das sie ihm nicht sogleich mit den Fäusten verschlossen, in ihre wut- und gramverzerrten Mienen geblickt hatte. Diese Mienen waren recht nahe an seinem Gesicht gewesen, während die Tobenden ihm mit Nägeln und Zähnen das Bildkleid vom Leibe rissen, – schrecklich nahe, und die Qual des Hasses, die er darin hatte lesen können, hatte den Hauptanteil gehabt an dem Grauen, das er unter ihren Mißhandlungen empfunden. Selbstverständlich hatte er sich grenzenlos gefürchtet und vor Schmerzen geweint unter ihren Schlägen; Furcht und Schmerzen aber waren von Mitleid ganz durchtränkt gewesen mit der Hassesqual, die er in den übernahen, wechselnd vor ihm auftauchenden, schwitzenden Masken gelesen, und das Mitleid mit einer Pein, als deren Urheber wir uns bekennen müssen, kommt der Reue gleich. Ruben hatte ganz recht gehabt mit seiner Wahrnehmung: Diesmal war Joseph so derb geschüttelt worden, daß seine Augen sich aufgetan hatten und er sah, was er angerichtet – und daß er es angerichtet. Während er zwischen den Fäusten der Wütenden dahin und dorthin flog und sein Kleid verlor; während er gefesselt am Boden lag und dann während seines argen Transportes zum Brunnenhause waren seine Gedanken in aller Schreckensbetäubung nicht stillgestanden; sie waren keineswegs nur bei der fürchterlichen Gegenwart gewesen, sondern in großer Hast zurückgeflattert über eine Vergangenheit hin, in der dies alles, verborgen seiner Vertrauensseligkeit und doch auch wieder ihr halb und frech bewußt, sich vorbereitet hatte.

Mein Gott! die Brüder! Wohin hatte er sie gebracht? Denn er begriff, daß er sie so weit gebracht hatte: durch viele und große Fehler, die er in der Voraussetzung begangen, daß jedermann ihn mehr liebe als sich selbst, – dieser Voraussetzung, an die er geglaubt und doch auch wieder nicht ganz wirklich geglaubt, nach der er aber jedenfalls gelebt und die ihn, das erkannte er klar und deutlich, in die Grube gebracht hatte. In den verzerrten und schwitzenden Masken der Brüder hatte er es mit seinem einen Auge deutlich gelesen, daß dies eine über Menschenkraft gehende Voraussetzung gewesen war, mit der er ihre Seelen durch lange Zeit überanstrengt und ihnen großes Leid zugefügt hatte, bis es nun endlich zu diesem für ihn und zweifellos auch für sie so fürchterlichen Ende gediehen war.

Arme Brüder! Was mußten sie ausgestanden haben, bis daß sie sich verzweiflungsvoll an des Vaters Lamm vergriffen und es tatsächlich in die Grube geworfen hatten! In welche Lage hatten sie sich damit gebracht, – von seiner eigenen zu schweigen, die freilich hoffnungslos war, wie er sich schaudernd eingestand. Denn daß er, dem Vater zurückgegeben, reinen Mund halten und nicht alles ansagen werde, das würde er ihnen niemals glaubhaft machen können, weil es nicht glaubhaft war, ihm selber auch nicht, – und also mußten sie ihn in der Grube lassen, daß er darin verdürbe, es blieb ihnen gar nichts anderes übrig. Das sah er ein, und desto verwunderlicher mag es scheinen, daß das Grauen vor dem eigenen Schicksal in seiner Seele Raum ließ für Mitleid mit seinen Mördern. Dennoch ist dies der erwiesene Sachverhalt. Joseph wußte genau und gestand es sich, wie er da auf dem Brunnengrunde saß, offen und ehrlich ein, daß jene unverschämte »Voraussetzung«, nach der er gelebt, ein Spiel gewesen war, an das er selber nicht ernstlich geglaubt hatte, noch hatte glauben können, und daß er, um nur hiervon zu reden, den Brüdern die Träume nie und nimmer hätte erzählen dürfen, – es war ganz unmöglich und über jede Statthaftigkeit taktlos gewesen. Daß es das war, darüber war er sich auch, wie er nun zugab, im stillen und geheimen jederzeit und auch im Augenblick, da er also handelte, vollkommen im klaren gewesen, – und dennoch hatte er es getan. Warum? Es hatte ihn unwiderstehlich gejückt, so zu tun; er hatte es tun müssen, weil Gott ihn eigens so geschaffen hatte, daß er es täte, weil Er es mit ihm und durch ihn also vorgehabt hatte, mit einem Wort, weil Joseph in die Grube hatte kommen sollen – und, ganz genau gesagt, hatte kommen wollen. Wozu? Das wußte er nicht. Allem Anscheine nach, um zu verderben. Aber im Grunde glaubte Joseph das nicht. Im Untersten war er überzeugt, daß Gott weiterschaute als bis zur Grube, daß Er es weittragend vorhatte wie gewöhnlich und einen zukünftig-fernen Zweck verfolgte, in dessen Diensten er, Joseph, die Brüder hatte zum Äußersten treiben müssen. Sie waren die Opfer der Zukunft, und sie taten ihm leid, so schlecht es dabei auch ihm selber ging. Sie würden dem Vater das Kleid schicken, die Unseligen, nachdem sie es im Blute des Böckleins gleichwie in seinem gewälzt, und Jaakob würde auf den Rücken fallen. Bei diesem Gedanken trieb es den Joseph fliegend auf, den Vater zu schützen vor solchem Anblick – mit dem einzigen Ergebnis natürlich, daß er, gestochen von Schmerzen wie von Tierbissen, in seinen Fesseln zurücksank an die Brunnenmauer und wieder zu weinen begann.

Er hatte schlimme Muße, zu weinen, Angst, Reue und Mitleid zu erproben und, an seinem Leben verzweifelnd, dennoch insgeheim an Gottes heilsweise Zukunftszwecke zu glauben. Denn, grausam zu sagen, drei Tage sollte er im Gefängnis bleiben, drei Tage und Nächte nackt und bloß und verschnürt dort unten im Moder und Staube, bei den Rasseln und Würmern des Brunnengrundes, ohne Labe noch Letzung, ohne Trost und jedwede vernünftige Hoffnung, je wieder ans Licht zu gelangen. Wer es erzählt, dem muß daran liegen, daß man sich's recht vorstelle und mit Schaudern sich ausmale, was es bedeutete, für ein Vatersöhnchen zumal, das sich so äußerst Hartes nie hatte träumen lassen: wie elendsvoll ihm die Stunden schwanden, bis sein kümmerlicher Tagesanteil im Spalt des Steines erstarb und statt dessen ein mitleidiger Stern seinen demantenen Strahl zu ihm hinabsandte ins Grab; wie neues Oberlicht dort zweimal erwachte, ärmlich verharrte und wieder verging; wie er in der Dämmerung inständig hinaufspähte an den gerundeten Wänden des Hauses, ob denn nicht an ein Aufwärtsentkommen mit Hilfe schadhafter Mauerstellen und in den Fugen wurzelnden Buschwerks allenfalls hoffnungsweise zu denken sei, – da doch der deckende Stein und die Fessel, schon einzeln und nun gar im Verein, jede Hoffnung im Keim erstickten; wie er sich in dem Stricke wand, um eine minder peinvolle Lage und Sitzart ausfindig zu machen, die, wenn auch zur Not gefunden, binnen kurzem unerträglicher war als die vorige; wie Durst und Hunger ihn quälten und seines Magens Leere ihn im Rücken schmerzte und brannte; wie er sich gleich dem Schafe mit seinem eigenen Unrat besudelte und darin nieste und fröstelte, daß ihm die Zähne schnatterten. Höchlich ist es uns darum zu tun, jedermann zur lebendig-wirklichen Einbildung so umfassender Unannehmlichkeiten anzuhalten. Und doch ist es auch wieder unsere Sache, abzuwiegeln und, eben um des Lebens und der Wirklichkeit willen, dafür zu sorgen, daß sich die Einbildungskraft nicht übernehme und nicht ins Leer-Gefühlvolle sich verliere. Wirklichkeit ist nüchtern – in ihrer Eigenschaft eben als Wirklichkeit. Inbegriff des Tatsächlichen und Unleugbaren, womit wir uns abzufinden und zu verständigen haben, dringt sie auf Anpassung und richtet sich rasch ihren Mann nach Bedürfnis zu. Leicht sind wir hingerissen, eine Lage unerträglich zu nennen: es ist der Einspruch stürmisch empörter Menschlichkeit, wohlgemeint und auch wohltuend für den Leidenden. Doch macht er sich leicht auch wieder vor diesem, dessen Wirklichkeit das »Unerträgliche« ist, ein wenig lächerlich. Der Mitfühlend-Empörte steht zu dieser Wirklichkeit, da sie ja nicht die seine ist, in einem gefühlvoll-unpraktischen Verhältnis; er versetzt sich in die Lage des anderen, wie er da ist: ein Phantasiefehler, denn eben vermöge seiner Lage ist ja jener nicht mehr wie er. Was heißt denn auch »unerträglich«, wenn's doch ertragen werden muß und gar nichts anderes übrigbleibt, als es zu tragen, solange der Mensch bei Sinnen ist?

Voll und klar bei Sinnen nun aber war Jung-Joseph schon längst nicht mehr, schon seit dem Augenblick nicht, seit die Brüder vor seinen Augen zu Wölfen geworden. Was über ihn hereingebrochen war, hatte ihn sehr benommen und jene Herabminderungen bewirkt, die das »Unerträgliche« braucht, um ertragen zu werden. Die Prügel, die er erhalten, waren betäubend gewesen, die unglaubwürdige Beförderung ins Brunnenloch desgleichen. Der damit herbeigeführte Zustand war schmerzhaft-verzweifelt, aber die Schreckensgeschehnisse waren damit doch wenigstens zum Stillstand gekommen, zu einer gewissen Befestigung gediehen, und seine Lage hatte, wieviel gegen sie einzuwenden sein mochte, zum mindesten den Vorzug der Sicherheit. Geborgen in der Erde Schoß, brauchte er weitere Gewaltsamkeiten nicht zu fürchten und hatte Muße zu jener Gedankenarbeit, die seine leiblichen Beschwerden zeitweise fast ganz aus seinem Bewußtsein schaltete. Die Sicherheit ferner (wenn dieses Wort angesichts wahrscheinlichen, ja so gut wie gewissen Todes erlaubt ist; aber der Tod ist für irgendeinen Zeitpunkt immer gewiß, und doch fühlen wir uns sicher), das Sicherheitsgefühl also begünstigte den Schlaf. Josephs Erschöpfung war so groß, daß sie die horrende Unbequemlichkeit aller Umstände übermochte und ihn in Schlaf senkte, so daß er durch längere Zeitstrecken nichts oder wenig von sich wußte. Erwachte er dann, so mischte sich sein Erstaunen über die Erquikkung, die der Schlaf ganz auf eigene Hand, ohne Beihilfe von Speise und Trank zu gewähren vermag (denn Nahrung und Schlaf können eine Weile für einander eintreten), mit dem Entsetzen über das Immer-noch-Andauern seines Elendes, das ihm auch im Schlaf nicht ganz aus dem Sinn gekommen war, dessen Strenge sich aber übrigens, wenn auch nur sozusagen, ein wenig zu lockern begonnen hatte. Es gibt keine Strenge und Angezogenheit, die nicht auf die Dauer denn doch etwas nachließe und kleine Zugeständnisse an die Bewegungsfreiheit gewährte. Wir denken an den Strick und daran, daß seine Züge und Knoten am zweiten und dritten Tage nicht mehr genau die Straffheit der ersten Stunde bewahrten, sondern einiges darangegeben und sich zu einem gewissen Entgegenkommen gegen die Bedürfnisse der armen Glieder bequemt hatten. Auch dies wird gesagt, um das Mitleid aufs Nüchtern-Wirkliche abzustimmen. Selbst wenn man hinzufügt, daß Joseph natürlich immer schwächer wurde, geschieht es nur einesteils, um das Mitleid auch wieder wach zu halten und die Besorgnis nicht ausgehen zu lassen; denn anderenteils bedeutete diese zunehmende Schwäche und Abnahme ja auch wieder eine praktische Milderung seiner Leiden, so daß es ihm, von ihm selbst aus betrachtet, je länger die Lage währte, sozusagen immer besser ging, da er ihrer Elendigkeit schließlich kaum noch gewahr wurde.

Seine Gedanken aber arbeiteten bei fast vergessenem Leibesleben immer rege fort, und zwar dergestalt, daß in dem musikalischen Körper, den sie darstellten, jene »Schatten und Bässe«, die zuunterst waren, dank seiner träumerischen Schwäche immer stärker hervortraten und zuletzt die Oberstimmen fast ganz und gar übertönten. Oben führte die Todesfurcht, die sich, solange die Brüder nahe gewesen, in dringlichstem Jammer und Flehen ergossen hatte. Warum war sie, seit sich die Zehn entfernt, nach außen hin ganz verstummt, und warum ließ Joseph keinen Not- und Hilferuf mehr aufs Geratewohl aus seiner Tiefe ergehen? Die Antwort ist: weil er es völlig vergaß über der Vordringlichkeit von Gedankengängen, die wir schon andeuteten und welche die Erklärung seines jähen Sturzes, die Vergangenheit, die vielleicht gottgewollten, aber darum nicht weniger großen und schweren Fehler der Vergangenheit betrafen.

Das Kleid, das die Brüder ihm abgerissen, und zwar schauerlicherweise zum Teil mit den Zähnen, spielte eine hervorstechende Rolle dabei. Daß er sich nicht hätte darin vor ihnen spreizen, ihnen den Anblick seines Besitzertums nicht hätte aufdrängen, vor allen Dingen jetzt und hier nicht hätte darin vor sie hintreten dürfen, leuchtete ihm so überwältigend ein, daß er sich mit der Hand hätte vor den Kopf schlagen mögen, wenn nicht die Fessel das verhindert hätte. Aber während er es im Geiste tat, gestand er sich zugleich die Sinnlosigkeit und sonderbare Heuchelei dieser Gebärde ein; denn es war ja klar, daß er dies immer gewußt und dennoch so gehandelt hatte. Staunend blickte er in das Rätsel selbstverderberischen Übermuts, das ihm durch sein eigenes vertracktes Benehmen aufgegeben war. Es zu lösen, ging über seinen Verstand, aber es geht über jeden, weil allzuviel Unberechenbares, Widervernünftiges und vielleicht Heiliges darin einschlägig ist. Wie er gezittert hatte, daß Jaakob nur nicht möchte im Tischbeutel die Ketônet entdecken – gezittert vor seiner Errettung! Denn er hatte den Vater ja nicht betrogen, seine Gedächtnisschwäche ausgenutzt und heimlich das Erbe eingepackt, weil er über die Wirkung, die des Schleiers Anblick auf die Brüder ausüben mußte, anderer Meinung gewesen wäre als jener. Er war ganz derselben Meinung gewesen und hatte ihn trotzdem eingepackt. War das zu enträtseln? Aber da er nicht vergessen hatte, für sein Verderben zu sorgen – warum hatte Jaakob vergessen, ihm vorzubeugen? Auch hier lag ein Rätsel. Daß er den bunten Rock zu Hause ließe, hatte der Liebe und Angst des Vaters ebenso wichtig sein müssen, wie es seiner, Josephs, Begierde wichtig gewesen war, ihn mitzuschmuggeln. Warum hatte die Liebe und Angst sich etwas so Wichtiges nicht in den Sinn kommen lassen und verabsäumt, der Begierde einen Strich durch die Rechnung zu machen? Wenn es dem Joseph gelungen war, das Prunkstück im Zelte dem Alten abzulisten, so nur, weil sie ein Spiel spielten und weil Jaakob das Kleid dem Sohne ebenso wünschte, wie dieser es für sich begehrte. Die Nutzanwendung war bald gezogen. Zusammen hatten sie das Lamm in die Grube gebracht, und nun würde Jaakob auf den Rücken fallen.

Das mochte er wohl tun und danach die großen, gemeinsam begangenen Fehler der Vergangenheit bedenken, wie Joseph es tat hier unten. Aufs neue gestand er sich, daß seine Schwüre, er würde dem Vater gewiß nichts anzeigen, falls er ihm einmal noch zurückgegeben werde, nur aus oberflächlicher Angst gekommen waren um sie beide und daß er ihm vielmehr, wenn der alte Zustand von vor der Grube sich wiederherstellte – was Joseph natürlich mit einem Teil seines Wesens inständig wünschte –, unfehlbar und unvermeidlich alles anzeigen werde, so daß die Brüder in die Asche kommen würden. Daher wünschte er mit einem anderen Teil seines Wesens die Wiederherstellung nicht, die übrigens ausgeschlossen war – er war einig mit seinen Brüdern in diesem Punkt, so einig, daß er Lust hatte, die Kußhand zu erwidern, die Dan ihm hatte in die Grube senden wollen, weil es zum ersten Male mit ihnen war wie unter Brüdern und er alles hören durfte, auch das von dem Blute des Böckleins, das für sein Blut gelten sollte, denn es ging über sein Leben hinaus und war bei ihm aufgehoben als wie im Grabe.

Dans Äußerung, daß man vor Joseph reden könne wie man wollte, da jedes Wort nur noch die Unmöglichkeit seiner Heimkehr verstärke, und daß man also geradezu gut tue, solche Dinge vor ihm zu sagen, die über sein Leben hinausgingen, weil man ihn damit fest an die Unterwelt band, wie einen Totengeist, vor dem man sich fürchtete, hatte starken Eindruck auf Joseph gemacht, und in seinen Gedanken spielte sie die Rolle des Gegenstücks und der Umkehrung der bisherigen Voraussetzung seines Lebens, daß er seinerseits auf niemanden Rücksicht zu nehmen brauche, weil jedermann ihn mehr liebe als sich selbst. Nun war es an dem, daß man auf ihn nicht mehr Rücksicht zu nehmen brauchte, und diese Erfahrung bestimmte den Gang jener Schatten und Bässe seiner Gedanken, die unter den oberen und mittleren liefen und, je schwächer er wurde, ein desto sonoreres Übergewicht über die Oberstimmen gewannen.

Sie hatten aber schon früher, zusammen mit den anderen, ihren Gang angetreten: Schon gleich, als das Herausgefordert-Ungeahnte Wirklichkeit geworden, als er, von Kopfnüssen und Stübern getroffen, zwischen den Brüdern hin und her geflogen war und sie ihm das Bildkleid mit Nägeln und Zähnen vom Leibe gerissen hatten, – von Anfang an also hatten sie mitgesprochen, und mitten im prasselnden Entsetzen hatte sein Ohr zum guten Teil ihnen gehört. Verfehlt wäre die Annahme, daß Joseph unter so tödlich ernsten Umständen aufgehört hätte zu spielen und zu träumen, – wenn unter solchen Umständen zu spielen und zu träumen noch spielen und träumen heißt. Er war Jaakobs wahrhafter Sohn, des Würdig-Sinnenden, des Mannes mythischer Bildung, der immer wußte, was ihm geschah, der in allem irdischen Wandel zu den Sternen blickte und immer sein Leben ans Göttliche knüpfte. Eingeräumt, daß Josephs Art, seinem Leben durch die Anknüpfung ans Obere Richtigkeit und Wirklichkeit zu verleihen, ein anderes, weniger gemüthaftes, sondern witzig berechnenderes Gepräge trug als in Jaakobs Fall: mit der Überzeugung, daß ein Leben und Geschehen ohne den Echtheitsausweis höherer Wirklichkeit, welches nicht auf Heilig-Bekanntem fußt und sich darauf stützt, sich in nichts Himmlischem zu spiegeln und sich darin wieder zu erkennen vermag, überhaupt kein Leben und Geschehen ist; mit der Überzeugung also, daß das Untere gar nicht zu geschehen wüßte und sich selber nicht einfiele ohne sein gestirnhaftes Vorbild und Gegenstück, war es auch ihm vollkommen ernst, und die Einheit des Doppelten, die Gegenwart dessen, was umschwingt, die Vertauschbarkeit von Oben und Unten, so daß eins sich ins andere wandelt und Götter zu Menschen, Menschen aber zu Göttern werden können, bildete auch seines Lebens Hauptgewißheit. Nicht umsonst war er der Schüler Eliezers, des Alten, der auf so kühne und freie Art »Ich« zu sagen wußte, daß der Blick sich sinnend an seiner Erscheinung brach. Die Durchsichtigkeit des Seins, sein Charakter als Wiederholung und Rückkehr des Urgeprägten – dieses Grundbekenntnis war Fleisch und Blut auch in ihm, und jede geistige Würde und Bedeutung schien ihm an dergleichen Selbstgefühl gebunden. Das war in der Ordnung. Was nicht mehr ganz in der Ordnung war und vom Würdig-Bedeutenden spielerisch abartete, war Josephs Neigung, aus der allgemeinen Denkeinrichtung Nutzen zu ziehen und auf dem Wege bewußter Selbstbeeinflussung die Leute damit zu blenden.

Er hatte achtgegeben vom ersten Augenblick an. Man möge es glauben oder nicht, aber im verstörtesten Trubel der Überrumpelung, im schlimmsten Drange der Angst und Todesnot hatte er geistig die Augen aufgemacht, um zu sehen, was »eigentlich« geschah. Nicht als ob Angst und Not darum geringer geworden wären; aber auch eine Art von Freude, ja von Gelächter war ihnen dadurch zugekommen, und eine verstandesmäßige Heiterkeit hatte das Entsetzen der Seele durchleuchtet.

»Mein Kleid!« hatte er aufgeschrien und in bedeutendem Schrecken gebettelt: »Zerreißt es nicht!« Ja, sie hatten es ihm zerrissen und abgerissen, das Mutterkleid, das auch des Sohnes war, so daß beide es trugen im Austausch und eins wurden durch den Schleier, Gott und Göttin. Entschleiert hatten die Rasenden ihn ohne Erbarmen – wie Liebe die Braut entschleiert im Bettgemach, so hatte ihm ihre Wut getan und hatten ihn nackend erkannt, so daß Todesscham ihn durchschauert hatte. In seinem Geist wohnten die Gedanken »Entschleierung« und »Tod« nahe beisammen, – wie hätte er nicht in Ängsten die Fetzen des Kleides an sich halten und bitten sollen: »Zerreißt es nicht!«, und wie hätte nicht zugleich Verstandesfreude ihn erfüllen sollen über die Bewährung, die jene Gedankenverbindung durch das Geschehen erfuhr, darin sie sich vergegenwärtigte? Keine Not des Fleisches und der Seele konnte die Aufmerksamkeit seines Geistes ertöten auf die sich häufenden Anspielungen, mit denen das Geschehen sich als höhere Wirklichkeit, als durchsichtig und urgeprägt, als Gegenwart im Umschwung, kurz als gestirnhaft zu erkennen gab. Und diese Aufmerksamkeit war sehr natürlich, da es um Sein und Selbigkeit ging bei den Anspielungen, um den Durchblick seines Ich, den er dem Ruben neulich zu dessen größter Verblüffung ein wenig geöffnet hatte und der sich im Gang der Geschehnisse mehr und mehr erhellte. Er hatte jammervoll aufgeweint, als der große Ruben seine Zustimmung gegeben hatte, daß man ihn in die Grube würfe; im gleichen Augenblick aber hatte sein Verstand gelacht wie über einen Witz, denn das gebrauchte Wort war geladen mit Anspielungen: »Bôr« hatten die Brüder gesagt in ihrer Sprache und hatten sich einsilbig-vielsinnig damit ausgedrückt; denn die Silbe enthielt den Begriff des Brunnens sowohl wie den des Gefängnisses, und dieser wieder hing so nahe mit dem des Unteren, des Totenreiches zusammen, daß Gefängnis und Unterwelt ein und derselbe Gedanke und eines nur ein anderes Wort fürs andere war, zumal auch der Brunnen bereits in seiner Eigentlichkeit dem Eingang zur Unterwelt gleichkam und sogar noch durch den runden Stein, der ihn zu bedecken pflegte, auf den Tod deutete; denn der Stein deckte sein Rund wie der Schatten den Dunkelmond. Was für Josephs Verstandesaufmerksamkeit durchs Geschehen schimmerte, war das Urvorbild des Gestirntodes: des toten Mondes, den man nicht sieht drei Tage lang vor seinem zarten Wiedererstehen, des Sterbens der Lichtgötter zumal, die der Unterwelt verfallen für einige Zeit; und als das Gräßliche Wirklichkeit wurde, die Brüder ihn aufs Brunnenrund und auf den Rand der Grube hißten und er hinab mußte unter Tag mit angespannter Geschicklichkeit, da war seinem wachsamen Witz die Anspielung völlig deutlich gewesen auf den Stern, der am Abend ein Weib ist und am Morgen ein Mann und der in den Brunnen des Abgrundes hinabsinkt als Abendstern.

Es war der Abgrund, in den der wahrhafte Sohn steigt, er, der eins mit der Mutter ist und mit ihr das Gewand trägt im Austausch. Es war der unterirdische Schafstall, Etura, das Reich der Toten, darin der Sohn Herr wird, der Hirte, der Dulder, das Opfer, der zerrissene Gott. Zerrissen? Sie hatten ihm nur die Lippe zerrissen und die Haut da und dort, aber das Kleid hatten sie ihm abgerissen und es zerrissen mit Nägeln und Zähnen, die roten Mörder und Verschwörer, seine Brüder, und würden es in das Blut eines Ziegenbocks tauchen, das für sein Blut gelten sollte, und es vor den Vater bringen. Gott forderte vom Vater das Opfer des Sohnes, – von dem Weichen, der schaudernd bekannt hatte, daß er »es nicht vermöchte«. Der Arme, er würde es wohl vermögen müssen, und es sah Gott gleich, daß er wenig Rücksicht nahm auf das, was der Mensch sich zutraute.

Hier weinte Joseph in seinem durchsichtigen Elend, das der Verstand überwachte. Er weinte über den armen Jaakob, der es würde vermögen müssen, und über das Todesvertrauen der Brüder. Er weinte vor Schwäche und Benommenheit von den Dünsten des Brunnens, aber je kläglicher sein Zustand sich im Laufe der zweiundsiebzig Stunden gestaltete, die er hier unten verbrachte, desto stärker traten die Unterstimmen seiner Gedanken hervor, und desto täuschender spiegelte seine Gegenwart sich im Vorbildlich-Himmlischen, so daß er am Ende Oben und Unten überhaupt nicht mehr unterschied und in träumerischer Todeshoffärtigkeit nur noch die Einheit des Doppelten sah. Mit Recht mag das als Maßnahme der Natur verstanden werden, ihm über das Unerträgliche hinwegzuhelfen. Denn die natürliche Hoffnung, an der das Leben festhält bis zum äußersten, braucht eine vernünftige Rechtfertigung, und diese fand sie in solcher Verwechslung. Zwar ging sie über sein Leben hinaus, diese Hoffnung, daß er nicht endgültig verderben, sondern irgendwie werde errettet werden aus der Grube, denn praktisch erachtete er sich für tot. Daß er es war, dafür stand ihm das Vertrauen der Brüder, das Kleid im Blute, das Jaakob empfangen würde. Die Grube war tief, und an eine Rettung zurück in das Leben, das vor dem Sturz in diese Tiefe lag, war nicht zu denken; sie war solch ein Ungedanke, wie daß der Abendstern zurückkehren möchte aus dem Abgrund, darein er gesunken, und der Schatten möchte gezogen werden vom Schwarzmond, daß er wieder voll wäre. Aber die Vorstellung des Sterntodes, der Verdunkelung und des Hinabsinkens des Sohnes, dem zur Wohnung die Unterwelt wird, schloß diejenige ein von Wiedererscheinen, Neulicht und Auferstehung; und darin rechtfertigte Josephs natürliche Lebenshoffnung sich zum Glauben. Sie galt nicht der Rückkehr aus der Grube ins Vorige, und dennoch war in ihr die Grube besiegt. Auch hegte Joseph sie nicht nur für sich und auf eigene Hand, sondern an Stelle des armen Alten zu Hause hegte er sie, mit dem zusammen er sich in die Grube gebracht und der auf den Rücken fallen würde. Es ging wohl über des Sohnes Leben hinaus, daß Jaakob das blutige Kleid empfing. Mochte aber der Vater nur glauben über den Tod hinaus nach alter Zumutung, dann würde dennoch, dachte Joseph im Grabe, das Blut des Tieres angenommen werden wie einst für das Blut des Sohnes.

Sechstes Hauptstück: Der Stein vor der Höhle

Die Ismaeliter

Es kamen Männer gezogen im Wiegetritt ihrer Tiere von Gilead herüber, nämlich von Osten und von jenseits des Stromes, – vier oder fünf, mit ein paar Kamelen noch außerdem, die nur Waren trugen, Zügelbuben und Packknechten dazu, die ihre Zahl aufs Doppelte brachten: reisende Kaufleute, beheimatet weder hier noch woher sie kamen, fremde Männer, sehr braun von Gesicht und Händen, Filzringe um ihre Kopftücher, gehüllt in querstreifige Wüstenmäntel, mit weißen, aufmerksam rollenden Augen. Einer war würdigen Alters, sein Bärtchen war weiß, und er ritt voran; ein wulstlippiger Knabe in weißem, zerknittertem Baumwollrock, den Kopf in eine Kapuze gehüllt, führte sein Tier an langem Zügel, indes der Herr mit ruhenden Händen, verhüllt, den Kopf bedächtig zur Seite geneigt, im hohen Sattel saß. Wie jeder sah, war er des Verbandes maßgebliches Haupt. Die anderen waren sein Neffe, sein Eidam und seine Söhne.

Was waren das nun für Männer? Man kann es genauer sagen und allgemeiner. Sie waren zu Hause im Mittag des Edom-Seïr-Landes, am Rande der Arabischen Wüste, vor Ägypten, und »Misraim«, wie man Ägypten nennt, war auch schon ihr Gebiet genannt, das ein Durch- und Übergang war ins Land des Schlammes. Außerdem oder eigentlich aber hieß es »Musri«, in anderer Mundart »Mosar« oder auch »Midian«, nach jenem Sohne Abrams und der Ketura, und war ein Siedelland der Leute von Ma'in im tieferen Süden, unfern des Weihrauchlandes, die den Austausch betrieben zwischen Arabien und dem Reiche der Tiere und Toten, auch dem Westlande der Kanaanäer und dem Zweiströmeland und zu Musri Stapelplätze besaßen, wo sie als Midian-Leute hin und her handelten zwischen den Völkern, auch die Führer machten der Königs- und Staatskarawanen von Land zu Land.

Also waren die Reisenden Ma'oniter von Ma'in oder Minäer, Midianiter genannt. Da aber Medan und Midian, Abrahams mindere Söhne und Wüstenkinder von der Ketura, fast einerlei waren und für den einen der andere stand, so mochte man statt Midianiter auch »Medanim« sagen, – sie nahmen's nicht übel. Ja, wenn man sie einfach und allgemein mit dem alles Wüsten- und Steppenhafte umfassenden Namen von Ismaelitern belegte, also nicht die Ketura, sondern die andere Wüstenfrau, Hagar, die Ägypterin, als ihre Stammutter annahm, ließen sie's auch geschehen: es war ihnen wenig wichtig, wie man sie nannte und wer sie waren; die Hauptsache blieb, daß sie auf der Welt waren und hin und her handeln konnten auf den Verkehrsstraßen. Sogar hatte es Hand und Fuß, wenn man den Alten und seine Reisegenossen Ismaeliten nannte; denn als Männer von Musri waren sie halbe Ägypter, und das war auch Ismael, der feurig Schöne, gewesen, so daß man mit einer gewissen Freiheit sagen mochte, sie stammten von ihm.

Wie sie daherkamen von Osten, waren sie keine Königs- und Staatskarawane, – weit entfernt. Sie reisten privat, auf eigene Hand und in kleinem Stil. Sie hatten den Leuten der Ebenen jenseits des Jordan anläßlich von Opferfesten, bei denen Markt abgehalten worden war, ägyptisches Leinen von verschiedener Güte und hübsche Gegenstände aus Glasfluß verhandelt und mit leidlichem Nutzen allerlei balsamische Schwitzereien, Tragant, Weihrauch, Gummi und Ladanumharz dafür in Tausch genommen. Wenn sie diesseits des Flusses noch von dem, was das Land hervorbrachte, einigen Honig und Senf, eine Kamelslast Pistazien und Mandeln, zu vernünftigen Preisen würden erstehen können, so sollte es ihnen recht sein. Was ihren Weg betraf, so waren sie seinetwegen noch unentschlossen. Sie schwankten, ob sie die Nord-Süd-Straße verfolgen sollten, die auf dem Gebirgskamme hinlief und sie über Urusalim und Hebron nach Gaza ans Meer leiten würde, oder ob sie besser täten, sich vorderhand nördlich und östlich zu halten und durch die Ebene Megiddo bald die Küste zu gewinnen, an der es hinabging in ihre Durchgangsheimat.

Vorderhand nun, es war über Mittag hinaus, zogen sie ein in dieses Tal, der Alte voran, die anderen hinterdrein in gestreckter Zeile, um zu sehen, ob die Leute von Dotan etwa ein Marktfest hielten und es etwas zu handeln gäbe, und ließen die Tiere hinschreiten auf einem Grunde, der linkerseits abhängig war und moosig, und da sie so aufmerksam rollende Augen hatten, gewahrten sie drunten verfallene Stufen und Mauerwerk im Gebüsch: Der Alte sah es zuerst, mit schrägem Kopfe, bedeutete die anderen, ließ halten und schickte den Jungen in der Kapuze hinab, den Ort zu erforschen; denn Reisende sind Forscher und neugierig ihrer Natur nach. Alles müssen sie ausschnüffeln.

Der Knabe blieb nicht lange aus, er sprang nur eben hinab und wieder hinauf und meldete mit seinen Wulstlippen, ein verdeckter Brunnen sei unten.

»Ist er verdeckt und versteckt«, sagte der Alte mit Weisheit, »so wird es lohnen, ihn aufzudecken. Eifersucht scheint hier obzuwalten von seiten der Landeskinder und einiger Geiz, so daß ich für möglich halte, der Brunnen habe ein Wasser von nicht alltäglicher Kühle und Schmackhaftigkeit, – davon können wir brauchen und unsere Behälter auffüllen; ich sehe niemanden, der uns dran hindern möchte, und wozu nennt man uns Ismaeliten, wenn wir nicht sollten bei stiller Gelegenheit uns etwas räuberisch erweisen und die Eifersucht hintergehen? Nehmt einen Balg und etliche Flaschen, und steigen wir hinab!«

So taten sie, denn nach des Alten Kopf ging es immer. Sie ließen die Tiere sich legen, lösten Gefäße und stiegen hinab in die Brunnenstube, Onkel, Neffe, Eidam und Söhne nebst ein paar Sklaven: Da sahen sie sich um und fanden, daß kein Schöpfeimer und kein Gehebe da waren; aber das machte nichts, sie würden den Schlauch hinablassen, daß er voll liefe vom kostbaren Eiferwasser. Der Alte saß nieder auf einem gefallenen Bruchstein an der Mauer, ordnete seine Kleider und gab Weisung mit seiner dunklen Hand, daß sie den Stein vom Brunnen abwälzten. Der Stein war zerrissen und entzwei.

»Dieser Brunnen«, sagte der Alte, »ist zwar verdeckt und versteckt, aber in reichlich schlumpigem Zustande. Die Landeskinder scheinen eifervoll und auch wieder achtlos. Indessen will ich noch nicht an der Güte des Wassers zweifeln; es wäre verfrüht. Recht so, die eine Hälfte ist abgetan. Beseitigt nun auch die andere mit euren jungen Armen und legt sie zu ihrer grünlichen Schwester auf die Fliesen nieder! Nun? Lacht euch das Rund des Wassers in Klarheit, und ist rein der Spiegel?«

Sie standen um den Brunnen herum auf der niedrig umlaufenden Stufe und neigten sich über die Tiefe.

»Der Brunnen ist dürr«, sagte der Eidam, ohne den Kopf nach dem Alten zu wenden, sondern indem er fortfuhr, hinabzublikken. Und da er es gesagt, spitzten alle die Ohren. Ein Wimmern drang aus der Tiefe.

»Es kann doch wohl nicht sein«, sprach der Alte, »daß es aus diesem Brunnen wimmert. Ich traue meinen Ohren nicht. Laßt uns durch vollkommene Bewegungslosigkeit tiefe Stille schaffen und lauschen, ob sich der Laut durch Wiederholung bestätigt!«

Es wimmerte wieder.

»Jetzt bin ich gezwungen, meinen Ohren zu trauen«, entschied der Alte, stand auf und trat auf die Rundstufe, indem er mit den Armen diejenigen beiseite schob, die ihm im Wege waren, um seinerseits in die Grube zu spähen.

Die anderen warteten aus Höflichkeit, daß er sich äußere, aber seine Augen waren schon trübe, und er sah nichts.

»Siehst du etwas, Mibsam, mein Eidam?« fragte er.

»Ich sehe«, durfte dieser nun antworten, »ein Weißliches auf dem Grunde, das regt sich und scheint ein gegliedert Wesen.«

Kedar und Kedma, die Söhne, bestätigten diese Wahrnehmung.

»Erstaunlich!« sagte der Alte. »Ich verlasse mich auf euren Scharfblick und will's anrufen, ob es uns antworte. – Heda!« rief er mit angestrengter Greisenstimme in den Brunnen hinab. »Wer oder was wimmert im Brunnen? Ist dir dein Ort natürlich, oder zögest du's vor, ihn zu meiden?«

Sie lauschten. Es verstrich eine Weile. Dann hörten sie's matt und ferne:

»Mutter! Erlöse den Sohn!«

Alle gerieten in größte Bewegung.

»Auf! Ohne Zögern!« rief der Alte. »Ein Seil herbei, daß wir's hinabwerfen und das Wesen zutage ziehen, denn offenbar ist sein Aufenthalt ihm nicht angeboren. – Hier ist keine Mutter«, rief er wieder nach unten, »aber fromme Leute sind über dir, die wollen dich wohl erlösen, wenn es dein Wunsch ist! – Da sehe man«, wandte er sich zur Abwechselung an die Seinen, »was einem auf Reisen nicht alles vorkommt und aufstößt. Dies hier gehört zum Seltsamsten, was mir zwischen den Strömen begegnet. Gebt zu, daß wir gut taten, diesen verdeckten und versteckten Brunnen auszukundschaften. Wißt ihr auch noch, daß ich es war, der den Anstoß dazu gab? Furchtsame könnten hier wohl zögern oder die Flucht ergreifen, und ich lese deutlich in euren Mienen, die mehr als verdutzt sind, daß ihr nicht frei seid von solchen Anwandlungen. Auch ich will nicht leugnen, daß es unheimlich ist, aus der Tiefe angeredet zu werden, und der Gedanke, daß die Person des verwahrlosten Brunnens zu uns gesprochen oder sonst irgendein Geist des Abgrunds, liegt nur allzu nahe. Doch muß man die Sache von ihrer praktischen Seite nehmen und ihr gerecht werden, insofern sie unsere Tatkraft herausfordert, denn das Wimmern klang mir nach äußerster Hilfsbedürftigkeit. – Wo bleibt das Seil? – Getraust du dich, Wesen, wohl«, fragte er in die Grube, »ein Seil zu ergreifen und dich damit zu umwinden, daß wir dich zu uns ziehen?«

Wieder verging eine Weile, bis Antwort kam. Dann klang es leise:

»Ich liege in Banden.«

Der Alte mußt' es sich wiederholen lassen, obgleich er die Hände an die Ohren gelegt hatte.

»Da hört ihr's!« sagte er dann. »In Banden! So sehr das unser Eingreifen erschwert, so sehr erhöht es seine Notwendigkeit. Wir werden einen von euch hinablassen müssen ins Untere, daß er da nach dem Rechten sehe und das Wesen erlöse. Wo bleibt das Seil? Da ist es. Mibsam, mein Eidam, ich bestimme dich dazu, hinabzuschweben. Ich werde aufs genaueste deine Befestigung überwachen, daß du wie ein Glied sein sollst, das wir ausstrekken in die Tiefe und wieder einziehen mit dem Fange. Sobald du dich des Fanges sicher bemächtigt, mußt du ›Hol auf!‹ rufen, und mit vereinten Kräften ziehen wir dich Glied mit dem Fang wieder an uns.«

Mibsam erklärte sich wohl oder übel bereit. Er war ein junger Mann mit kurzem Gesicht, ziemlich langer, aber eingedrückter Nase und vorquellenden Augen, deren Weißes sich stark in der Dunkelheit seiner Miene abzeichnete. Er nahm das Kopftuch von seinem krausen Haar, legte auch den Staubmantel ab und hob die Arme, sich einspannen zu lassen ins Seil, dessen verläßliche Qualität er kannte: Es war kein Hanfseil, sondern ein ägyptischer Papyrusstrick, wunderbar geweicht, geklopft und geschmeidig, unzerreißbare Ware; die Männer führten mehrere Rollen davon und handelten damit.

Bald war der Eidam umstrickt und eingehängt, zum Schweben bereit. Alle beteiligten sich an der Umstrickung, auch Epher, des Alten Neffe, die Söhne sowie die Sklaven. Dann setzte Mibsam sich auf den Brunnenrand, löste sich ab und tauchte ins Dürre, indes die Haltenden das Bein vorstemmten und in kleinen Rucken das Seil ließen durch die Hände gehen. Nicht lange, so entspannte es sich, denn Mibsam war auf dem Grunde. Sie konnten die Beine einziehen und hingehen, ihm nachzulugen. Gedämpft hörten sie ihn reden zum Wesen und sich schnaufend mit ihm zu schaffen machen. »Hol auf!« rief er dann nach Vorschrift. Sie taten das Ihre und förderten unter eintönigen Rufen die doppelte Last, indes der Alte mit sorgenden Händen die Handlung leitete. Der Eidam schwankte hervor über Bord, im Arm den Bewohner des Brunnens.

Wie verwunderten sich die Kaufleute, als sie den gefesselten Knaben erblickten! Sie erhoben Augen und Hände gen Himmel, wiegten die Köpfe und schnalzten. Dann wieder stützten sie die Hände auf die Knie, den Fang zu besichtigen; denn man hatte ihn auf die Rundstufe niedergelassen und an den Brunnen gelehnt: Da saß er nun mit hängendem Kopfe in seinen Banden und verbreitete einen Moderduft. Ein Amulett trug er an bronzierter

Schnur um den Hals und einen Huldstein am Finger, das war seine ganze Tracht. Seine Wunden waren verschorft und leidlich verheilt dort unten und die Verbeulung seines Auges so weit zurückgegangen, daß er es öffnen konnte. Er tat es zuweilen. Vorwiegend hielt er die Augen geschlossen, dann und wann jedoch hob er matt die Wimpern und blickte schräge von unten recht wehevoll, aber mit Neugier auf seine Befreier. Er lächelte sogar über ihr Erstaunen.

»Barmherzige Mutter der Götter!« sprach der Alte. »Was haben wir da aus der Tiefe gefischt! Ist er nicht wie der Geist des verwahrlosten Brunnens, elend und halb verschmachtet, da ihm das Wasser ausgegangen und er aufs Trockene geraten? Laßt uns aber der praktischen Seite der Sache gerecht werden und das Notwendige tun für dies Wesen. Denn unterm irdischen Blickpunkt scheint er mir ein Knabe feinerer Art, wenn nicht der feinsten, und ins Unglück geraten, ich weiß nicht wie. Seht mir diese Wimpern an und den lieblichen Wuchs der Glieder, mögen sie auch besudelt und stinkend sein von der Tiefe! Kedar und Kedma, es ist unzart, daß ihr euch die Nasen zuhaltet, denn er öffnet zuweilen die Lider und sieht es. Löst ihm vor allem die Fessel, schneidet sie durch, so ist's recht, und holt Milch, ihn zu laben! Gehorcht dir wohl deine Zunge, mein Sohn, um uns zu verständigen, wer du bist?«

Joseph hätte allenfalls reden können, so hinfällig er war. Aber er wollte nicht und dachte nicht daran, diesen Ismaelitern das Familienzerwürfnis aufzudecken, dieweil sie das gar nichts anging. Darum sah er den Alten nur ersterbend an und lächelte hilflos, indem er mit der befreiten Hand vor seinen Lippen eine Gebärde des Versagens beschrieb. Er bekam Milch und trank sie aus einem Hafen, den ein Sklave ihm hielt, denn seine Arme waren lahm von der Fesselung. Er trank so gierig, daß ihm ein gut Teil der Milch, kaum daß er abgesetzt, ganz sanft wieder hervorlief, wie einem Säugling. Als ihn der Alte, anschließend an diese Erscheinung, fragte, wie lange er den Brunnen bewohnt habe, streckte er drei Finger aus, zum Zeichen, daß es drei Tage gewesen, was die Minäer nicht wenig bedeutsam und geistreich anmutete, im Hinblick auf die drei Unterweltstage des Neumondes. Auch da sie wissen wollten, wie er hineingeraten, mit anderen Worten: wer ihn hineingeworfen, beschränkte er sich zur Antwort auf eine Gebärde und wies mit der Stirne nach oben, so daß zweideutig blieb, ob Menschen ihm so getan hätten oder himmlische Mächte im Spiel gewesen seien. Als sie ihn aber abermals fragten, wer er sei, flüsterte er: »Euer Knecht!« – und fiel dann um, wodurch sie nicht klüger wurden.

»Unser Knecht«, wiederholte der Alte. »Allerdings, insofern er unser Findling ist und ohne uns den Odem nicht hätte für seine Nase. Ich weiß nicht, was ihr denkt, aber soviel ich sehe, liegt hier ein Geheimnis vor, wie deren manche umgehen in der Welt, so daß man auf Reisen zuweilen mit Staunen auf ihre Spuren stößt. Was uns zu tun bleibt, ist gar nichts anderes, als daß wir dies Wesen mit uns führen, denn hier können wir es nicht lassen, noch auch hier Hütten bauen, bis daß er zu Kräften gekommen. Ich bemerke«, setzte er hinzu, »daß dieser Brunnenknabe mir auf eine oder die andere Weise das Herz rührt und es in eine Art von Annehmlichkeit taucht, ich weiß nicht wie. Denn es ist nicht Mitleid allein, noch auch das Geheimnis, das mit ihm ist. Sondern um jeden Menschen ist eine Umringung außen um ihn, die nicht sein Stoff ist, aber seines Stoffes dennoch, hell oder dunkel. Alte, erfahrene Augen nehmen sie besser wahr als jugendblöde, welche zwar sehen, aber nicht schauen. Da ich nun diesen Findling unverwandt betrachte, scheint mir auffallend licht seine Umringung, und mir ist ganz, als sei er ein Fund, den man nicht wieder wegwirft.«

»Ich kann Steine lesen und Keile schreiben«, sagte Joseph, indem er sich etwas aufrichtete. Danach fiel er wieder beiseite.

»Hört ihr's?« fragte der Alte, nachdem er es sich hatte wiederholen lassen. »Er ist schriftkundig und wohlerzogen. Das ist ein schätzbarer Fund, ich sagte es ja, und nicht zum Liegenlassen geschaffen. Wir nehmen ihn mit, denn dank meiner Eingebung, die mich hieß, diesen Brunnen zu untersuchen, sind wir die Finder. Den möchte ich sehen, der uns Räuber nennen wollte, weil wir Finderrecht üben und nicht viel nach denen fragen, die wegwarfen oder achtlos verloren, was wir fanden. Melden diese sich aber, so haben wir Anrecht auf Lohn und ansehnliche Lösung, und es schaut jedenfalls etwas heraus bei der Sache. Auf, tut ihm diesen Mantel über, denn er kam nackt und besudelt aus der Tiefe wie aus Mutterleib und ist gleichsam zweimal geboren.«

Es war Mibsams, des Eidams, abgeworfener Mantel, auf den der Alte wies, und sein Besitzer murrte dagegen, daß der Brunnenknabe ihn haben und ganz verunreinigen sollte. Aber das half ihm nichts, es ging nach des Alten Kopf, und das Mantelkind trugen die Sklaven hinauf zu den wartenden Tieren: Da wurde es aufgesetzt; Kedma, der eine der Söhne, mit schwarzem Ring um das weiße Kopftuch, ein Jüngling von ruhig-regelmäßigen Zügen und würdiger Kopfhaltung, so daß er auf die Dinge unter halb gesenkten Lidern von oben blickte, – dieser nahm ihn vor sich aufs Kamel auf des Alten Geheiß, und so schritten weiter die Kaufleute, die Richtung auf Dotan verfolgend, wo vielleicht Markt wäre.

Von Rubens Anschlägen

In diesen Tagen war den Jaakobssöhnen nicht wohl zumute gewesen, sehr unwohl sogar und keineswegs wohler als vordem, da ihnen der Dorn im Fleisch gesessen und sie vor Gram im Ginster gestolpert waren um ungelöschter Schande willen. Nun war der Dorn herausgezogen, doch um die Wunde, darein er gesessen, stand es übel: sie schwärte fort, als sei der Stachel giftig gewesen, und daß seit der Herzwäsche der Schlaf ihnen besser gemundet hätte als vorher, das wäre gelogen gewesen von ihrer Seite, wenn sie's behauptet hätten; doch schwiegen sie darüber.

Schweigsam waren sie überhaupt seit neulich, und wenn sie das Notwendigste austauschten, taten sie's maulfaul und zwischen den Zähnen. Ihre Blicke mieden sich unter einander, und wenn dieser reden mußte zu jenem, sahen sie dahin und dorthin, nur nicht ins Gesicht der eine dem andern, so daß nachher keiner wußte, ob das sachlich Besprochene eigentlich gültig sei zwischen ihnen, da ja Dinge, über die man sich nur mit dem Munde und nicht auch mit den Augen verständigt hat, kaum für ausgemacht gelten können. Aber ob sicher ausgemacht oder nicht, es schien ihnen unerheblich; denn oft ließen sie Worte fallen wie etwa: »Alles gut –« und »So weit wär's richtig« oder auch »Das ist das Wenigste!« –, trübe Anspielungen auf das Eigentliche, das hinter allem vordergründlich Beredeten stand und es, solange es nicht bereinigt war, in widerlichem Grade entwertete.

Es mußte sich aber selber ins reine bringen, was ein ebenfalls widerlicher, zäher und kläglich gedehnter Vorgang war, ein Verschmachten und Absterben irgendwo in der Tiefe, von dem nicht zu sagen war, wann es beendet sein würde, und das man einerseits innerlich anzutreiben geneigt war, während man andererseits auch wieder seine Verzögerung wünschte, damit immerhin die Möglichkeit einer weniger häßlichen Bereinigung für ein Weilchen noch offen bliebe, mochte sie freilich auch unvorstellbar sein. Wiederholt sei hier davon abgemahnt, die Jaakobssöhne für besonders verhärtete Burschen zu halten und ihnen jedwede Teilnahme zu entziehen: selbst die parteilichste Schwäche für Joseph (eine Schwäche der Jahrtausende, von der diese sachliche Darstellung sich freizuhalten sucht) sollte sich vor so einseitiger Stellungnahme hüten, denn er dachte anders. Sie waren in all dies nur so hineingeraten und wären lieber nicht drin gewesen, das darf man glauben. Zwar wünschten sie mehr als einmal in diesen peinlichen Tagen, die Sache möchte doch lieber auf Anhieb zu Ende geführt und gründlich bereinigt worden sein, und zürnten dem Ruben, der es vereitelt hatte. Aber das düstre Bedauern kam nur aus der Zwicklage, in der sie staken, einer dieser Gefangenschaften und ausweglosen Verlegenheiten, wie sie das Leben erzeugt und das Brettspiel in reinem Abbilde vor Augen führt.

Der große Ruben stand keineswegs allein mit dem Wunsch, das Rahelskind aus der Grube zu retten; vielmehr war keiner unter den Brüdern, der nicht alle paar Stunden von diesem Wunsche bis zu jäher Zappligkeit wäre ergriffen worden. Aber war es denn möglich? Das war es leider nicht, – und der hastige Entschluß starb hin unter dem unerbittlichen Einspruch der Vernunft. Was denn mit dem Träumer beginnen, wenn man ihn dicht vorm Verschmachten würde herausgezogen haben? Da war eine Mauer und kein Ausweg; er mußte drin bleiben. Sie hatten ihn nicht nur hineingeworfen, sondern ihn auch auf alle Weise ans Grab gebunden und sein Erstehen schlüssig verhütet. Er war logisch tot, und es galt untätig abzuwarten, daß er es wirklich sein werde, – eine entnervende Aufgabe und noch dazu von unscharfer Begrenzung. Denn für die bedauernswerten Männer handelte es sich ja nicht um »drei Tage«. Sie wußten nichts von drei Tagen. Dagegen wußten sie von Leuten, die sich in der Wüste verirrt und sieben, ja zweimal sieben Tage ohne Nahrung und Wasser verbracht hatten, bis man sie fand. Das war gut zu wissen, denn es bot Spielraum der Hoffnung. Das war widrig zu wissen, denn die Hoffnung war unsinnig und sprach wider sich selbst. Selten gab es eine solche Zwicklage, und wer hier nur der Leiden Josephs gedächte, der übte Begünstigung.

An diesem Nachmittag nun saßen die Gequälten am Ort der Verprügelung unter den roten Bäumen, dort, wo sie kürzlich von Lamech, dem Helden der Vorzeit, geredet und sich vor ihm geschämt hatten, was sie lieber nicht hätten tun sollen. Sie saßen zu achten, denn zweie fehlten: Naphtali, der Geläufige, der sich irgendwo in der Gegend umhertrieb, um vielleicht eine Neuigkeit in Erfahrung zu bringen und dann das Wissen davon ausgreifend von Ort zu Ort zu verpflanzen, – und Ruben, der schon von früh an abgängig war. In Geschäften, wie er zwischen den Zähnen erklärt hatte, war er hinauf nach Dotan gegangen, um Produkte der Wirtschaft gegen Brotfrucht und auch gegen einigen Würzwein einzutauschen, nach seinen Worten; und besonders in Hinsicht auf diesen hatten die Brüder Rubens Geschäftsgang gebilligt. Gegen ihre Gewohnheit sprachen sie in diesen Tagen alle begierig dem Myrrhenwein zu, den man zu Dotan herstellte und der stark und betäubend war und die Gedanken verwischte.

Unter uns gesagt, hatte Ruben sich zu ganz andrem Betreiben von ihnen getrennt und mit dem Würzwein nur deshalb gewinkt, um ihnen seinen Weggang recht schmackhaft zu machen. In dieser Nacht, da der große Ruben sich schlaflos wälzte, war sein Entschluß, sie alle zu hintergehen und Joseph zu retten, in ihm zur Reife gediehen. Drei Tage hatte er's ausgehalten, daß er, der in lichten Spuren ging, daß Jaakobs Lamm im Brunnen verdarb, – nun war es genug, und Gott mochte geben, daß es noch nicht zu spät war! Er würde sich hinstehlen und auf eigene Hand den Versenkten befreien; er würde ihn nehmen und zum Vater zurückführen und zu ihm sprechen: »Ein dahinschießend Wasser bin ich, und die Sünde ist mir nicht fern. Aber siehe, da bin ich zum Guten geschossen und bringe dir wieder dein Lamm, das sie zerreißen wollten. Ist die Sünde getilgt, und bin ich dein Erstgeborener wieder?«

Da wälzte sich Ruben nicht länger, sondern lag ohne Regung mit offenen Augen den Rest der Nacht und bedachte haarklein Rettung und Flucht. Es war nicht einfach: Der Knabe war gefesselt und schwach, er konnte den Strick nicht ergreifen, den Ruben ihm würfe; ein Strick tat es nicht, es mußte ein starker Haken daran sein, der in die Verschnürung griff, daß man heraufangelte die Beute; ein ganzes Geflecht von Stricken besser vielleicht, ein Netz, worin man sie fischte und finge; ein Schaukelbrett zwischen Stricken auch wohl, darauf sich der Unbehilfliche setzen mochte und mochte hervorgezogen werden über den Rand. So haarscharf bedachte Ruben den Apparat und die notwendige Vorkehrung, bedachte die Kleider, die er dem Nackten bereithalten wollte aus eigenem Vorrat, und wählte im Geiste den starken Esel, den er zum Scheine gen Dotan treiben würde mit Wolle und Käsen, auf den er aber den Knaben setzen wollte vor sich hin und im Schutz der Dunkelheit mit ihm fliehen fünf Tage weit, nach Hebron, zum Vater. Des großen Ruben Herz war voll heftiger Freude über seinen Entschluß, die nur durch die Sorge gedämpft wurde, Joseph möchte den Tag nicht mehr überstehen bis Dunkelwerden, und bei der Verabschiedung von den Brüdern heute morgen hatte er Mühe gehabt, die einsilbige Sprechart mürrischer Verbissenheit festzuhalten, die ihnen jetzt zur Gewohnheit geworden war.

Zu achten also saßen sie unter den ausladenden Kieferbäumen und blickten mit trübem Blinzeln in jene Ferne, aus der das Gleißen gekommen war, das tanzende Irrlicht, das sie verwirrt und in diese verfluchte Zwicklage gelockt hatte. Da sahen sie ihren Bruder Naphtali, von Bilha, mit langen Sprungschritten seiner sehnigen Beine von rechts durchs Gebüsch kommen und sahen von weitem schon, daß er ein Wissen trug, es ihnen zu bringen. Doch waren sie wenig begierig danach.

»Ihr Brüder, ihr Kinder, ihr Freunde«, packte er aus. »Nehmt dies zur Nachricht: Ein Zug von Ismaelitern kommt geschritten von Gilead, die Nasen hierher gerichtet, und müssen bald da sein und vorüberziehen drei Steinwürfe von wo ihr sitzet! Es scheinen friedliche Heiden, mit Warengepäck, und wäre denklich ein Handel mit ihnen zu tätigen, wenn man sie anriefe!«

Sie wandten müde die Köpfe wieder hinweg, nachdem sie gehört.

»Schon recht soweit«, sagte der eine. »Gut, Naphtali, danke der Nachricht.«

»Das wenigste ist das!« setzte ein anderer aufseufzend hinzu. Dann schwiegen sie in verquältem Mißmut und hatten nicht Lust zu Geschäften.

Nach einer Weile jedoch wurden sie unruhig, rückten hin und her und ließen die Augen wandern. Und als Jehuda – denn dieser war es – die Stimme erhob und sie anrief, zuckten sie zusammen und wandten sich alle ihm zu: »Sprich, Juda, wir hören.« Und Juda sprach:

»Jaakobssöhne, ich habe euch etwas zu fragen und frage dies: Was hilft's uns, daß wir unsern Bruder erwürgen und sein Blut verbergen? Ich antworte für euch alle: Das hilft uns gar nichts. Denn es ist läppisch bis gar zum Ekel, daß wir ihn in die Grube warfen und redeten uns ein, damit sei seines Blutes geschont, daß wir essen mochten beim Brunnen, denn es zu vergießen, waren wir allzu schüchtern. Tadle ich aber unsere Schüchternheit? Nein, sondern ich tadle, daß wir uns drüber belügen und gründen Unterscheidungen in der Welt wie ›tun‹ und ›geschehen‹, daß wir uns dahinter verstecken und stehen dennoch nackt und bloß, denn sie sind windig. Wir wollten's dem Lamech gleichtun im Liede und den Jüngling erschlagen für unsere Beule; doch siehe da, wie es geht, wenn man's machen will wie im Liede der Urzeit, nach Heldenvorbild: wir mußten etwas nachgeben den Läuften, die nicht mehr die alten sind, und statt den Jüngling zu töten, lassen wir ihn nur sterben. Pfui über uns, denn ein hundsföttisch Zwitterding ist das von Lied und Läuften! Darum sage ich euch: Da wir's dem Lamech nicht gleichzutun wußten und mußten den Läuften was drangeben, so wollen wir gleich ganz ehrlich sein und den Läuften gemäß und wollen den Knaben verkaufen!«

Da fiel ihnen allen ein Stein vom Herzen, denn Juda hatte nach ihrer aller Gedanken gesprochen und ihnen die Augen vollends aufgetan, die schon ins Licht geblinzelt hatten bei stiller Erwägung von Naphtali's Nachricht. Da war er endlich, der Ausweg aus dieser Zwicklage, – einfach und klar. Naphtali's Ismaeliter wiesen ihn: es war ihr Weg, von weiß Gott woher, hier vorbei ins Ungemessene und in Nebelfremde, von wo es so wenig ein Wiederkehren gab wie aus der Grube! Sie hatten den Knaben nicht hervorziehen können, so gern sie gewollt hätten – und konnten's nun plötzlich dennoch; denn den Wandernden sollte er eingehändigt sein, die daherkamen, und mit ihnen ziehen aus allem Gesichtskreis, wie der Fallstern im Nichts erlischt mitsamt seiner Spur! Selbst Schimeon und Levi fanden's vergleichsweise gut, da es mit dem Heldentum alter Art nun doch einmal schief gegangen.

Darum brachen sie alle auf einmal und durcheinander in gedämpfte und hastige Zustimmung aus und redeten: »Ja, ja, ja, ja, du sagst es, Juda, du sagst es vorzüglich! Den Ismaelitern – verkaufen, verkaufen, so ist es praktisch, so ist uns geholfen, so sind wir ihn los! Bringt Joseph her, auf, zieht ihn ans Licht, sie kommen, und noch ist denklich Leben in ihm, es hält wohl einer zwölf Tage aus oder vierzehn, das lehrt die Erfahrung. Zum Brunnen einige gleich, indessen die andern...«

Aber siehe, da waren die Ismaeliter schon. Es tauchte der Vorderste auf, drei Steinwürfe weit, ein Alter, die Hände im Mantel, auf hohem Tier, das ein Knabe führte, und hinter ihm einzeilig die andern: Reiter, Packtiere und Treiber, – kein sonderlich stattlicher Zug; sehr reich, wie es schien, war das Handelsvolk nicht, sogar saßen zweie auf einem Kamel; und wollten so ruhesam-unverwandt querhin durchs Bild ziehen, die Augen auf Dotans Hügel gerichtet.

Zu spät, den Joseph zu holen, zu spät für den Augenblick. Aber Jehuda war fest entschlossen, und mit ihm waren's die andern, die Gelegenheit nicht vorüberziehen zu lassen, sondern sie am Schopfe zu ergreifen und diesen Ismaelitern den Knaben anzuhängen, daß sie ihn aus allem Gesichtskreis führten und die Brüder erlösten, denn so, wie es war, hielten sie's einfach nicht länger aus. Der Fahrenden Ahnherr – war er nicht von Abraham in die Wüste geschickt worden mit Hagar, weil er unterweltlicherweise gescherzt hatte mit Isaak, dem Sohne der Rechten? Mit Ismaels Söhnen sollte Joseph abgeschoben sein in die Wüste – nicht wurzellos war der Vorgang, es gab ihn, er kehrte wieder. Neu, wenn man will, und eigenursprüngliche Zutat war der Verkaufsgedanke. Doch haben ihn die Jahrtausende mit allzu hohem Posten aufs Schuldkonto der Brüder verbucht. Menschenverkauf! Bruderverkauf! Man übernehme sich doch nicht im empfindsamen Abscheu, sondern werde dem Leben gerecht und dem starken Einschlage nüchterner Gebräuchlichkeit, welcher dem Einfall fast alle schlimme Ursprünglichkeit nahm. Der Mann, der in Not war, verkaufte seine Söhne, – und den Namen der Not wird man der Zwicklage, in der die Brüder staken, ja allenfalls zugestehen. Der Vater verkaufte seine Töchter zur Ehe – und die Achte hier hätten überhaupt keinen Atem gehabt und wären nicht dagesessen, wenn nicht Jaakob ihre Mutter gekauft hätte von Laban um vierzehnjährige Fron.

Ein bißchen ungeschickt war es ja, daß das Verkäufliche nicht zur Stelle war, sondern sozusagen in einer Grube des Feldes verwahrt. Aber im rechten Augenblick würde es immer noch beizustellen sein, und vor allem galt es einmal mit den Fremden Bekanntschaft zu machen und sie auf ihre Kauflust zu prüfen.

Darum legten die Achte die Hände an ihre Münder und riefen ins Gelände:

»Heho, ihr Männer! Woher? Wohin? Verzieht doch etwas! Hier ist Schatten von Bäumen, und Leute sind hier, mit denen sich reden läßt!«

Der Schall drang hinüber und fand Gehör bei den Ziehenden. Denn sie wandten ihre Augen ab vom Hügel Dotan und ihre Köpfe den Rufenden zu; der Führer nickte, deutete und lenkte ein zum Besuche der Landeskinder, die sich erhoben hatten und die Reisenden grüßten, die Finger unter die Augen legten zum Zeichen, sie sähen die Gäste gern, die Stirn und die Brust berührten, um anzudeuten, daß hier wie dort alles in schönster Bereitschaft sei zu ihrem Empfange. Die Knechte liefen fuchtelnd zwischen den Reittieren hin und her und stießen glucksende Laute aus, daß sie knieten und lägen. Man stieg ab, übte Förmlichkeiten und setzte sich gegeneinander: die Brüder an ihrem Ort und vor ihnen die Fremden; der Alte hielt ihre Mitte, und rechts und links von ihm reihten die Seinen, Eidam, Neffe und Söhne, sich an. Der Troß hielt sich weiter zurück. Zwischen ihm aber und den Herren, im Rücken der Fremden, gleich hinter dem Alten und einem der Söhne im Zwischenraum, saß noch einer in einem Mantel; den hatte er über den Kopf gezogen und vors Gesicht, so daß nur von der Stirne ein Faltenloch klaffte in der Vermummung.

Warum mochten die Brüder gezwungen sein, diesen Verhüllten der zweiten Linie immerfort anzusehen beim vorläufigen Austausch mit den Besuchern? Die Frage erübrigt sich wohl. Die stumme Sonderung der Figur zog unwillkürlich die Augen auf sich; keinem wäre es anders gegangen als den Brüdern, – und was wickelt auch einer sich bei heitersten Lüften den Schädel ein, als nahte ein Staub-Abubu? Die Brüder waren nicht ruhig beim Austausch, gewissermaßen zerstreut. Nicht wegen jener Sonderfigur – die mochte wissen und es beliebig für sich behalten, warum sie das Licht scheute. Aber es galt, das Verkäufliche beizustellen, und wäre ganz gut gewesen, wenn etliche von ihnen, zwei oder drei, nun von hier aufgestanden wären, um es aus dem Behälter zu holen und es abseits etwas aufzufrischen zum Angebot, wie es denn auch beim Einlenken der Ismaeliter mit leisen und raschen Worten vereinbart worden war. Warum gingen sie nicht? Wahrscheinlich weil nicht bestimmt worden war, wer gehen sollte. Sie hätten sich aber selber bestimmen können. Vielleicht auch aus Scheu vor dem Scheine der Unhöflichkeit. Es wäre jedoch eine Entschuldigung zu finden gewesen. Dan, Sebulun, Issakhar beispielsweise, – was klebten und hafteten sie am Fleck und lugten zerstreut nach der Figur im Lückenraum hinter dem Kaufmann und seinem Sohn?

In Wendungen wegwerfenden Stolzes, bei welchen Selbstverkleinerung und Prahlerei einander versöhnlich aufhoben, erläuterte man beiderseits seine Daseinsform. Sie seien überaus schlichte Hirtenleute, erklärten Jehuda und die Seinen, Geschmeiß recht eigentlich, im Vergleich mit den vor ihnen sitzenden Herren, und Söhne eines schwer reichen Mannes im Süden, eines wahren Herdenkönigs und Gottesfürsten, von dessen unzählbarem Besitz sie einen kleinen, aber auch schon kaum zu übersehenden Teil in diesem Tale weideten, weil das Land dort unten sie natürlich nicht trüge. Mit wem so geringfügige Personen es unverdienterweise nun also zu tun hätten.

Wenn man das Auge, sagte der Alte, von solchem Glanze hinwegwende auf ihn und seinen Anhang, so sehe man überhaupt nichts, denn erstens sei man geblendet, und zweitens sei auch kaum etwas da. Sie seien Söhne des mächtigen Reiches Ma'on im Erdteile Arabaja, wohnhaft im Lande Mosar oder Midian, – Midianiter also, wofür man in Gottes Namen auch Medanim sagen oder sie ganz einfach Ismaeliter nennen möge, – was läge daran, wie man das Nichts betitele! Sie rüsteten Karawanen aus, die mehr als einmal das Ende der Welt gestreift hätten, und handelten zwischen den Reichen hin und her mit Schätzen, auf die schon manch König die Augen geworfen, dem Golde Ophirs, den Balsamen Punts. Den Königen machten sie Königspreise, unter Freunden aber seien sie billig. Jetzt führten ihre Kamele milchweißen Blatt-Tragant von einer Schönheit des Bruchs, wie dergleichen dies Tal wohl noch nicht gesehen, und Weihrauch, welcher die Nasen der Götter unwiderstehlich anlocke, es wolle keiner ein anderes Räucherwerk mehr, wenn er dieses gerochen. – So viel von der Gäste Nichtigkeit.

Die Brüder küßten die Fingerspitzen und deuteten eine Verbindung des Erdbodens mit ihren Stirnen an.

Das Land Mosar, wollte Jehuda dann wissen, oder gar Ma'in-Land, das sei wohl weit in der Welt, eine rechte Nebelfremde?

»Sehr weit im Raum und damit auch in der Zeit, allerdings«, bestätigte der Alte.

»Siebzehn Tage weit?« fragte Juda.

»Sieben mal siebzehn!« erwiderte der Alte, und auch damit sei die Entlegenheit nur ganz annäherungsweise wiedergegeben. Man müsse sich im Schreiten wie in der Ruhe – denn auch die Ruhe gehöre zur Reise – ohne jede Ungeduld der Zeit überlassen, daß diese den Raum überwinde. Irgendwann einmal, und schließlich ehe man's gedacht, bringe sie es fertig.

Da könne man wohl sagen, meinte Juda, daß diese Gegenden und Ziele außer allem Gesichtskreis lägen, Gott weiß wo, im Ungemessenen?

So könne man sich ausdrücken, pflichtete der Alte bei, wenn man ebendie Strecke noch nicht durchmessen habe und nicht gewohnt sei, sich mit der Zeit gegen den Raum zu verbünden, sondern sie in Hinsicht auf diesen unbenutzt lasse. Sei man in jener Ferne zu Hause, so denke man nüchterner über sie.

Er und die Seinen, sagte Jehuda, seien Hirten und keine Kauffahrer; aber nicht solche allein, das bitte er bemerken zu dürfen, verständen sich auf das geduldige Bündnis der Zeit gegen den Raum. Wie häufig sei nicht der Hirte genötigt, Weide und Brunnen zu wechseln und es in der Wanderschaft gleichzutun dem Herrn des Weges, zum Unterschied von den Bauern des Feldes, den sässigen Söhnen Baals. Ihr Vater, der Herdenkönig, wie schon berichtet, wohne fünf Tage von hier gen Mittag, und diesen Raum, so wenig er freilich wohl aufkommen könne gegen eine Strecke von sieben mal siebzehn Tagen, hätten sie oft durchmessen, hin und her, so daß sie jeden Grenzstein, Brunnen und Baum, der darin vorkomme, am Schnürchen hätten und sich unterwegs über gar nichts mehr wunderten. Raumüberwindung und Wanderschaft? Sie wollten sich nicht messen darin mit Kauffahrern aus Nebelfremde, aber als Knaben schon seien sie vom Lande der Ströme, fern im Morgen, wo einst ihr Vater den Grundstock seines Reichtums erworben, herübergezogen in dieses Land und hätten im Tale Schekem gewohnt, woselbst ihr Vater einen Brunnen gemauert habe, vierzehn Ellen tief und sehr breit, weil die Kinder der Stadt voll Eifers gewesen seien auf die verfügbaren Wasserstellen.

»Getadelt sollen sie sein bis ins vierte Glied!« sagte der Alte. Ein Glück noch, daß die Kinder des Tals sich nicht auch an des Vaters Brunnen vergriffen und ihn nicht verschüttet hätten in ihrem Eifer, so daß er dürr worden wäre, fügte er hinzu.

Das hätten sie, die Brüder, ihnen wohl zu versalzen gewußt, erwiderten die Neune. Hoho, sie hätten ihnen in der Folge manches versalzen!

Ob sie so grausame Helden seien, fragte der Alte, handfest und unerbittlich in ihren Entschlüssen?

Hirten seien sie, war ihre Antwort, und also wehrhaft, gewohnt, den Löwen und Räuber anzunehmen im Kampf, wenn es not tue, und ihren Mann zu stehen im Streite um Weide und Brunnen. Was aber den Raum betreffe, fuhr Juda fort, nachdem der Alte ihrer Mannhaftigkeit Reverenz erwiesen, und angehe den Reisemut, so sei schon ihr Ahn ein Wanderer von Geblüt gewesen, aus Ur entsprungen, im Lande Chaldäa, und eingezogen in diese Täler, die er die Kreuz und Quere durchmessen, zur Seßhaftigkeit wenig aufgelegt, so daß wohl sieben mal siebenzig Tage herauskämen, zählte man all sein Wandern zusammen. Zur Freite aber für den wunderbar späten Sohn habe er seinen ältesten Knecht auf Reisen geschickt mit zehn Kamelen, gen Naharajim, das da sei Sinear; der sei ein so flinker Weltfahrer gewesen, daß ihm, mit geringer Übertreibung gesagt, die Erde entgegengesprungen sei. Und an einem Brunnen des Feldes habe er die Braut gefunden und sie daran erkannt, daß sie ihn aus dem Kruge geletzt habe auf ihrer Hand und habe auch seine zehn Kamele getränkt. So viel sei gereist und Raumbezwingung geübt worden in ihrem Geschlecht, – noch nicht zu reden von ihrem Vater und Herrn, der schon als Jüngling mit frischem Entschluß von Hause gezogen sei, ebenfalls ins Chaldäische, wohl siebzehn Tage und mehr. Da sei er an einen Brunnen gekommen...

»Verzeiht!« sagte der Alte, indem er die Hand aus dem Kleide hervorstreckte und die Rede hemmte. »Verzeih, mein Freund und lieber Hirtenmann, deinem älteren Knecht eine Anmerkung zu deinen Worten. Wenn ich dir lausche und höre dich künden von euerem Geschlecht und seinen Geschichten, so scheint mir, daß in diesen der Brunnen eine ebenso denkwürdige und hervorstechende Rolle spielt wie die Erfahrung im Ziehen und Wandern.«

»Wie das?« fragte Juda und steifte den Rücken. Zugleich taten es all seine Brüder.

»Nun so«, versetzte der Alte. »Du sprichst, und das Wort ›Brunnen‹ schlägt an mein Ohr jeden Augenblick. Ihr wechselt Weide und Brunnen. Ihr habt des Landes Brunnen am Schnürchen. Euer Vater hat einen Brunnen gebaut, sehr tief und breit. Eures Großvaters Großknecht freite am Brunnen. Euer Vater auch, wie es scheint. Es summt mir wahrhaft im Ohre von Brunnen, die du erwähntest.«

»Mein Herr, der Kaufmann«, antwortete Juda mit steifem Rücken, »will also sagen, daß ich eintönig erzählt habe und summend, das tut mir leid. Wir Brüder und Hirten sind keine Märchenspinner am Bru –, wir sind keine Lügenkrämer des Marktes, die es gelernt haben und es nach der Kunst treiben gegen Lohn. Wir reden und künden ohne Kniff und Pfiff, wie uns der Schnabel gewachsen. Auch möchte ich wissen, wie man vom Leben der Menschen künden soll, vom Hirtenleben zumal und nun gar von der Reise, und nicht dabei des Brunnens gedenken, ohne den es auf Schritt und Tritt doch nicht abgeht...«

»Sehr wahr«, fiel der Alte ein. »Mein Freund, der Sohn des Herdenkönigs, erwidert mir überaus zutreffend. Welch eine hervorstechende Rolle spielt nicht der Brunnen im Menschenleben, und wieviel Schnurren und Denkwürdigkeiten knüpfen sich auch mir, eurem älteren Diener, an solche Orte, mochten sie nun lebendiges Wasser bergen oder gesammeltes, oder selbst dürre sein und verschüttet. Glaubt mir, es wäre mein Ohr, das schon etwas müde ist und betäubt von den Jahren, gar nicht so hell gewesen für den Namen des Brunnens und für sein Wort in euren Berichten, wenn mir nicht kürzlich und eben noch auf dieser Reise mit einem solchen eine Befahrnis und eine Seltsamkeit aufgestoßen wäre, die ich zu den erstaunlichsten meiner Erinnerung zähle und wegen der ich mir Rat und Aufklärung von eurer Güte erhoffe.«

Da gaben die Brüder sich noch einen Ruck. Ihre Rücken waren nun hohl vor Steifheit, und ihre Augen blinzelten nicht.

»Ist nicht«, fragte der Alte, »in dem Lande hier, wo ihr hütet, allenfalls abgängig ein Menschenkind, also daß man es vermißt bei den Seinen und ist etwa gestohlen worden oder entführt, oder man gibt es an einen Löwen verloren oder an sonstige Blutgier, weil es nicht heimgekehrt ist seit drei Tagen?«

»Nein«, antworteten die Brüder. Nicht daß sie wüßten.

»Und wer ist das?« sprach der Alte, griff rückwärts und zog dem Joseph den Mantel vom Haupt... Da saß er, hinten zwischen den Männern, in der Hülle gefallener Falten, die Augen sittsam niedergeschlagen. Ein wenig erinnerte sein Ausdruck an damals, als er im Schutze des Vaters seinen schamlosen Sternentraum erzählt hatte auf dem Felde. Die Brüder wenigstens erinnerte er daran.

Mehrere von ihnen waren aufgesprungen, da sie die Figur erkannten; doch nahmen sie gleich achselzuckend wieder Platz.

»Den meintet ihr«, sagte Dan, da er sah, daß es Zeit für ihn war, sich als Schlange und Otter zu bewähren, »als ihr vom Brunnen spracht und von abgängigen Leuten? Sonst meintet ihr niemanden? Nun, da meintet ihr wahrlich was Rechtes. Das ist ein Sklave und Niemandssohn und ist ein Kleinknecht unterster Sorte, ein Hundejunge, den wir strafen mußten wegen Diebstahls im Rückfall, Lüge, Lästerung, Raufsucht, Halsstarrigkeit,

Hurerei und gehäufter Sittenverletzung. Denn so jung er ist, ist er eine Sammelstätte der Laster. Ihr habt ihn gefunden und aus der Grube gezogen, darin wir ihn zu seiner Besserung verwahrt hatten, den Galgenstrick? Siehe, ihr seid uns zuvorgekommen, denn seine Strafzeit war abgelaufen zu dieser Stunde, und wir schickten uns an, ihm das Leben zu schenken, um zu sehen, ob ihm angeschlagen die Züchtigung.«

So Bilha's Sohn in seiner Spitzfindigkeit. Es war verzweifelt keck, was er vorbrachte, denn dort saß Joseph und konnte den Mund auftun, wenn er wollte. Aber es schien, daß das Vertrauen, welches die Brüder hatten fassen dürfen zu ihm kraft der Grube, noch immer fortwaltete; und es ward nicht zuschanden, denn in der Tat sagte Joseph nichts, sondern saß immer mit sanftmütig niedergeschlagenen Augen und benahm sich alles in allem wie ein Lamm, das vor seinem Scherer verstummt.

»Oh, oh! Ei, ei!« machte der Midianiter und wiegte den Kopf, indem er seine Augen zwischen dem Missetäter und den Gestrengen hin und her gehen ließ; dabei wurde aber allmählich das Wiegen zum Schütteln, denn etwas paßte hier nicht, und gern hätte der Alte seinen Findling gefragt, ob das alles wahr sei, doch verbot es die Rücksicht. Darum sprach er:

»Was hör' ich, was hör' ich. So ein Schelm ist er, dessen wir uns erbarmten und halfen ihm aus dem Loche im letzten Augenblick. Denn das muß ich sagen: Ihr triebt es ein wenig weit mit der Buße und bis zum Letzten. Da wir ihn fanden, war er so schwach bereits, daß er die Milch ausspie, die wir ihm spendeten, und sehr lange, scheint mir, hättet ihr nicht mehr säumen dürfen mit seiner Erlösung, wenn euch an seinem Sachwert noch irgend gelegen ist, der freilich nichtig sein mag in Anbetracht seiner Laster, an welchen kein Zweifel möglich ist; denn die Härte der Strafe beweist einen außerordentlichen Grad von Schelmerei.«

Da biß sich Dan auf die Lippe, denn er sah, daß er zuviel gesagt und, auch noch abgesehen von Josephs Vertrauenswürdigkeit, unvorsichtig geredet hatte, wie ein verdrießlicher Rippenstoß Juda's ihn gleich hatte belehren wollen. Dan hatte nur daran gedacht, den Ismaelitern die grausame Behandlung des Knaben einleuchtend zu machen; Juda aber dachte an den Verkauf, und es war schwierig, beiden Gesichtspunkten auf einmal gerecht zu werden. Da hatte man nun, wider alle Handelsvernunft, das Verkäufliche schlecht machen müssen vor den Ohren derer, denen man's anzuhängen gedachte! Das war den Jaakobssöhnen noch nicht passiert, und sie schämten sich solchen Narrentums. Aber es schien eben, daß man aus den Zwicklagen nicht herauskommen sollte in Anbetracht Josephs. Kaum war die eine geöffnet, so stak man in einer andern.

Juda übernahm es, die Handelsehre aus dieser Klemme zu retten. Er sagte:

»Nun, nun, der Wahrheit die Ehre, das Strafmaß mag über die Schelmerei wohl etwas hinausgegangen sein und könnte irreführen über den Sachwert, wir wollen das gut sein lassen. Wir Söhne des Herdenkönigs sind etwas jähe und hitzige Herren, streng und allenfalls einmal überstreng im Ahnden von Sittenverletzung und, wie wir einräumten, ein wenig handfest und unerbittlich in unseren Entschlüssen. Die Fehltaten dieses Hundejungen waren, einzeln genommen, nicht allzu erheblich; nur ihre Häufung und Aufrechnung gab uns zu denken und bestimmte die Schärfe der Strafe, aus welcher ihr auf unsere Sorge um den Sachwert des Knechtes schließen mögt, aber aus dieser wiederum auf den Wert. Denn Verstand und Anstelligkeit des Buben sind nennenswert, und gesäubert von Sittenwidrigkeit, wie er nun dasitzt dank unserer Strenge, ist er ohne Zweifel ein nützliches Gut, wie ich doch zur Steuer der Wahrheit möchte festgesetzt haben«, schloß Jehuda; und Dan schämte sich nicht wenig vor ihm ob seiner mißratenen Spitzfindigkeit, war aber froh, daß Lea's Sohn die Klemme so weise zu öffnen gewußt hatte.

Der Alte machte »Hm, hm« und blickte zwischen Joseph und seinen Brüdern hin und her, wobei er nicht aufhörte, den Kopf zu schütteln. »Ein anstelliger Schelm also. Hm, was ihr nicht sagt! Wie heißt denn der Hundejunge?«

»Der heißt nicht«, erwiderte Dan. »Wie sollte er heißen? Der hat überhaupt keinen Namen bis jetzt, denn wir sagten ja, daß er ein Niemandssohn ist, ein Bankert und Schilfgewächs wilder Zeugung, und hat keine Sippe. Wir nennen ihn ›Heda‹ und ›Du‹ oder pfeifen auch bloß. Mit solchen Namen nennen wir ihn.«

»Hm, hm, so ein Sumpfsöhnchen und unordentlich Gewächs also ist er, der Abgestrafte«, sagte wieder der Alte. »Ei seltsam, ei seltsam! Wie einen zuweilen die Wahrheit wundert! Es ist wider Vernunft und Höflichkeit, und doch wundert man sich. Da wir ihn aus dem Gefängnis zogen, äußerte der Sohn des Schilfs, er könne ablesen Geschriebenes und selber schreiben. War das gelogen von seiner Seite?«

»Nicht allzu frech«, antwortete Juda. »Wir bezeugten ja schon, daß er nennenswerten Verstandes ist und von nicht alltäglicher Anstelligkeit. Er kann wohl eine Liste führen und Buch halten über Ölkrüge und Wollballen. Sagte er nicht mehr, so mied er die Lüge.«

»Möge sie allzeit gemieden werden«, versetzte der Alte, »denn die Wahrheit ist Gott und König, und Neb-ma-rê ist ihr Name. Man muß sich ihr neigen, auch wenn sie verwunderlich anmutet. Können auch meine Herren und die Herren des Schilfknaben lesen und schreiben?« fragte er mit kleinen Augen.

»Wir erachten's für Sklavensache«, erwiderte Juda kurz.

»Und das ist es mitunter«, räumte der Alte ein. »Aber auch Götter schreiben die Namen der Könige auf Bäume, und groß ist Thot. Möglicherweise hat er diesem Sumpfknaben selbst die Binsen gespitzt und ihn unterwiesen, – möge der Ibisköpfige mir den Scherz nicht aufs Kerbholz setzen! Aber wahr ist's: Alle Stände der Menschen werden regiert, nur der Schreiber aus dem Bücherhaus, er regiert selbst und braucht nicht zu schuften. Es gibt Länder, wo dies Binsenkind über euch gesetzt wäre und eueren Schweiß. Denkt euch, ich kann mir's vorstellen, und die Einbildungskraft versagt mir nicht völlig, wenn ich's einmal annehme und setze zum Scherze den Fall, er wäre der Herr und ihr seine Knechte. Seht, ich bin Kaufmann«, fuhr er fort, »und ein gewiegter, das mögt ihr glauben; denn ich bin alt geworden im Schätzen und Abschätzen der Dinge und ihrer Güte oder Geringigkeit, also daß mich nicht leicht einer dumm macht die Ware betreffend, denn ich hab's zwischen Daumen und Zeiger, was sie taugt, und ob ein Gewebe grob ist oder fein oder mittlerer Güte, das hab' ich hier zwischen den Fingern, und steht mir der Kopf schon schief von alter Gewohnheit des Prüfens, so daß mir keiner das Mindere anhängt fürs Wertige. Nun seht, der Junge ist fein nach Faser und Maser, ob auch verwahrlost von harter Strafe, – schiefköpfig erkenn' ich's und hab's hier ganz genau zwischen den wetzenden Fingern. Ich rede nicht von der Anstelligkeit, vom Verstande und von der Schreibkunst, sondern vom Stoffe red' ich und vom Gewebe – da bin ich ein Kenner. Darum scherzte ich kühn und sagte, es stünde mir der Verstand nicht still, wenn ich hörte, der Heda sei hier der Herr und ihr seine Knechte. Nun aber ist's freilich umgekehrt?«

»Allerdings!« versetzten die Brüder und steiften die Rücken.

Der Alte schwieg.

»Nun«, sagte er dann und machte wieder die Augen klein, »da er euer Sklave ist, so verkauft mir den Knaben!«

Es war eine Probe, die er da anstellte. Etwas war ihm hier dunkel, und ganz aus freier Hand, mit unbestimmter List, tat er den Vorschlag, neugierig auf seine Wirkung.

»Nimm ihn zum Geschenk«, murmelte Juda mechanisch. Und da der Midianiter bekundet hatte, daß sein Haupt und Herz für diesen Schnörkel empfänglich seien, fuhr jener fort:

»Zwar ist es gegen die Billigkeit, daß wir sollen die Plage gehabt haben mit dem Knaben, und nun, da er gesäubert von Sittenwidrigkeit, sollt ihr die Früchte ernten unsrer Erziehung. Aber da euch der Sinn nach ihm steht, so macht euer Gebot!«

»Macht vielmehr euren Preis!« sagte der Alte. »Ich halt' es nicht anders.«

Und nun begann das Handeln und Feilschen um Joseph und dauerte vor Zähigkeit fünf Stunden lang, bis in den späten Tag und bis Sonnenuntergang. Dreißig Silberlinge verlangte Juda im Namen der Seinen; aber der Minäer erwiderte, das sei ein Witzwort, über das man wohl eine Weile lachen möge, doch weiter sei nichts damit anzufangen. Ob man einen bloßen Heda und schilfgebürtigen Hundejungen, der nachgewiesener- und eingestandenermaßen an schweren Charakterfehlern kranke, etwa mit Mondmetall aufwiegen solle? Da rächte sich nun Dans Übereifer im Erklären der Brunnenbuße und daß er dem Wert des Verkäuflichen so viel vergeben. Gewaltig nutzte der Alte es aus, den Preis zu drücken. Aber auch er hatte sich eine arge Blöße gegeben, da er's sich nicht hatte versagen können, fingerwetzend mit seinem Beschaffenheitsgefühl zu prahlen, und sich auf eine Schätzung der Ware nach Faser und Maser festgelegt hatte, die nun den Verkäufern zustatten kam. Jehuda nahm ihn beim Wort und bei seiner Kennerehre und arbeitete so marktschreierisch mit der Feinheit des Knaben, als hätten er und die Seinen nie die geringste Mißgunst auf diese Feinheit gehegt, noch ihretwegen den Beeiferten in die Grube geworfen: Die Handelshitze überhob sie aller Scham, ja, Juda machte sich nichts daraus, zu rufen, einen Jungen, so fein, daß er ihrer aller Herr sein könne und sie seine Sklaven, den solle man unter dreißig Schekeln verschleudern? Völlig verliebt stellte er sich an in die Ware, und als er schon bei fünfundzwanzig Silberlingen hielt, tat er noch ein Äußerstes, ging hin und küßte den stille blinzelnden Joseph auf die Wange, indem er ausrief, nicht für fünfzig könne und wolle er sich von einem solchen Schatz an Klugheit und Liebreiz trennen!

Aber auch durch den Kuß ließ sich der Alte nicht kirren und blieb der Stärkere, zumal er wohl sah, daß die Brüder sich auf jeden Fall und im Grunde um jeden Preis des Jungen entledigen wollten, was durch ein scheinbares Abbrechen und Aufgeben des Handels leicht zu erkunden gewesen war. Fünfzehn Schekel Silbers, nämlich nach leichterem babylonischen Gewicht, hatte er geboten; als aber die Brüder ihn vermöge seiner Blöße auf zwanzig Schekel, und zwar phönizisch, gebracht hatten, blieb er stehen und ließ sich nicht weiterschrauben. Denn er konnte sagen, daß er den Knaben in letzter Verschmachtungsgefahr gefunden habe und einfach Finderrecht behaupten und Lösegeld beanspruchen könne, so daß es die reine Handelskulanz von ihm sei, wenn er diesen Betrag nicht in Rechnung stelle und ihn vom

Preise nicht abziehe, sondern volle und schwere zwanzig Schekel phönizisch zu zahlen bereit sei. Wisse man das nicht zu schätzen, so ziehe er sich aus dem Geschäft und wolle von schelmischen Binsenknaben überhaupt nichts mehr hören.

Also schlug man zu auf zwanzig Silberlinge nach dem Gewicht, wie es gang und gäbe war, und die Brüder schlachteten ein Lamm der Herde unter den Bäumen zu Ehren der Gäste, ließen das Blut hinlaufen und brieten das Fleisch an entfachter Glut, damit man die Hände erhöbe und miteinander äße, zum Begängnis und zur Bestätigung, wobei auch Joseph vom alten Minäer, seinem Herrn, ein wenig bekam. Was aber hatte er sehen müssen? Er hatte gesehen, wie die Brüder heimlich und ganz nebenbei, so daß die Ismaeliter es nicht gewahr wurden, die Fetzen des Bildkleides durchs Schlachtblut gezogen und sie gründlich damit befleckt hatten: Vor seinen Augen und ungescheut hatten sie das getan, im Todesvertrauen auf seine Schweigsamkeit; und er aß von dem Lamm, dessen Blut für das seine stehen sollte.

Gastmahl und Stärkung aber waren angebracht, denn der Handel war lange noch nicht beendet. Nur in großem Zuge war er getätigt, nachdem der Hauptpreis festgesetzt worden; nun aber begann das Kleingeschäft und die Verwirklichung des gedachten Wertes in Waren. Hier ist die durch allerlei fromme Schilderung verbreitete und eingeprägte Vorstellung zu berichtigen, als hätten die Brüder, da sie den Joseph verkauften, den Kaufpreis von den Ismaelitern in klingender Münze aus dem Beutel in die Hand gezahlt bekommen. Der Alte dachte gar nicht daran, in Silber zu zahlen, von »Münze« gewisser Gründe wegen schon ganz zu schweigen. Wer schleppt auch so viel Metall auf Reisen mit sich herum, und welcher Käufer begliche die Schuld nicht lieber in Sachwerten, da doch jedes Stück, das für einen Teil der Kaufsumme eintritt, ihm eine Gelegenheit bedeutet, das Geschäft zu verbessern und, indem er selbst zum Verkäufer wird, seinen Interessen als Käufer zu dienen? Anderthalb Schekel Silber wog der Minäer den Hirten in Stücken auf einer zierlichen Gürtelwaage dar; für alles übrige mußten die Warenbestände aufkommen, die seine Kamele trugen. Und so ward abgepackt und ausgebreitet im Grase, was sie führten: die Weihrauche und schönbrüchigen Harze von jenseits des Stromes und allerlei lachende Gegenstände sonst, die man gebrauchen kann: Rasiermesser und Messer aus Kupfer und Flint, Lampen, Salbenlöffel, Spazierstöcke in eingelegter Arbeit, blaue Glasperlen, Rizinusöl und Sandalen, – ein ganzer Bazar und Kramladen war es, den die Händler auftaten vor den lüsternen Augen der Käufer, und bis zum Preise von achtzehneinhalb Silberlingen durften sie sich davon aneignen für ihre Ware, wobei um jedes Ding ein Gefeilsch ging, als drehe sich's einzig um dieses, so daß in Wahrheit der Abend einfiel, ehe man zu Rande gekommen und Joseph verkauft war für wenig Silber und viele Messer, Balsambrokken, Lampen und Stöcke.

Danach räumten die Ismaeliter wieder auf und empfahlen sich. Sie hatten sich Muße gelassen für diesen Zwischenfall und nicht der Stunden geschont; nun aber galt es, die Zeit wieder räumlich fruchtbar zu machen, und sie gedachten, noch eine Strecke in den Abend zu reisen, bevor sie ihr Nachtlager aufschlügen. Die Brüder hielten sie keineswegs. Nur Ratschläge gaben sie ihnen betreffend der Weiterreise und wegen der einzuschlagenden Straßen.

»Zieht ja nicht im Innern«, sagten sie, »und auf dem Kamm, der die Wasser scheidet, daß ihr nach Hebron kommt und so fort, – wir empfehlen's nicht, wir warnen die Freunde. Die Wege sind rauh, es stolpern die Tiere, und überall lauert Gesindel. Zieht weiter hier in die Ebene und lenkt in die Straße, die durch die Hügel am Fuße des Baumgartens hinabführt zum Saum des Landes, so seid ihr geborgen und ziehet immer im lieblichen Sande des Meeres hinab, sieben mal siebzehn Tage weit oder so weit ihr wollt; es ist ein Vergnügen, am Meere zu reisen, man wird es nicht satt, und ist das einzig Vernünftige!«

Die Händler versprachen es, indem sie Abschied nahmen. Da hoben die Kamele sich auf unter ihnen, und Joseph, der Verkaufte, saß bei Kedma, dem Sohn des Alten. Er hielt die Lider gesenkt, wie er die ganze Zeit hin getan, selbst da er vom

Lamme gegessen. Und auch die Brüder standen, die Augen zu Boden gesenkt, indes der Reisezug in der rasch fallenden Dämmerung entschwand. Dann holten sie Luft ein und bliesen sie von sich:

»Nun gibt's ihn nicht mehr!«

Ruben kommt zur Höhle

In der Dämmerung aber, die fiel, und in dem lispelnden Abend, der aufzog mit großen Sternen, trieb Ruben, Lea's Sohn, seinen Esel, der das Nötige trug, von Dotan her auf Umwegen gegen das Grab Josephs, daß er täte, was er vorige Nacht in Angst und Liebe beschlossen.

In seiner Brust, so breit und mächtig sie war, pochte ihm das Herz; denn Ruben war stark, aber weich und erregbar, und fürchtete sich vor den Brüdern, daß sie ihn ertappten und das Werk der Rettung verhinderten, das auch das Werk seiner Reinigung und Wiedererhöhung sein würde. Darum war seine muskelwulstige Miene bleich im Dunkeln, und seine umgürteten Säulenbeine traten verstohlen den Grund. Aus seinen zusammengepreßten Lippen kam kein Ruf für den Esel, sondern ingrimmig stachelte er nur von Zeit zu Zeit das gleichmütige Tier mit der Spitze seines Stabes ins hintere Fleisch, daß sie vorwärtskämen. Denn eines fürchtete Ruben vor allem: daß Todesstille herrschen möchte im Brunnen, wenn er ankäme und leise den Namen riefe, daß Joseph so lange die Seele nicht halten, sondern bereits verschmachtet sein könnte und alle Vorkehrungen unnütz wären, besonders die Leiter aus Stricken, die ihm der Seiler zu Dotan vor seinen Augen hatte knüpfen müssen.

Für eine solche nämlich, als Werkzeug der Rettung, hatte Ruben sich schließlich entschieden. Sie war gut für verschiedene Fälle: Man konnte an ihr emporklettern vom Grunde, wenn die Kräfte reichten, oder, reichten sie nicht, sich wenigstens zwischen die Sprossen setzen und sich zu Tage ziehen lassen von Rubens strotzenden Armen, die einst Bilha umschlossen hatten und wohl noch taugen würden, das Lamm aus der Tiefe zu ziehen für Jaakob. Ein Rock war da für den Nackten, und Mundvorrat für fünf Tage hing an des Esels Flanken, – die Tage der Flucht vor den Brüdern, die Ruben verraten wollte und sämtlich in die Asche bringen: gebeugten Hauptes gestand er sich's ein, während er nächtlich zum Grabe schlich. So schlecht handelte also der große Ruben, indem er das Gute tat? Denn daß es gut und notwendig war, den Joseph zu retten, von dieser Gewißheit war seine Seele ganz voll, und wenn das Böse und Eigennützige mit unterlief, so mußte man's in den Kauf nehmen; das Leben mischte es also. Auch wollte Ruben schon noch das Böse zum Guten wenden, er traute sich's zu. Stand er nur erst wieder herrlich vorm Vater und war der Erstgeborene wieder, so wollte er wohl auch noch die Brüder erretten und sie heraushauen aus der Drangsal: Viel würde sein Wort dann gelten, und er würde es brauchen, die Brüder zu entschuldigen und die Schuld zu verteilen auf alle, sogar auf den Vater auch, so daß es ein großes Einsehen und gegenseitig Verzeihen geben und Gerechtigkeit walten sollte für immer.

So suchte Ruben sein pochendes Herz zu stillen und sich zu trösten ob der lebenstrüben Mischung seiner Beweggründe; und kam zum Abhange und zum Gemäuer, da blickte er um sich, ob niemand ihn sähe, nahm Strickwerk und Rock und stieg hinab auf den Kanten seiner Füße zu den schlechten, von Feigenschößlingen versperrten Stufen ins Brunnenhaus.

Die Sterne schienen hinein ins brüchige Fliesengelaß, doch nicht der Mond, und Re'uben sah vor sich nieder, daß er nicht strauchele, zog aber schon die Luft ein in seine bedrängte Brust, um heimlich-dringlich damit zu rufen: »Joseph! Lebst du?«, in leidenschaftlicher Freude auf des Bruders Antwort, in angstvoller Sorge, es möchte keine erfolgen, – da schrak er zusammen, daß es ihn nur so riß und der innige Ruf zum heisern Schreckenslaut wurde. Er war nicht allein hier unten. Es saß einer da und schimmerte weißlich im Sternenschein.

Wie war das? Einer saß neben dem Brunnen, und der war abgedeckt: Der Brunnenstein lag in zwei Hälften auf den Fliesen, eine über der anderen, und darauf saß Einer im Mäntelchen, auf seinen Stab gestützt, und blickte dem Ruben stillen Mundes aus schläfrigen Augen entgegen.

Die Glieder vom Stolpern verstellt, stand der große Ruben und starrte auf die Erscheinung. Er war so verwirrt, daß ihm einen Augenblick der Gedanke kam, er sähe Joseph vor sich, der gestorben sei und als Totengeist neben seinem Grabe sitze. Doch hatte der unliebsam Gegenwärtige gar keine Ähnlichkeit mit Rahels Sohn: Selbst als Totengeist wäre dieser wohl nicht so ungewohnt lang gewesen und hätte nach menschlichem Ermessen nicht solchen Blähhals mit kleinem Kopfe darauf gehabt. Doch warum war dann der Stein vom Brunnen gewälzt? Re'uben verstand überhaupt nichts mehr. Er stammelte:

»Wer bist du?«

»Einer von vielen«, antwortete der Sitzende kühl, und unter seinem zierlichen Munde erhob sich sein Kinn dabei, das überaus plastisch war. »Ich bin gar nichts Besonderes, und du brauchst nicht zu erschrecken. Aber wen suchst du?«

»Wen ich suche?« wiederholte Ruben, entrüstet über das Unvermutete... »Was du hier suchst, will ich wissen vor allen Dingen!«

»So, willst du das? Ich bin der letzte, mir einzubilden, daß hier irgend etwas zu suchen ist. Ich bin zum Wächter gesetzt dieses Brunnens, darum sitze ich hier und wache. Wenn du meinst, daß es mir sonderlichen Spaß macht und ich zu meiner Kurzweil im Staube sitze, so irrst du. Man tut nach Pflicht und Weisung und läßt manche bittere Frage beiseite.«

Merkwürdigerweise milderte sich durch diese Worte Rubens Zorn über des Fremden Gegenwart. Daß hier einer saß, war ihm so unerwünscht und ärgerlich, daß es ihm angenehm war zu hören, der Mann sitze nicht gerne hier. Es schuf zwischen ihnen eine gewisse Gemeinschaft.

»Aber wer hat dich gesetzt?« fragte er, mäßiger gereizt. »Bist du von den Leuten des Orts?«

»Des Ortes, ja. Laß das gut sein, woher so ein Auftrag kommt. Er pflegt durch viele Münder zu gehen, und es frommt wenig, ihn bis zu seinem Urquell zurück zu verfolgen, – auf jeden Fall hast du deinen Platz einzunehmen.«

»Den Platz neben einem leeren Brunnen!« rief Ruben mit unterdrückter Stimme.

»Leer, allerdings«, erwiderte der Wächter.

»Einem abgedeckten!« setzte Ruben hinzu und wies erregt, mit zitterndem Finger, auf das Brunnenloch. »Wer hat den Stein von dem Brunnen gewälzt? Etwa du?«

Der Mann sah lächelnd an sich hinunter, an seinem Arm, der rund, aber schwach aus dem ärmellosen Leinenkleid hervorkam. Nein, in der Tat, das waren nicht Mannesarme, den Dekkel zu wälzen, weder ab noch auf.

»Weder auf noch ab«, sagte der Fremde mit lächelndem Kopfschütteln, »habe ich den Stein gewälzt. Das eine weißt du, das andere siehst du. Andere haben sich's sauer werden lassen, und ich müßte hier gar nicht den Wächter machen, wäre der Stein, darauf ich sitze, noch an seinem Ort. Aber wer sagt dir, welches der wahre Ort ist eines solchen Steines? Manchmal ist's der auf dem Loch; aber muß nicht der Deckel hinweggewälzt sein, wenn Erquickung kommen soll aus dem Brunnen?«

»Was redest du?« rief Ruben, von Ungeduld gepeinigt. »Ich glaube, du schwätzest und stiehlst mir die kostbare Zeit mit Gefasel! Wie soll Erquickung geben ein dürrer Brunnen, darin nichts ist als Staub und Moder!«

»Es kommt darauf an«, erwiderte der Sitzende mit geruhsam vorgeschobenen Lippen, den kleinen Kopf zur Seite gelegt, »was man zuvor dem Staube einverleibt und was man in seinen Schoß gesenkt. War es Leben, so wird Leben und Labe wieder hervorgehen hundertfältig. Das Weizenkorn beispielsweise...«

»Aber Mann«, unterbrach ihn Ruben mit bebender Stimme und schüttelte die Strickleiter in seinen Händen, indes der Notrock für Joseph über seinem Arme hing, »es ist unerträglich, daß du dasitzest und auf Anfangsgründe zu sprechen kommst, die man das Kind lehrt auf dem Mutterschoß und die jeder am Schnürchen hat. Ich bitte dich...«

»Du bist recht ungeduldig«, sagte der Fremde; »und bist,

wenn du mir das Gleichnis erlauben willst, ganz wie ein dahinschießend Wasser. Du solltest aber Geduld lernen und Erwartung, die auf den Anfangsgründen beruht und die aller Wesen Sache ist, so daß, wer aus der Erwartung davonschießt, weder hier noch sonstwo etwas zu suchen hat. Denn es geht nur langsam voran mit der Erfüllung, und sie setzt an und versucht sich einmal und abermals, und ist schon vorläufige Gegenwart am Himmel und auf Erden, aber noch nicht die wahre, sondern nur als Versuch und Verheißung. So wälzt sich die Erfüllung dahin, mühselig, wie der Stein, wenn er schwer ist, gewälzt wird vom Brunnen. Wie es scheint, waren hier Leute, die sich's haben sauer werden lassen, den Stein zu wälzen. Aber sie müssen noch lange wälzen, bis er recht wird abgewälzt sein vom Loche, und auch ich sitze hier sozusagen nur versuchsweise und vorläufig.«

»Du sollst überhaupt nicht länger hier sitzen!« rief Ruben. »Verstehst du das endlich? Verschwinde und trolle dich deines Weges, denn ich will allein sein mit diesem Brunnen, der mich näher angeht als dich, und wenn du dich nicht augenblicklich hinweghebst, so helfe ich dir auf die Beine! Siehst du nicht, Schwacharm, der andere Leute wälzen lassen muß und nur kann dasitzen und gaffen, daß Gott mich stark gemacht hat wie einen Bären und daß ich außerdem ein Gestrick zur Hand habe, das zu Verschiedenem taugt? Auf und verschwinde, oder ich schieße dir an den Hals!«

»Rühre mich nicht an!« sagte der Fremde und streckte den langen runden Arm gegen den Zornigen aus. »Bedenke, daß ich vom Orte bin und daß du es mit dem ganzen Orte zu tun bekommst, wenn du Hand an mich legst! Habe ich dir nicht gesagt, daß ich eingesetzt bin? Verschwinden könnte ich wohl und mit Leichtigkeit, aber es fehlte nur, daß ich's auf dein Geheiß täte und in Versäumnis meiner Pflicht, die mich zur Übung hier sitzen und wachen heißt. Du kommst daher mit deinem Leibrock und deinem Strickzeug und merkst gar nicht, wie lächerlich du dich machst, da du damit gerückt kommst vor einen leeren Brunnen – leer deiner eigenen Kennzeichnung nach.«

»Leer als Brunnen!« erläuterte Ruben heftig. »Von Wasser leer!«

»Leer überhaupt«, antwortete der Wächter. »Die Grube ist leer, wenn ihr kommt.«

Da hielt sich Ruben nicht länger, sondern stürzte zum Brunnen, beugte sich über und rief mit dringlich gedämpfter Stimme ins Tiefe:

»Knabe! Pst! Lebst du, und bist du noch etwa bei Kräften?«

Aber der auf dem Stein schüttelte lächelnd den Kopf dazu und schnalzte mitleidig. Er äffte sogar dem Ruben nach, machte ebenfalls »Knabe, pst!« und schnalzte wieder.

»Kommt daher und redet mit einem leeren Loche!« sagte er dann. »So ein Unverstand. Hier ist kein Knabe, Mann, weit und breit nicht. Wenn einer da war, so hat ihn sein Ort nicht gehalten. Höre doch endlich auf, dich zum Narren zu machen mit deinem Gerät und deinem Reden ins Leere!«

Ruben stand immer noch über den Schlund gebeugt, aus dem kein Laut ihm antwortete.

»Entsetzlich!« stöhnte er. »Er ist tot oder fort. Was fang' ich an? Ruben, was fängst du nun an?«

Und sein Schmerz, seine Enttäuschung, seine Angst brachen aus ihm hervor.

»Joseph«, schrie er auf in Verzweiflung, »ich wollte dich retten und dir aus der Grube helfen mit meinen Armen! Hier ist die Leiter, hier ist der Hemdrock für deinen Leib! Wo bist du? Deine Tür ist offen! Du bist verloren! Ich bin verloren! Wo soll ich hin, da du fort bist, gestohlen und tot?... Jüngling, du Mann des Ortes!« rief er in zügelloser Not. »Sitze nicht stumpf auf dem diebisch gewälzten Stein, sondern rate und hilf mir! Hier war ein Knabe, Joseph, mein Bruder, das Rahelskind. Seine Brüder und ich, wir haben ihn hier hinabgesenkt vor drei Tagen zur Strafe des Hochmuts. Aber sein Vater wartet auf ihn, – es ist nicht zu ermessen, wie er wartet, und wenn sie ihm sagen, daß ein Löwe das Lamm zerriß, so fällt er auf den Rücken. Darum bin ich gekommen mit Strick und Kleid, den Knaben aus dem Brunnen zu ziehen und ihn dem Vater zu bringen, denn er muß ihn zurückhaben! Ich bin der Älteste. Wie soll ich treten vor des Vaters Gesicht, wenn der Knabe nicht wiederkehrt, und wo soll ich hin? Sage mir, hilf mir, wer wälzte den Stein, und was ist mit Joseph?«

»Siehst du?« sagte der Fremde. »Da du eintratest ins Brunnenhaus, warst du verstimmt ob meiner Gegenwart und ärgerlich, weil ich auf dem Steine saß; nun aber gehst du mich um Rat und Tröstung an. Du tust ganz recht daran, und vielleicht bist du es, um dessentwillen ich hier eingesetzt bin neben der Grube, daß ich ein oder das andere Samenkorn senke in deinen Verstand und er still bewahre den Keim. Der Knabe ist nicht mehr da, das siehst du. Sein Haus steht offen, es hat ihn nicht gehalten, ihr seht ihn nicht mehr. Aber Einer soll sein, der soll den Keim der Erwartung hegen, und da du kamst, den Bruder zu retten, so sollst du dieser Eine sein.«

»Was soll ich erwarten, wenn Joseph fort ist, gestohlen und tot!«

»Ich weiß nicht, was du unter ›tot‹ verstehst und unter ›leben‹. Du willst zwar nichts hören von kindischen Anfangsgründen, aber gestatte mir doch, dich an das Weizenkorn zu erinnern, wenn es im Schoße liegt, und dich zu fragen, wie du in seinem Betreff denkst über ›tot‹ und ›leben‹. Das sind doch schließlich nur Worte. Es sei denn nämlich, daß das Korn in die Erde fällt und erstirbt, so bringt es viele Frucht.«

»Nur Worte, nur Worte«, rief Ruben und rang die Hände. »Es sind nur Worte, die du mir machst! Ist Joseph tot, oder lebt er? Das ist's, was ich wissen muß!«

»Tot, offenbar«, versetzte der Wächter. »Ihr habt ihn ja eingebettet, wie ich höre, und dann ist er wohl gar noch gestohlen worden, beziehungsweise von wilden Tieren zerrissen, – ihr könnt überhaupt nichts anderes tun, als es dem Vater melden und es ihm handgreiflich klarzumachen, daß er sich dran gewöhne. Es bleibt aber immer ein zweideutig Ding und ist nicht zum Gewöhnen gemacht, sondern birgt den Keim der Erwartung. Die Menschen tun vieles, sich dem Geheimnis zu nähern, und mühen sich festlich. Ich sah einen Jüngling ins Grab steigen in

Kranz und Feierkleid, und über ihm schlachteten sie ein Tier der Herde, dessen Blut ließen sie hinabrieseln auf ihn, daß es ihn ganz überrieselte und er es auffing mit allen Gliedern und Sinnen. Danach, wie er emporstieg, war er göttlich und hatte das Leben gewonnen, – wenigstens auf einige Zeit, dann mußte er wieder zu Grabe gehen, denn das Leben des Menschen läuft mehrmals um und bringt wieder Grab und Geburt: Mehrmals muß er werden, bis er geworden ist.«

»Ach, der Kranz und das Feierkleid«, klagte Ruben und vergrub sein Gesicht in den Händen, »die lagen zerrissen, und der Knabe ist nackend ins Grab gefahren!«

»Ja, darum kommst du daher mit deinem Leibrock«, versetzte der Wächter, »und willst ihn neu bekleiden. Das kann auch Gott. Auch er kann neu bekleiden den Entkleideten und besser als du. Darum rate ich dir: Geh nach Hause und nimm wieder mit deinen Leibrock! Gott kann sogar überkleiden den nicht Entkleideten, und am Ende war es mit eures Knaben Entkleidung nicht gar so weit her. Ich möchte, wenn du erlaubst, den Gedankensamen in deinen Verstand senken, daß diese Geschichte hier bloß ein Spiel und Fest ist, wie die des berieselten Jünglings, ein Ansatz nur und Versuch der Erfüllung und eine Gegenwart, die nicht ganz ernst zu nehmen, sondern nur ein Scherz und eine Anspielung ist, so daß wir blinzelnd und lachend einander anstoßen mögen dabei. Es könnte sein, daß diese Grube nur ein Grab wäre, von kleinerem Umlauf herangebracht, und euer Bruder wäre noch sehr im Werden und keineswegs schon geworden, wie diese ganze Geschichte im Werden ist und nicht schon geworden. Nimm das, bitte, mit im Schoße deines Verstandes und laß es ruhig darin sterben und keimen. Trägt es aber Frucht, so gib auch dem Vater davon zur Erquickung!«

»Der Vater, der Vater!« rief Ruben. »Erinnere mich an ihn nicht! Wie soll ich vor den Vater treten ohne das Kind?«

»Sieh hinauf!« sagte der Wächter. Denn es war heller geworden im Brunnenhaus, und die Barke des Mondes, dessen finstere Hälfte sich unsichtbar-sichtbar im Grunde des Himmels abzeichnete, verborgen und doch offenbar, war gerade darüber heraufgeschwommen. »Sieh ihn an, wie er schimmernd dahinzieht und den Weg seiner Brüder bahnt! Anspielungen geschehen im Himmel und auf Erden unausgesetzt. Wer nicht begriffsstutzig ist, sondern sie zu lesen weiß, der bleibt in der Erwartung. Aber auch die Nacht schreitet fort, und wer nicht sitzen muß und den Wächter spielen, der tut gut, sich aufs Ohr zu legen, gehüllt in seinen Leibrock, mit behaglich hochgezogenen Knien, daß er am Morgen wieder erstehe. Geh, mein Freund! Hier hast du im mindesten nichts zu suchen, und ich verschwinde nun einmal nicht auf dein Geheiß.«

Da wandte sich Ruben denn kopfschüttelnd und stieg mit schwerem Zögern die Stufen und das Gefälle hinauf zu seinem Tier. Fast auf dem ganzen Wege von dort zu den Hütten seiner Brüder schüttelte er den benommenen Kopf, in Verzweiflung halb und halb in verblüffter Nachdenklichkeit, und unterschied das eine vom anderen kaum, aber er schüttelte.

Der Eidschwur

So kam er zu den Hütten und jagte die Neune auf, riß ihnen den Vorschlaf von den Augen und sprach zu ihnen bebenden Mundes:

»Der Knabe ist fort. Wo soll ich hin?«

»Du?« fragten sie. »Du sprichst, als sei er nur dein Bruder gewesen, und war doch unser aller. Wo sollen wir alle hin? Das ist die Frage. Was heißt übrigens ›fort‹?«

»›Fort‹ heißt gestohlen, verschwunden, zerrissen, tot«, schrie Ruben. »Verloren dem Vater, heißt es. Die Grube ist leer.«

»Warst du bei der Grube?« fragten sie. »Zu welchem Behuf?«

»Zum Behuf des Kundschaftens«, versetzte er wütend. »Das wird dem Erstgeborenen ja wohl noch freistehen! Soll es einem wohl Ruhe lassen, was wir getan haben, und einen nicht umtreiben? Allerdings wollte ich nach dem Knaben sehen und teile euch mit, daß er fort ist und daß wir uns fragen müssen, wo wir nun hin sollen.«

»Dich den Erstgeborenen zu nennen«, antworteten sie, »ist etwas kühn, und man braucht nur den Namen Bilha's zu nennen, um dir die Tatsachen zurückzurufen. Wir liefen Gefahr, daß dem Träumer die Erstgeburt zufalle; nun aber sind die Zwillinge an der Reihe, und auch Dan könnte Anwartschaft geltend machen, denn im selben Jahr wie Levi ist er erschienen.«

Sie hatten aber den Esel gesehen mit Rock und Leiter, den Ruben nicht einmal zu verbergen Lust gehabt hatte, und reimten sich unschwer alles zusammen. So, so, der große Ruben hatte sie untertreten wollen und den Joseph stehlen – hatte sich das Haupt zu erheben und sie in die Asche zu bringen gedacht. Das war ja artig. Sie verständigten sich mit den Blicken darüber. Stand es aber so – auch dahin ging die stumme Verständigung –, so schuldeten sie dem Ruben nicht Rechenschaft über das, was sie unterdessen getan. Untreue gegen Untreue: Von den Ismaelitern brauchte Ruben dann nichts zu wissen und daß sie im Begriffe waren, den Joseph aus allem Gesichtskreis zu bringen. Der Mann wäre imstande, ihnen nachzusetzen. Darum schwiegen sie, zuckten die Achseln ob seiner Nachricht und bekundeten Gleichmut.

»Fort ist fort«, sagten sie, »und es ist ganz gleich, was das Fort beinhaltet: Gestohlen, verschwunden, zerrissen, verraten, verkauft, das ist zum Schnippen und ist uns schnuppe. War es nicht unsere Sehnsucht und unser gerechtes Verlangen, daß es ihn nicht mehr geben möge? Also, es ist uns gewährt worden, die Grube ist leer.«

Er wunderte sich aber, daß sie die neue und ungeheuere Nachricht so kalt aufnahmen, forschte in ihren Augen und schüttelte das Haupt.

»Und der Vater?« rief er in plötzlichem Ausbruch und warf die Arme empor...

»Das ist beschlossen und ausgemacht«, sagten sie, »nach der Klugheit Dans. Denn er soll nicht harren und zweifeln, sondern klipp und klar soll es ihm sein und mit Händen zu greifen, daß es nicht mehr gibt den Dumuzi und dahin ist der Hätschelhans. Wir aber wollen gereinigt vor ihm sein durch das Zeichen. Sieh, was wir vorbereitet, während du eigene Wege gingest!«

Und sie brachten die Fetzen des Schleiers herbei, die von halbgetrocknetem Blute starrten.

»Ist es sein Blut?!« rief Ruben mit der hohen Stimme seines mächtigen Leibes und schauderte furchtbar... Denn einen Augenblick dachte er nicht anders, als daß sie ihm bei der Grube zuvorgekommen seien und den Joseph getötet hätten.

Sie lächelten einander zu.

»Was du wähnst und faselst!« sagten sie. »Nach der Abrede ist es geschehen, und ein Tier der Herde hat sein Blut gegeben zum Zeichen, daß Joseph dahin ist. Das bringen wir nun vor den Vater und lassen es seine Sache sein, sich's zu deuten, wie er muß, denn es bleibt nichts übrig, als daß der Löwe den Joseph auf dem Felde betreten und hat ihn zerrissen.«

Ruben saß, die gewaltigen Knie vor sich, und wühlte die Fäuste in seine Augenhöhlen.

»Unselige!« stöhnte er. »Unselige wir! Ihr plappert leichten Mundes vom Künftigen und seht's nicht und kennt's nicht. Denn undeutlich und blaß ist es euch in der Ferne, und fehlt euch die Kraft im Kopfe, es nahe heran zu bringen und für eines Blinzelns Dauer nur in der Stunde zu leben, wenn sie genau worden. Sonst würde euch grausen und würdet lieber wollen, daß der Blitz euch niederstrecke beizeiten oder daß ihr versenkt wäret, einen Mühlstein um den Hals, ins Wasser, wo es am tiefsten ist, als daß ihr bestündet das Angerichtete und löffeltet die Suppe, die ihr euch einbrockt. Ich aber lag vor ihm, da ich übel getan und er mir fluchte, und kenne die Inbrunst seiner Seele im Zorn, – ich sehe auch, genau, als wär' es schon wirklich, wie schauderhaft sie sich gebärden wird im Jammer. ›Das bringen wir vor den Vater und lassen's ihn deuten.‹ Ihr Plappermäuler! Ja, er wird's deuten! Doch sehe das einer mit an, wenn er's deutet, und ertrage es, wenn er seine Seele zum Ausdruck bringt! Denn Gott schuf sie weich und groß und lehrte sie, sich überwältigend hervorzukehren. Nichts seht ihr und bildet euch nichts mit Deutlichkeit ein, was nicht schon heraufgekommen; darum plappert ihr getrost vom Künftigen und kennt kein Zagen. Ich aber fürchte mich!« rief er, der bärenstarke Mann, und stand vor ihnen auf in Turmeshöhe mit ausgebreiteten Armen. »Wo soll ich hin, wenn er sich's deutet?!«

Betreten saßen die Neune und blickten jeder verschüchtert in seinen Schoß.

»Schon gut«, versetzte Jehuda leise. »Hier ist keiner, der nach dir spiee ob deiner Furcht, Re'uben, meiner Mutter Sohn, denn mutig ist's auch, seine Furcht zu gestehen, und wenn du meinst, uns sei dreist und fröhlich ums Herz und um die Nieren herum und wüßten nichts von der Furcht Jaakobs, so bist du im Irrtum. Was frommt es aber, Geschehenes zu verwünschen, und was, zu rütteln an dem Notwendigen? Joseph ist aus der Welt, und dies Blutkleid besagt es. Zeichen ist milder denn Wort. Darum bringen wir vor Jaakob das Zeichen und sind des Worts überhoben.«

»Müssen wir denn«, frug Ascher hier, Silpa's Sohn, und leckte sich nach seiner Gewohnheit die Lippen, »müssen wir denn, da schon die Rede vom Überbringen ist, alle auf einmal bringen das Zeichen vor Jaakob und alle dabei sein, wenn er sich's deutet? Ziehe doch einer voran mit dem Kleid und bringe es ihm; aber wir andern kommen fein nach und treten erst hin, wenn er sich's schon gedeutet hat, so scheint es mir milder. Ich schlage Naphtali vor, den Geläufigen, zum Träger und Boten. Oder es möge das Los uns weissagen, wer's tragen soll.«

»Das Los!« rief Naphtali eilends. »Ich bin fürs Los, denn ich plappere auch nicht vom Künftigen, ohne mir's einzubilden, und bekenne freien Muts meine Furcht!«

»Hört, Männer!« sprach Dan. »Jetzt will ich richten und euch alle erlösen. Denn von mir stammt der Plan, und er ist bildsam in meiner Hand wie nasser Ton und wie Töpfererde: ich will ihn verbessern. Denn wir müssen dem Jaakob das Kleid nicht bringen, weder einer, noch alle. Sondern Fremden geben wir's, irgendwelchen, die wir uns dingen, Leuten des Orts und der Gegend, empfänglich für gute Worte und etwas Wolle und Dickmilch. Denen schärfen wir's ein, was sie reden sollen vor Jaakob: ›So und so, und dies fanden wir nahe Dotan im Felde und stießen zufällig darauf in der Wüste. Sieh es doch näher an, mein Herr, ob es nicht etwa gar deines Sohnes Kleid ist!‹ In dieser Art. Wenn sie dies hergesagt, mögen sie sich aus dem Staube machen. Wir aber verziehen noch einige Tage, ehe wir nachrücken, bis er sich vollends gedeutet das Wahrzeichen und weiß, daß er Einen verloren und Zehne gewonnen hat. Seid ihr's zufrieden?«

»Das ist gut«, sagten sie, »oder läßt sich doch hören. Darum so laßt es uns annehmen, denn was sich nur hören läßt in diesem Fall, das muß man schon als recht gut betrachten.«

Alle nahmen es an, auch Ruben, obgleich er eine bittere Lache emporgesandt hatte, als Dan von Zehnen gesprochen, die Jaakob gewinne für Einen. Danach aber saßen sie immer noch vor den Hütten unter den Sternen und mochten den Rat nicht beenden; denn sie waren ungewiß ihrer Gemeinschaft wegen, und traute einer dem andern nicht. Es sahen die Neune den Ruben an, der offenbar den Versenkten hatte stehlen und sie untertreten wollen, und fürchteten sich vor ihm. Er aber sah die Neune an, die bei der Nachricht, die Grube sei leer, so wunderlich unbewegt geblieben, und wußte nicht, was er denken sollte.

»Einen grimmen Eid«, sprach Levi, der roh, aber fromm war und heilige Förmlichkeiten gern und mit Sachkenntnis veranstaltete, »einen gräßlichen müssen wir schwören, daß keiner von uns jemals dem Jaakob noch irgendeinem andern ein Sterbenswörtchen wird ansagen von dem, was hier geschehen und was wir mit dem Träumer gemacht, noch auch nur mit einem Wink, Blink und Zwink des Auges will zielen, schielen und spielen auf diese Geschichte hin, bis in den Tod!«

»Er sagt es, das müssen wir«, bestätigte Ascher. »Und muß dieser Eidschwur uns Zehne zusammenbinden und -bündeln, daß wir wie e i n Körper sind und wie e i n Schweigen, als ob wir nicht einzeln wären, da und dort, sondern e i n Mann, der die Lippen zusammendrückt und tut sie auch im Tode nicht auf, sondern stirbt, den Mund verbissen vor seinem Geheimnis. Man kann Geschehenes ersticken und umbringen durch Schweigen, das man darüber wälzt wie einen Felsblock: Da geht ihm der Atem aus mangels Luft und Licht und hört auf, geschehen zu sein. Glaubt mir, so kommt vieles um, was geschah, wenn das Schweigen darüber nur unverbrüchlich genug ist, denn ohne Wortes Hauch kann nichts bestehen. Schweigen müssen wir wie ein Mann, dann ist's aus mit dieser Geschichte, und dazu helfe uns Levi's grimmer Eidschwur, – er soll uns bündeln!«

Es war ihnen recht, denn keiner wollte gern auf sich allein gestellt sein im Schweigen, sondern lieber ein jeder teilhaben an einer gemeinsam-mächtigen Unverbrüchlichkeit und in ihr geborgen sein mit seiner Schwäche. Darum dachte Levi, Lea's Sohn, scheußliche Formeln aus zum Schwören, und sie rückten so nahe zusammen, daß ihre Nasen aneinander stießen und ihr Atem sich vermischte, gaben die Hände in einen Haufen und riefen einstimmig den Höchsten an, El-eljon, den Gott Abrahams, Jizchaks und Jaakobs, bestellten aber auch mehrere Landesbaale, die sie kannten, sowie den Anu von Uruk, den Ellil von Nippur und den Bel Charran, Sin, den Mond, zu Eideshelfern und verschworen sich, beinahe Mund an Mund, in einstimmigem Sprechgesang, daß derjenige, der »es« nicht verschweige oder auch nur mit Wink, Blink und Zwink darauf ziele, schiele und anspiele, der solle unmittelbar danach zur Hure werden; Sins Tochter, der Weiber Herrin, solle ihm den Bogen nehmen, nämlich die Mannheit, daß er wie ein Maultier sei, richtiger gesagt aber eine Hure, die dahinnehme ihren Lohn auf der Gasse; ein Land solle ihn ins andre vertreiben, so daß er nicht wissen solle, wohin sein Hurenhaupt betten, und weder leben noch sterben solle er können, sondern es sollten sich Leben und Tod ihn vor Ekel einander zuspeien äonenlang.

So der Schwur. Da sie ihn geschworen, war ihnen leichter und fester, denn sie hatten sich ungeheuer versichert. Als sie aber auseinandertraten von dem Bündnis und hingingen, ein jeder seinen eigenen Schlaf zu schlafen, sagte einer zu einem andern (es war Issakhar, der es zu Sebulun sagte):

»Ich habe einen Neid, und es ist der auf Turturra, den Kleinen, Benjamin, unsern Jüngsten zu Hause, daß er von nichts weiß und blieb aus diesen Geschichten und diesem Bunde. Er hat es gut, finde ich, und ich bin ihm neidisch. Du nicht auch?«

»Ich allerdings auch«, erwiderte Sebulun.

Ruben jedoch für sein Teil versuchte der Worte des lästigen

Jünglings zu gedenken, des Mannes vom Ort, der auf dem Brunnenstein gesessen war. Es war nicht leicht, ihrer zu gedenken, denn recht sehr verschwommen waren sie gewesen und voll Zwielichtes, mehr Rederei denn Rede und nicht wiederherzustellen. Und dennoch war in Rubens tiefstem Verstande ein Keim davon zurückgeblieben, der nichts von sich wußte, wie der Keim des Lebens nichts von sich weiß im Leibe der Mutter, aber die Mutter weiß von ihm. Es war der Keim der Erwartung, den Ruben hegte, und nährte ihn heimlich mit seinem Leben im Schlafen und Wachen, bis er zum grauen Manne geworden, durch so viel Jahre, wie Jaakob gedient hatte bei Laban, dem Teufel.

Siebentes Hauptstück: Der Zerrissene

Jaakob trägt Leid um Joseph

Ist Zeichen milder denn Wort? Das ist sehr strittig. Juda urteilte vom Standpunkt des Schreckensbringers, der wohl das Zeichen vorziehen mag, da es ihm Worte erspart. Jedoch der Empfänger? Das Wort kann er aus aller Kraft seiner Unwissenheit in den Wind schlagen, es als Lüge und greuliche Faselei unter die Füße treten und es in die Hölle des unausdenkbaren Unsinns verweisen, wohin es nach seiner gewaltsam lachenden Überzeugung gehört, ehe sein Recht aufs obere Licht dem Ärmsten dämmert. Das Wort dringt nur langsam ein; vor allem einmal ist es unverständlich, sein Sinn nicht zu fassen, nicht zu verwirklichen; eine Weile steht es dir frei, die Zerrüttung, die es in deinem Hirn und Herzen anrichten will, zur Fristung deiner Unwissenheit, deines Lebens auf den Boten zurückzuschieben und ihn als wahnsinnig hinzustellen. »Was sprichst du?« kannst du fragen. »Ist dir nicht gut? Komm, ich will dich etwas pflegen und dir einen Schluck zu trinken geben. Dann magst du wieder reden, und zwar so, daß es sich hören läßt!« Das ist kränkend für jenen, aber um deiner Lage willen, deren er Meister ist, sieht er dir's nach, und allmählich macht sein vernünftig-erbarmender Blick dich wankend. Du hältst diesem Blicke nicht stand, du begreifst, daß die Vertauschung der Rollen, die du um deiner Selbsterhaltung willen erzwingen möchtest, nicht zu bewerkstelligen ist und daß es vielmehr an dir ist, von ihm einen Schluck zu trinken anzunehmen...

Einen solchen verzögernden Kampf gegen die Wahrheit gestattet das Wort. Aber nichts dergleichen ist möglich bei Einsetzung des Zeichens. Seine gesammelte Grausamkeit gestattet keinerlei aufschiebende Fiktion. Es ist unmißverständlich und braucht nicht verwirklicht zu werden, da es wirklich ist. Es ist greifbar und verschmäht die schonende Eigenschaft, unbegreiflich zu sein. Es läßt überhaupt keinen vorläufigen Ausweg zum Entschlüpfen offen. Es zwingt dich das, was du, vernähmest du es in Worten, als Wahnsinn zurückweisen würdest, selber in deinem Haupte hervorzubringen und dich also entweder selbst für wahnsinnig zu halten oder die Wahrheit anzunehmen. Mittelbarkeit und Unmittelbarkeit verschränken sich im Wort und im Zeichen auf verschiedene Weise, und unentschieden möge es bleiben, welchem die brutalere Unmittelbarkeit zukommt. Das Zeichen ist stumm – aber nur aus dem unmilden Grunde, weil es die Sache selbst ist und nicht zu reden braucht, um »begriffen« zu werden. Schweigend wirft es dich auf den Rücken.

Daß Jaakob beim Anblick des Kleides, aller Voraussicht entsprechend, umfiel, ist gesicherte Tatsache. Gesehen aber hat niemand, wie es geschah; denn die Männer von Dotan, armselige Leute, die, ihrer zwei, es gegen ein Quantum Wolle und Dickmilch stumpfen Sinns übernommen hatten, die Finder zu spielen, hatten sich nach Hersagung ihres Lügensprüchleins sogleich wieder aus dem Staube gemacht, ohne die Wirkung abzuwarten. Sie hatten Jaakob, den Gottesmann, die blutstarren Schleierfetzen in Händen, an dem Orte stehen lassen, wo sie ihn getroffen, vor seinem härenen Hause, und sich auf die Weise gedrückt, daß sie zuerst ein paar gewaltsam langsame Schritte getan und dann aus allen Kräften losrennend das Weite gesucht hatten. Niemand weiß, wie lange er dort gestanden und auf das wenige niedergeblickt hatte, was, wie er allmählich hatte verstehen müssen, auf dieser Welt von Joseph übriggeblieben war. Dann war er jedenfalls umgefallen, denn auf dem Rücken liegend fanden ihn vorüberkommende Frauen: Weiber der Söhne, die Sichemitin Buna, Schimeons Gespons, und dasjenige Levi's, die sogenannte Enkelin Ebers. Diese nahmen ihn erschrocken auf und trugen ihn ins Zelt. Was er in Händen hielt, belehrte sie rasch über die Ursache seines Falles.

Es war aber keine gewöhnliche Ohnmacht, in der er lag, sondern eine Art von Starre, von der jede Muskel und Fiber ergriffen war, so daß man kein Gelenk hätte biegen können, ohne es zu zerbrechen, und die seinen Körper völlig versteinte. Die Erscheinung ist selten, tritt aber als Rückwirkung auf außerordentliche Zumutungen des Schicksals zuweilen auf und kommt einer Art von Sperrkrampf und verzweifelt-trotziger Verstockung gegen das Unannehmbare gleich, die sich nur langsam, spätestens aber in einigen Stunden löst, – kapitulierend gleichsam vor der unerbittlich anstehenden Leidenswahrheit, der nun einmal Zutritt und Einlaß gewährt werden muß.

Die von allen Seiten zusammengelaufenen und herbeigeholten Hofleute, Männer und Weiber, beobachteten furchtsam diese Erweichung eines zur Salzsäule Gewordenen zu einem dem Elende offenen Jammermann. Er hatte noch keinen Ton in der Kehle, als er, gleichsam ein Geständnis ablegend, den längst nicht mehr gegenwärtigen Bringern des Zeichens zur Antwort gab: »Ja, es ist meines Sohnes Rock!« Darauf schrie er mit schrecklicher, von der Verzweiflung ins Gellende erhöhter Stimme auf: »Ein böses Tier hat ihn gefressen, ein reißend Tier hat Joseph zerrissen!« Und als ob dieses Wort »zerrissen« ihn darauf gebracht hätte, was nun zu tun sei, begann er, seine Kleider zu zerreißen.

Da Hochsommer herrschte und seine Kleidung leicht war, bot sie ihm nicht allzuviel Widerstand. Aber obgleich er alle Kraft seines Elends in sein Betreiben legte, währte es ziemlich lange vermöge der unheimlich schweigenden Gründlichkeit, mit der er es durchführte. Entsetzt und mit Gebärden, die die Ausschreitung vergebens zu verhindern strebten, mußten die Umstehenden sehen, wie er nicht, nach ihrer mäßigen Erwartung, beim Oberkleid stehenblieb, sondern, offenbar in Verfolgung eines wilden Vorsatzes, tatsächlich alles zerriß, was er anhatte, die Fetzen einen nach dem anderen von sich warf und sich völlig entblößte. Als Handlungsweise des schamhaften Mannes, dessen Abneigung gegen jede Nacktheit des Fleisches alle Welt zu respektieren gewohnt war, wirkte das in so hohem Grade unnatürlich und erniedrigend, daß es nicht anzusehen war und die Hofleute denn auch unter klagenden Verwahrungen sich abwandten und verhüllten Hauptes hinausdrängten.

Für das, was sie vertrieb, ist »Scham« nur unter der Bedingung das rechte und zulängliche Wort, daß man es nach seinem letzten und weitgehend vergessenen Sinne versteht: als einsilbige Umschreibung jenes Grauens, das entsteht, wenn das Urtümliche die Schichten der Gesittung durchbricht, an deren Oberfläche es nur noch in gedämpften Andeutungen und Gleichnissen fortwirkt. Eine solche gesittete Andeutung ist in dem Zerreißen des Oberkleides bei schwerer Trauer zu erblikken: Es ist die bürgerliche Abmilderung der ursprünglichen Sitte oder Vorsitte, die Kleider ganz und gar abzutun, Hülle und Schmuck als Abzeichen einer Menschenwürde, die durch äußersten Jammer vernichtet und gleichsam vor die Hunde gekommen ist, zu verschmähen und sich zur bloßen Kreatur zu erniedrigen. Dies tat Jaakob. Er ging aus tiefstem Schmerz auf den Grund der Sitte, vom Sinnbild zur rohen Sache selbst und zum schrecklich Eigentlichen zurück; er tat, was »man nicht mehr tut«, und das ist, recht bedacht, die Quelle alles Grauens. Unterstes kommt dabei zuoberst; und wenn er, um der Gründlichkeit seines Elends Ausdruck zu geben, sich hätte einfallen lassen, wie ein Schafbock zu blöken, so hätte den Hofleuten nicht übler dabei zu Sinne werden können.

Sie flohen also schamhaft; sie verließen ihn, – und es könnte zweifelhaft sein, ob das dem bedauernswerten Alten ganz lieb und recht war; ob die Erzeugung von Grauen nicht in seinen tiefsten Wünschen lag und ob er, bei seiner krassen Kundgebung allein gelassen, noch so ganz auf seine Rechnung kam. Er war jedoch nicht allein, und die Kundgebung bedurfte keiner menschlichen Zeugenschaft, um ihr Wesen und ihren Zweck, nämlich eben die Erregung von Grauen, zu wahren. An wen, genauer gesagt: gegen wen sie sich richtete, bei wem sie eigentlich Grauen zu erzeugen bestimmt war und wem sie, als ausdrucksvolle Rückkehr zum Urstande der Natur, vor Augen führen sollte, wie rückfällig-wüstenmäßig er selbst sich benommen habe, – das wußte der verzweifelte Vater ganz genau, und auch die Seinen erfuhren es nach und nach, zumal Eliezer, »Abrahams Ältester Knecht«, der sich seiner annahm, – diese Einrichtung von einem Greise, der auf so besondere Weise »Ich« zu sagen wußte und dem die Erde entgegengesprungen war.

Auch er war von der schrecklichen, durch das Wahrzeichen erhärteten Nachricht, daß Joseph, sein schöner und anstelliger Schüler, der Sohn der Rechten, auf der Reise tödlich verunglückt und einem reißenden Tier zum Opfer gefallen war, ins Herz getroffen; aber seine seltsam unpersönliche Verfassung, sein eigentümlich weitläufiges Selbstgefühl gestatteten ihm ein gewisses Phlegma im Hinnehmen des Schlages, und außerdem ließ die so notwendige Sorge um Jaakob, den Jammermann, ihn den eigenen Kummer für wenig achten. Eliezer war es, der den Herrn mit Speise versah, obgleich dieser sie tagelang gänzlich verweigerte, und der ihn zur Not bestimmte, wenigstens nachts sein Zelt und Bettlager aufzusuchen, wo er dann auch nicht von seiner Seite wich. Für Tags nämlich hatte Jaakob seinen Platz auf einem Scherben- und Aschenhaufen in einem abseitigen, von Schatten ganz entblößten Winkel der Siedlung genommen, und dort saß er nackend, die Schleierstücke in Händen, Haar, Bart und Schultern mit Asche bestreut, indem er sich zeitweise mit einer aufgelesenen Scherbe den Körper schabte, als sei er mit Schwären und Aussatz geschlagen, – eine rein symbolische Handlungsweise, denn es war nicht die Rede von Schwären, und das Schaben gehörte zu den Kundgebungen, die anderswohin gerichtet waren.

Es war freilich der Anblick dieses armen, büßenden Körpers auch ohne die bildlich behauptete Unreinheit kläglich-ergreifend genug, und jedermann, bis auf den Großknecht, mied voller Scheu und Ehrfurcht die Stätte dieser Preisgabe. Jaakobs Leib war ja nicht mehr der des zart-rüstigen Jungmannes, der am Jabbok unbesiegt mit dem rindsäugigen Fremden gerungen und mit der Unrechten die wehende Nacht verbracht; auch dessen nicht mehr, der spät mit der Rechten den Joseph gezeugt. An siebzig Jahre, nicht wohl vermerkt durch rechnende Aufmerksamkeit, aber sachlich wirksam, waren darüber hingegangen und hatten ihm die rührend-abweisenden Verunstaltungen des Alters zugefügt, die seine Bloßstellung so schmerzlich machten.

Jugend zeigt sich gern und freimütig nackend; sie hat das gute Gewissen ihrer Schönheit. Alter verhüllt sich in würdiger Scham und weiß, warum. Diese von der Hitze gerötete, mit weißem Haar bewachsene und, wie es bei Jahren geht, in ihrer Form schon dem Weiblichen sich annähernde Brust, diese entkräfteten Arme und Schenkel, die Falten dieses erschlafften Bauches enthüllt zu sehen, war niemandes Sache als eben etwa des alten Eliezer, der es mit Ruhe nahm und keinen Einspruch dagegen erhob, da er die Kundgebung des Herrn nicht stören mochte.

Noch weniger war er der Mann, den Jaakob an seinen übrigen, das Maß des in schwerer Trauer Üblichen nicht überschreitenden Maßnahmen zu hindern: besonders an dem Aufenthalt auf dem Kehrichthaufen und der immer erneuerten Besudelung mit der Asche, die sich mit Schweiß und Tränen mischte. Diese Dinge waren zu billigen, und Eliezer ließ es sich nur angelegen sein, über dem Bußort ein notdürftiges Schattendach zu errichten, damit in den Hochstunden des Tages die Tammuz-Sonne ihnen nicht allzu grausam zusetze. Trotzdem war Jaakobs Jammermiene mit dem offenstehenden Munde, dem im Barte hängenden Unterkiefer und den immer wieder aus unfaßbaren Leidenstiefen nach oben rollenden Augen rot gedunsen von Hitze und Heimsuchung, und er selber stellte es fest, nach der Art weich-bewußter Menschen, denen es um ihre Zustände zu tun ist und die meinen würden, diese kämen zu kurz, wenn sie sie nicht in Worte faßten.

»Hochrot und geschwollen«, sagte er mit zitternder Stimme, »ist mein Antlitz vom Weinen. Tiefgebeugt setze ich mich weinend hin, über mein Angesicht gehen nieder meine Tränen.«

Das waren nicht seine eigensten Worte, man hörte es gleich. Schon Noah sollte, alten Liedern zufolge, so oder ähnlich angesichts der Flut gesprochen haben, und Jaakob machte es sich zu eigen. Denn es ist ja gut und tröstlich-bequem, daß aus Frühzeiten der leidverfolgten Menschheit Wortgefüge der Klage aufbewahrt sind und bereit liegen, die auch aufs Später-Gegenwärtige passen wie dafür geprägt und dem schmerzhaften Leben Genüge tun, soweit Worte ihm nur Genüge zu tun vermögen, so daß man sich ihrer bedienen und das eigene Leid mit dem uralten, immer vorhandenen vereinigen mag. In der Tat konnte Jaakob seinem Elend nicht mehr Ehre erweisen, als indem er es mit der Großen Flut gleichsetzte und Worte darauf anwandte, die auf diese gemünzt worden waren.

Überhaupt sprach und klagte er viel Gemünztes oder Halbgemünztes in seiner Verzweiflung. Besonders der immer wieder ausgestoßene Jammerruf: »Ein reißend Tier hat Joseph gefressen! Zerrissen, zerrissen ist Joseph!« trug leichtgemünzten Charakter, wenn auch niemand glauben darf, daß dadurch seine Unmittelbarkeit im geringsten vermindert worden wäre. Ach, an dieser fehlte es nicht, trotz der Gemünztheit.

»Lamm und Mutterschaf sind geschlachtet!« litaneite Jaakob, wiegte sich hin und her und weinte bitterlich. »Zuerst die Mutter und nun auch das Lamm! Das Mutterschaf hat das Lamm verlassen, als nur noch ein Feldweg war bis zur Herberge; nun ist auch das Lamm verirrt und verloren! Nein, nein, nein, nein! Zuviel, zuviel! Weh, weh! Über den geliebten Sohn erhebt sich Wehklage. Über das Reis, dessen Wurzeln ausgerissen sind, über meine Hoffnung, die ausgerissen ist wie ein Setzling – Wehklage. Mein Damu, mein Kind! Zur Wohnung ward ihm die Unterwelt! Brot werde ich nicht essen, Wasser werde ich nicht trinken. Zerrissen, zerrissen ist Joseph...«

Eliezer, der ihm von Zeit zu Zeit mit einem in Wasser getauchten Tuch das Gesicht abwischte, beteiligte sich an seinen Klagen, soweit sie sich auf diese Art im Fertig-Formelhaften und Vorgeprägten hielten oder sich daran lehnten, indem er wenigstens in das stehend Wiederkehrende, den Ruf »Wehklage!« etwa oder das »Zerrissen, zerrissen!«, murmelnd oder halbsingend einstimmte. Übrigens klagte stundenweise der ganze Hof und hätte das auch getan, wenn die Trauer über das Abhandenkommen des liebenswürdigen Haussohnes weniger ungeheuchelt gewesen wäre. »Hoi achî! Hoi adôn! Weh um den Bruder! Weh um den Herrn!« klang es im Chor zu Jaakob und Eliezer hinüber, und auch von dorther vernahmen sie, wenn auch nicht so wörtlich gemeint, die Verweigerung von Speise und Trank, denn ausgerissen sei der Setzling und im Wüstenwinde verdorrt das Grünkraut.

Gut ist der Brauch, wohltätig die Regelung von Jubel und Jammer durchs Vorgeschriebene, daß sie nicht wirr ausartend umhergreifen und ausschweifen, sondern ein festes Bett ihnen bereitet ist, darin sie hinströmen mögen. Auch Jaakob empfand Segen und Dienlichkeit bindenden Herkommens; aber der Enkel Abrahams war ein zu ursprünglicher Geist, und auf zu lebendige Art war bei ihm das allgemeine Gefühl mit dem persönlichen Gedanken verbunden, als daß es im Gleichförmigen Genüge hätte finden können. Er redete und klagte auch frei und ungemünzt, und auch dabei wischte Eliezer ihm das Gesicht, indem er manchmal ein Wort beruhigender Zustimmung oder warnender Gegenerinnerung einfügte.

»Was ich gefürchtet habe«, brachte Jaakob mit seiner vom Leide verkleinerten, erhöhten und halb erstickten Stimme hervor, »ist über mich gekommen, und was ich gesorgt habe, ist eingetroffen! Verstehst du das, Eliezer? Kannst du es fassen? Nein, nein, nein, nein, das kann man nicht fassen, daß wirklich geschieht, was man gefürchtet hat. Hätte ich's nicht gesorgt und wär' es hereingebrochen ungeahnt, so würde ich's glauben; ich würde sagen zu meinem Herzen: Gedankenlos warst du und hast dem Übel nicht vorgebeugt, da du's nicht bannend ins Auge faßtest beizeiten. Siehe, die Überraschung ist glaubhaft. Daß aber kommt das Geahndete und scheut sich nicht, dennoch zu kommen, das ist ein Greuel in meinen Augen und ist wider die Abmachung.«

»Es ist nichts abgemacht in Sachen der Heimsuchung«, erwiderte Eliezer.

»Nein, nicht rechtens. Aber für des Menschen Gefühl, das auch seine Vernunft hat und seine Empörung! Denn wozu ward dem Menschen die Furcht gegeben und die Vorsorge, als daß er das Übel damit beschwöre und nehme dem Verhängnis schon früh die bösen Gedanken weg, sie selber zu denken? Da ärgert sich's wohl, aber schämt sich auch und spricht bei sich: ›Sind es noch meine Gedanken? Es sind des Menschen Gedanken, ich mag sie nicht mehr.‹ Aber was soll aus dem Menschen werden, wenn die Vorsorge nichts mehr gilt und er vergebens fürchtet, nämlich mit Recht? Oder wie soll leben ein Mensch, wenn er sich nicht mehr darauf verlassen kann, daß es anders kommt, als er denkt?«

»Gott ist frei«, sagte Eliezer.

Jaakob schloß seine Lippen. Er nahm den fallengelassenen Scherben auf und schabte wieder seine symbolischen Schwären. Anders ging er vorerst nicht ein auf den Namen Gottes. Er fuhr fort:

»Wie habe ich gesorgt und gebangt, ein wildes Tier des Gebüsches möchte irgendeinmal das Kind betreten und ihm ein Leides tun, und ließ es hingehen, daß ich ein Gespött war in meiner Angst vor den Leuten, und nahm's in den Kauf, daß sie sprachen: ›Seht doch die alte Amme!‹ Und war lächerlich wie ein Mensch, der da immerfort spricht: ›Ich bin krank, ich bin sterbenskrank!‹, sieht aber gesund aus und stirbt nicht, und niemand nimmt's ernst und schließlich er selber nicht. Da aber finden sie ihn tot und bereuen die Spottlust und sprechen: ›Siehe, er war kein Narr.‹ Kann der Mann sich noch gütlich tun an ihrer Beschämung? – Nein, denn er ist tot. Und wäre lieber ein Narr gewesen vor ihnen und vor sich selbst denn gerechtfertigt auf ungenießbare Weise. Da sitz' ich im Kehricht, hochrot und geschwollen ist mein Gesicht vom Weinen, und über mein Antlitz gehen die Aschentränen. Kann ich frohlocken über sie, weil's eingetroffen? Nein, denn es ist eingetroffen. Tot bin ich, denn tot ist Joseph, zerrissen, zerrissen...

Da, Eliezer, nimm und sieh: Das Kleid und des Bildschleiers Fetzen! Den hob ich der Liebsten und Rechten im Brautgemach und reichte ihr die Blüte meiner Seele. Dann aber war's die Unrechte gewesen durch Labans List, und meine Seele war beschimpft und zerrissen auf unsägliche Weise für lange Zeit, – bis mir die Rechte in grausen Schmerzen den Knaben brachte, Dumuzi, mein alles, – nun ist auch der mir zerrissen und getötet die Augenweide. Ist das zu fassen? Ist sie annehmbar, diese Zumutung? Nein, nein, nein, nein, ich begehre, nicht mehr zu leben. Ich wünsche, meine Seele wäre erhangen und des Todes dieses Gebein!«

»Sündige nicht, Israel!«

»Ach, Eliezer, lehre du mich Gott fürchten und anbeten seine Übergewalt! Er läßt sich bezahlen Namen und Segen und Esau's bitteres Weinen, bezahlen kräftiglich! Er setzt den Preis an nach Willkür und treibt ihn ein sonder Nachsicht. Er hat nicht gehandelt mit mir und mich nicht abdingen lassen, was mir zuviel ist. Er nimmt, was ich zahlen kann seiner Meinung nach, und will besser wissen denn ich, was meine Seele vermag. Kann ich mit ihm rechten von gleich zu gleich? Ich sitze in der Asche und schabe mich, – was will er mehr? Meine Lippen sprechen: ›Was der Herr tut, ist wohlgetan.‹ Er halte sich an meine Lippen! Was ich denke in meinem Herzen, ist meine Sache.«

»Aber er liest auch im Herzen.«

»Das ist nicht meine Schuld. Er hat's gemacht, daß er auch das Herz sieht, und nicht ich. Er hätte besser getan, dem Menschen eine Zuflucht zu lassen vor der Übergewalt, daß er murren könnte wider das Unannehmbare und sein Teil denken über die Gerechtigkeit. Seine Zuflucht war dies Herz und sein Lustgezelt. Kam er zu Besuch, so war's fein geschmückt und mit Besen gekehrt, und bereitet war ihm der Ehrensitz. Jetzt ist nichts als Asche darin, mit Tränen vermischt, und Unrat des Elends. Er meide mein Herz, daß er sich nicht besudele, und halte sich an meine Lippen.«

»Wolltest du doch nicht sündigen, Jaakob ben Jizchak.«

»Drisch nicht Worte, alter Knecht, denn sie sind leeres Stroh! Nimm dich meiner an und nicht Gottes, denn er ist übergroß und lacht deiner Fürsorge, ich aber bin nur ein Haufen Jammers. Sprich nicht von außen auf mich ein, sondern rede mir aus der Seele, nichts anderes kann ich ertragen. Weißt du und hast du verstanden, daß Joseph dahin ist und nicht zu mir wiederkehrt, nie, nie? Nur wenn du das bedenkst, kannst du mir aus der Seele reden und wirst kein Stroh dreschen. Eigenen Mundes trug ich ihm die Reise auf und sprach: Zieh nach Schekem und neige dich vor deinen Brüdern, daß sie heimkommen und Israel nicht dastehe als ein entlaubter Stamm! Diese Zumutung stellte ich ihm und mir und faßte uns rauh an, daß er allein reise, ohne Knechte; denn ich erkannte seine Torheit für meine Torheit und verhehlte mir nicht, was Gott wußte. Gott aber verhehlte mir, was er wußte, denn er gab mir's ein, dem Kind zu befehlen: Zieh dahin!, und hielt hinterm Berge mit seinem Wissen und wilden Vorhaben. Das ist die Treue des gewaltigen Gottes, und so vergilt er Wahrhaftigkeit mit Wahrhaftigkeit!«

»Hüte wenigstens deine Lippen, Sohn der Rechten!«

»Meine Lippen sind mir gemacht, daß ich ausspeie das Ungenießbare. Sprich nicht von außen, Eliezer, sondern von innen! Was denkt sich Gott, daß er mir auflegt, wovon sich mir die Augen verdrehen und ich von Sinnen komme, weil's nichts für mich ist? Habe ich denn Kraft von Steinen, und ist ehern mein Fleisch? Hätte er mich aus Erz gemacht in seiner Weisheit, so aber ist's nichts für mich... Mein Kind, mein Damu! Der Herr hat ihn gegeben, der Herr hat ihn wieder genommen, – hätte er ihn doch nicht gegeben erst oder mich selbst nicht aus Mutterleib kommen lassen und überhaupt nichts! Was soll man denken, Eliezer, und wohin sich wenden und winden in seiner Not? Wäre ich nicht, so wüßte ich nichts, und es wäre nichts. Da ich aber bin, ist's immer noch besser, daß Joseph dahin ist, als daß er nie gewesen wäre, denn so habe ich doch, was mir bleibt, meinen Jammer um ihn. Ach, Gott hat gesorgt, daß man nicht wider ihn sein kann und muß ja sagen, indem man nein sagt. Ja, er hat ihn gegeben meinem Alter, sein Name sei innig gelobt dafür! Er hat ihn gearbeitet mit Händen und reizend gemacht. Wie Milch hat er ihn gemolken und seine Gebeine wohl aufgebaut, hat ihm Haut und Fleisch angezogen und Huld über ihn ausgegossen, also daß er mich bei den Ohrläppchen nahm und lachte: ›Väterchen, gib mir's!‹ Und ich gab's ihm, denn ich war nicht von Erz oder Stein. Da ich ihn zur Reise rief und ihm die Zumutung stellte, rief er: ›Hier bin ich!‹ und schlug mit den Fersen auf, – denke ich dran, so fährt mein Heulen heraus wie Wasser! Denn ebenso gut hätte ich ihm das Holz auflegen mögen zum Brandopfer und ihn bei der Hand nehmen und selber Feuer und Messer tragen. Oh, Eliezer, ich habe bekannt vor Gott und eingestanden zerknirscht und redlich, daß ich's nicht vermocht hätte. Meinst du, er hätte gnädig angenommen meine Demut und sich erbarmt meines Eingeständnisses? Nein, sondern schnob drüber hin und sprach: ›Was du nicht tun kannst, geschehe, und ob du's auch nicht zu geben vermagst, so nehm ich's.‹ Das ist Gott!

Hier, sieh: Das Kleid und die Fetzen des Kleides, starr von Blut. Es ist das Blut seiner Adern, die ihm das Untier zerriß mitsamt dem Fleische. O Grauen, Grauen! O Sünde Gottes! O wilde, blinde, vernunftlose Missetat!... Zuviel hatte ich ihm zugemutet, Eliezer, zuviel dem Kinde. Er ging fehl auf dem Felde und verirrte sich in der Wüste, – da fiel das Ungeheuer ihn an und schlug ihn sich nieder zum Fraße, ungeachtet seiner Angst. Vielleicht hat er nach mir geschrien, vielleicht nach der Mutter, die starb, als er klein war. Niemand hörte ihn, Gott hatte vorgesorgt. Meinst du, daß es ein Löwe war, der ihn schlug, oder ein grobes Schwein, das ihn anfiel mit gesträubten Federn und in ihn wühlte sein Gewehr...«

Er schauderte, verstummte und geriet ins Grübeln. Unvermeidlich stellte das Wort »Schwein« Gedankenverbindungen her, die das Gräßlich-Einmalige, das sein Gefühl zerriß, ins Obere, Vor- und Urbildhafte, Umschwingend-Immerseiende erhoben, es gleichsam unter die Sterne versetzten. Der Keiler, das wütende Hauptschwein, das war Seth, der Gottesmörder, es war der Rote, war Esau, den er, Jaakob, ausnahmsweise zu erweichen gewußt hatte, als er zu Eliphas' Füßen weinte, der aber urbildlich-richtigerweise den Bruder zerstückelte und der auch selber zerstückelt und zehnfach aufgeteilt hier unten vorkommen mochte. In diesem Augenblick wollte eine Ahnung, eine Art von legendärem Verdacht aus seiner Tiefe, wo er schon seit dem Empfange der blutigen Reste geruht hatte, höher gegen Jaakobs Bewußtsein aufsteigen: die finstere Vermutung, wer der verdammte Eber gewesen sei, der Joseph zerrissen hatte. Er ließ sie jedoch wieder hinab ins Dunkel fallen, bevor sie die Oberfläche erreicht hatte, ja half sogar selber etwas nach, sie zu unterdrücken. Merkwürdig genug, er wollte nichts von ihr wissen und wehrte sich gegen diese Erkenntnis, die ein Wiedererkennen des Oberen im Unteren gewesen wäre, weil der Schuldverdacht, hätte er ihn zugelassen, sich gegen ihn selber gerichtet hätte. Sein Mut, seine Wahrheitsliebe hatten hingereicht, Haftpflicht anzuerkennen für Joseph, und darum hatte er sich's zugemutet, ihn auf die Reise zu schicken. Aber seine Mitschuld einzusehen an des Kindes Verderben, die sich unweigerlich aus dem Bruder-, dem Brüderverdacht ergeben hätte, dazu reichten sein Mut, seine Wahrheitsliebe verzeihlicherweise nicht. Zuzugeben, daß er selber das Hauptschwein gewesen, das mit seiner gefühlsstolzen Narrenliebe den Joseph zur Strecke gebracht, das hieß er heimlich zuviel verlangt und wollte nichts davon wissen im bitteren Schmerz. Und dennoch rührte die unerträgliche Bitternis dieses Schmerzes gerade aus diesem unzugelassenen und ins Dunkel gebannten Verdachte her, wie auch der Drang nach krassen Kundgebungen des Elends vor Gott hauptsächlich auf ihn zurückzuführen war.

Um Gott aber war es Jaakob zu tun, er stand hinter allem, auf ihn waren seine grübelnden, weinenden, verzweifelten Augen gerichtet. Löwe oder Schwein – gewollt, erlaubt, mit einem Worte getan hatte Gott das Gräßliche, und er empfand eine gewisse, dem Menschen bekannte Genugtuung darüber, daß die Verzweiflung ihm erlaubte, mit Gott zu rechten, – ein erhöhter Zustand eigentlich, mit dem die äußere Erniedrigung in Nacktheit und Asche in eigentümlichem Widerspruch stand. Allerdings war diese Erniedrigung zum Rechten erforderlich. Jaakob schabte sein Elend, – dafür nahm er kein Blatt vor den Mund und hütete nicht seine Lippen.

»Das ist Gott!« wiederholte er mit betontem Schaudern. »Der Herr hat mich nicht gefragt, Eliezer, und mir nicht zur Probe befohlen: ›Bringe mir dar den Sohn, den du lieb hast!‹ Vielleicht wäre ich stark gewesen über mein demütig Erwarten und hätte das Kind gen Morija geführt trotz seinem Fragen, wo denn das Schaf sei zum Brandopfer; vielleicht hätt' ich's hören können, ohne in Ohnmacht zu fallen, und es vermocht, das Messer aufzuheben über Isaak im Vertrauen auf den Widder, – es wäre doch auf die Probe angekommen! Aber nicht so, nicht so, Eliezer. Er hat mich nicht erst der Probe gewürdigt. Sondern lockt mir das Kind vom Herzen kraft meiner redlichen Einsicht, daß ich nicht schuldlos am Brüderzwist, und führt's in die Irre, daß es der Löwe betrete und ein wildes Schwein die Haken schlage in sein Fleisch und wühle in seine Gedärme das Gebrech. Dies Tier frißt alles, mußt du wissen. Es hat ihn gefressen. Es hat noch seinen Kindern von Joseph aufs Lager gebracht, den kleinen Schweinen. Ist das zu fassen und anzunehmen? Nein, es ist ungenießbar! Ich speie es aus wie der Vogel das Gewöll. Da liegt es. Möge Gott damit anfangen, was er mag, denn es ist nichts für mich.«

»Besinne dich, Israel!«

»Nein, ich bin ohne Besinnung, mein Hausvogt. Gott hat sie mir entrissen, nun höre er meine Worte! Er ist mein Schöpfer, ich weiß es. Er hat mich wie Milch gemolken und mich wie Käse gerinnen lassen, ich gebe es zu. Aber was ist mit ihm, und wo wäre er ohne uns, die Väter und mich? Ist er kurz von Gedächtnis? Hat er vergessen des Menschen Qual und Mühsal um seinetwillen, und wie ihn Abram entdeckt und hervorgedacht, so daß er mochte seine Finger küssen und rufen: ›Endlich werde ich Herr und Höchster genannt!‹ Ich frage: Hat er des Bundes vergessen, daß er mit seinen Zähnen auf mich knirscht und sich gebärdet, als wäre ich sein Feind? Wo ist meine Übertretung und Missetat? Er zeige sie mir! Habe ich den Landesbaalen geräuchert und den Gestirnen Kußhände geworfen? Es war kein Frevel in mir, und mein Gebet war rein. Was leide ich Gewalt statt Gerechtigkeit? Er zerscheitere mich doch gleich in seiner Willkür und werfe mich in die Grube, denn es ist ihm ein kleines auch ohne Recht, und ich begehre, nicht mehr zu leben, wenn es Gewalt gilt. Spottet er des Menschengeistes, daß er im Übermut umbringt die Frommen und Bösen? Aber wo wäre denn er auch wieder ohne den Menschengeist? Eliezer, der Bund ist gebrochen! Frage mich nicht, warum, denn ich müßte dir traurig antworten. Gott hat nicht Schritt gehalten – verstehst du mich wohl? Gott und Mensch haben einander gewählt und den

Bund geschlossen, auf daß sie recht würden einer im anderen, was sie sind, und heilig würden einer im anderen. Ist aber der Mensch zart und fein worden in Gott, von gesitteter Seele, und Gott dagegen mutet ihm zu einen Wüstengreuel, den er nicht annehmen kann, sondern muß ihn ausspeien und sprechen: ›Es ist nichts für mich‹ – dann erweist sich, Eliezer, daß Gott nicht Schritt gehalten hat in der Heiligung, sondern ist zurückgeblieben und noch ein Unhold.«

Über solche Worte war Eliezer begreiflicherweise entsetzt, betete in die Höhe um Nachsicht für seinen außer Rand und Band geratenen Herrn und tadelte ihn entschlossen.

»Du redest unmöglich daher«, sagte er, »daß man's nicht hören kann, und zerrst an Gottes Mantel ganz wider alle Gebühr. Das sage ich dir, der mit Abram die Könige aus Osten schlug dank der Hilfe Gottes und dem auf der Brautfahrt die Erde entgegensprang. Denn du heißest Gott einen wüsten Unhold und stellst dich fein und zart gegen ihn, aber es sind deine Worte, aus denen die Wüste heult, und du verscherzest das Mitleid mit deinem großen Schmerz, da du ihn mißbrauchst und leitest Freiheiten greulicher Art daraus ab. Willst du befinden über Recht und Unrecht und zu Gericht sitzen über Den, der nicht nur den Behemoth gemacht hat, dessen Schwanz sich wie eine Zeder streckt, und den Leviathan, dessen Zähne schrecklich umherstehen und dessen Schuppen wie eherne Schilde sind, sondern auch den Orion, das Siebengestirn, die Morgenröte, die Hornissen, die Schlangen und den Staub-Abubu? Hat er dir nicht Jizchaks Segen gegeben vor Esau, dem etwas Älteren, und dir die Verheißung herrlich bestätigt zu Beth-el im Treppengesicht? Das ließest du dir gefallen und fandest nichts auszusetzen daran vom Standpunkt des zarten und feinen Menschengeistes, denn es war nach deinem Sinn! Hat er dich nicht reich und fett gemacht im Hause Labans und dir die staubigen Riegel geöffnet, daß du davon kamst mit Kind und Kegel, und Laban war wie ein Lamm vor dir auf dem Berge Gilead? Nun aber, da dir ein Leides geschehen, ein Schwerstes, das leugnet niemand, trotzest du auf, mein Herr, und schlägst aus wie ein bockiger Esel, wirfst alles hin auf liederliche Art und sprichst: ›Gott ist in der Gesittung zurückgeblieben.‹ Bist du von Sünde frei, da du Fleisch bist, und ist's so gewiß, daß du Gerechtigkeit geübt hast dein Leben lang? Willst du verstehen, was dir zu hoch ist, und das Leben ergründen nach seinem Rätsel, daß du drüber hinfährst mit deinem Menschenwort und sprichst: ›Es ist nichts für mich, und heiliger bin ich denn Gott‹? Wahrlich, das hätte ich nicht sollen hören, o Sohn der Rechten!«

»Ja, du, Eliezer«, antwortete Jaakob da mit verwahrlostem Spott. »Du bist mir der Wahre, du kannst so bleiben! Du hast die Weisheit mit Löffeln gegessen und schwitzest sie aus allen deinen Poren. Es ist wahrhaftig erbaulich, wie du mich schiltst und läßt einfließen, daß du mit Abram die Könige vertrieben habest, was glattweg unmöglich ist; denn nach der Vernunft bist du mein Halbbruder von einer Magd, geboren zu Dimaschki, und hast den Abraham sowenig mit Augen gesehen wie ich selber. Da sieh, wie ich mit deiner Erbauung umspringe in meinem Elend! Ich war rein, aber Gott hat mich in den Kot getunkt über und über, und solche Leute halten es mit der Vernunft, denn sie wissen nichts anzufangen mit frommer Beschönigung, sie lassen die Wahrheit nackend gehen. Auch daß dir die Erde entgegengesprungen sei, bezweifle ich hiermit. Es ist alles aus.«

»Jaakob, Jaakob, was tust du! Du zerstörst die Welt im Übermut deines Grams, du schlägst sie zu Stücken und wirfst sie an den Kopf dem Ermahner. Denn ich will nicht sagen, wem du sie an den Kopf wirfst, genau genommen. Bist du der erste, dem Leid widerfährt, und darf's um alles nicht dir widerfahren, oder du blähst deinen Bauch mit Lästerung und sträubst dich und rennst gegen Gott mit gesenkter Stirn? Meinst du, daß um deinetwillen die Berge versetzt werden und das Wasser aufwärtsläuft? Ich glaube, du willst hier auf der Stelle vor Bosheit bersten, daß du Gott gottlos nennst und ungerecht den Erhabenen!«

»Schweig, Eliezer! Ich bitte dich, rede nicht dermaßen schief von mir, ich bin empfindlich vor Leid und steh' es nicht aus! Hat Gott seinen einigen Sohn dahingeben müssen, daß er vor die Schweine kam und vor des Schweines Frischlinge aufs Lager, oder ich? Was tröstest du also ihn und stehst für ihn ein, statt für mich? Verstehst du überhaupt, wie ich's meine? Gar nichts verstehst du und willst für Gott sprechen. Ach, du Verteidiger Gottes, er wird dir's lohnen und wird dir hoch anrechnen, daß du ihn beschützest und verherrlichst listig seine Taten, weil er Gott ist! Was ich aber meine, ist: Er wird dir in die Zähne fahren. Denn du willst für ihn sprechen mit Unrecht und ihn täuschen, wie man einen Menschen täuscht, und heimlich Person ansehen. Du Heuchler, er wird dich übel anlassen, wenn du's auf diese Art mit ihm hältst um seinetwillen und führst liebedienerisch seine Sache, da er an mir getan, was zum Himmel schreit, und hat Joseph vor die Schweine geworfen. Was du redest, könnte ich auch reden, und bin nicht dümmer als du, das bedenke, ehe du drischest. Aber ich rede anders – und bin ihm näher dabei als du. Denn man muß Gott verteidigen wider seine Verteidiger und ihn schützen vor seinen Entschuldigern. Meinst du, er ist ein Mensch, wenn auch ein übergewaltiger, und ist seine Partei, also, daß du sie nehmen magst wider mich Wurm? Nennst du ihn ewig groß, so pustest du Worte, wenn du nicht weißt, daß Gott noch über Gott ist, ewig noch über sich selbst, und wird dich strafen von dort herab, wo er mein Heil ist und meine Zuversicht und wo du nicht bist, wenn du Person ansiehst zwischen ihm und mir!«

»Wir sind allzumal schlechtes Fleisch und der Sünde bloß«, erwiderte Eliezer still. »Jeder muß es mit Gott halten, so gut er's versteht und soweit er reicht, denn niemand erreicht ihn. Es ist anzunehmen, daß wir beide sträflich gesprochen haben. Komm aber nun, lieber Herr, und beziehe dein Haus, denn es ist genug der hochgradigsten Trauer. Dein Antlitz ist ganz gedunsen von der Hitze an dieser Scherbenstätte, und du bist zu zart und fein für solche Trauergrade.«

»Vom Weinen!« sagte Jaakob. »Vom Weinen ist mein Angesicht hochrot und geschwollen um den Geliebten.« Aber er ging doch mit und ließ sich ins Zelt führen. Auch er hatte kein Interesse mehr an Kehricht, Splitternacktheit und Schaben, denn sie hatten nur dienen müssen, daß er ausgiebig rechten mochte mit Gott.

Er tat nun wenigstens ein Sackleinen um, nach den ersten drei Tagen, und nahm ein etwas weniger leidverwahrlostes Leben auf, so daß die Söhne, als sie eintrafen, ihn nicht mehr im äußersten Zustande fanden. Diese aber verzogen noch, und wer mit ihm trauerte und klagte, ihn stützte und tröstete, das waren vorderhand ihre Weiber, soweit sie am Hofe wohnten (denn Juda's Schua-Kind war nicht da), sowie Silpa und Bilha und auch Benjamin, der Kleine, mit dem er viel schluchzte, die Arme um ihn geschlungen. Er liebte den Jüngsten im entferntesten nicht wie Joseph, und nie hatte sein Blick eine Düsternis verhehlen können, wenn er ihn auf ihm ruhen ließ, weil er ihn Rahel gekostet. Jetzt aber drückte er ihn inbrünstig an sich, nannte ihn Benoni um der Mutter willen und schwor ihm zu, daß er ihn nie und unter keinen Umständen auf Reisen schicken wolle, weder allein noch auch nur mit Bedeckung; immer, so groß er würde, und selbst als vermählter Mann, solle er hier unter des Vaters Augen bleiben, gehegt und behütet, und nicht einen Schritt vom sichersten Wege tun, denn kein Vertrauen sei in der Welt, auf nichts und niemanden.

Benjamin nahm die Zusicherung hin, obgleich sie ihn etwas beklemmte. Er dachte an seine Ausflüge mit Joseph in den Hain Adonai's; und der Gedanke, daß der Liebe, Schöne nie mehr mit ihm springen und seine kleine Hand lüften sollte, wenn sie schwitzte; daß er ihm nie wieder große Himmelsträume erzählen und ihn, den Knirps, stolz machen werde mit Vertrauen auf seinen Verstand, entlockte ihm bittere Tränen. Im Grund aber war er außerstande, das, was man ihm von Joseph erklärte, daß er nicht wiederkehre, daß er nicht mehr vorhanden und tot sei, in seinem Geist zu verwirklichen, und glaubte es trotz dem Zeichen nicht, das schrecklich vorlag und von dem der Vater sich niemals trennte. Die natürliche Unfähigkeit, den Tod zu glauben, ist die Verneinung einer Verneinung und verdient ein bejahendes Vorzeichen. Sie ist hilfloser Glaube, denn aller Glaube ist hilflos und stark vor Hilflosigkeit. Benjamin angehend, so kleidete er seinen unbezähmbaren Glauben in die Vorstellung irgendeiner Entrückung. »Er wird wiederkommen«, versicherte er, indem er den Alten streichelte. »Oder er wird uns nachkommen lassen.« Jaakob seinerseits war kein Kind, sondern mit den Geschichten des Lebens beladen, und hatte die unbarmherzige Wirklichkeit des Todes zu bitter erfahren, als daß er für Benoni's Tröstungen etwas anderes als ein schwermütigstes Lächeln hätte übrighaben können. Im Grunde aber war auch er durchaus unvermögend, die Verneinung zu bejahen, und seine Versuche, sie abzuwehren und um die Notwendigkeit herumzukommen, sich mit beidem, der Wirklichkeit und ihrer Unmöglichkeit, mit diesem unmenschlichen Widerspruch, abzufinden, waren so ausschweifender Art, daß man zu unseren Zeiten von Geistesstörung zu sprechen gezwungen wäre. Bei ihm zu Hause hieße das freilich zu weit gehen; aber Eliezer hatte seine liebe Not mit den verzweifelten Plänen und Spekulationen, die Jaakob wälzte.

Es ist aufbewahrt, daß er auf alles Zureden immer nur antwortete: »Ich werde mit Leide hinunterfahren in die Grube zu meinem Sohn.« Das wurde, damals und später, allgemein so verstanden, daß er nicht ferner zu leben, sondern ebenfalls zu sterben und sich mit dem Sohn im Tod zu vereinigen wünsche, – eingerechnet die Klage, es sei allzu traurig und hart gefügt, daß einer sein graues Haupt betten müsse in den Tod solches Leides. So verstanden zu werden, war die Rede auch allenfalls eingerichtet. Eliezer aber hörte sie anders und ausführlicher. So irr es klingt: Jaakob grübelte über die Möglichkeit, in die Grube, das heißt zu den Toten hinabzusteigen und Joseph wiederzuholen.

Der Gedanke war desto unsinniger, als es ja die Muttergattin war, die sich aufmachte, den wahrhaften Sohn aus dem unteren Gefängnis zu befreien und ihn der verödeten Erde wiederzugeben, – und nicht der Vater. Aber in Jaakobs armem Kopf gab es die kühnsten Gleichsetzungen, und seine Neigung, es mit dem Geschlecht nicht genau zu nehmen, es in Gedanken mit Freiheit zu behandeln, war nicht von gestern. Zwischen Josephs und Rahels Augen hatte er nie einen klaren Unterschied zu machen gewußt: Es waren ja wirklich ein und dieselben Augen, und einst hatte er Tränen der Ungeduld unter ihnen weggeküßt. Im Tode flossen sie ihm vollends zu einem Augenpaar zusammen – die geliebten Gestalten selbst flossen zum zwiegeschlechtlichen Sehnsuchtsbilde zusammen, und mann-weiblich-übergeschlechtlich, wie alles Höchste, wie Gott selbst, war damit auch diese Sehnsucht. Da sie aber Jaakobs war und er der ihre, so war denn auch Jaakob von dieser Natur, – ein Schluß, mit dem sein Fühlen schon längst übereinstimmte. Seit Rahels Hingang war er dem Joseph ebensowohl Mutter wie Vater gewesen; er hatte in diesem Verhältnis auch ihre Rolle übernommen, ja, diese wog vor in seiner Liebesweise, und die Gleichsetzung Josephs mit Rahel erfuhr ihre Ergänzung in derjenigen seiner selbst mit der Entschwundenen. Das Doppelte wird nur mit doppelter Liebe ganz geliebt; es ruft das Männliche auf, sofern es weiblich, das Weibliche, sofern es männlich ist. Ein Vatergefühl, das in seinem Gegenstande zugleich den Sohn und die Geliebte erblickt, in das sich also eine Zärtlichkeit mischt, die eher der Liebe der Mutter zum Sohne zugehört, ist zwar männlich, sofern es der Geliebten im Sohne gilt, doch mütterlich, sofern es Liebe zum Sohne ist. Diese Schwebe erleichterte dem Jaakob die tollen Entwürfe, mit denen er dem Eliezer in den Ohren lag und die die Zurückführung Josephs ins Leben nach mythischem Muster betrafen.

»Ich werde hinunterfahren«, versicherte er, »zu meinem Sohn. Sieh mich an, Eliezer – spielt die Gestalt meiner Brust nicht schon etwas ins Weibliche hinüber? In meinen Jahren gleicht wohl die Natur sich aus. Weiber bekommen Bärte und Männer Brüste. Ich werde den Weg finden ins Land ohne Wiederkehr, morgen mach' ich mich auf. Was blickst du mißlich drein? Sollt' es nicht möglich sein? Man muß nur immer nach Westen gehen und den Chuburfluß überschreiten, dann kommt man an die sieben Tore. Zweifle doch, bitte, nicht! Niemand liebte ihn mehr als ich. Ich will wie die Mutter sein. Ich will ihn finden und mit ihm zum untersten Grunde steigen, wo das Wasser des Lebens springt. Ich will ihn besprengen und ihm die staubigen Riegel lösen zur Wiederkehr. Tat ich es nicht schon einmal? Versteh' ich mich nicht auf Überlistung und Flucht? Ich will mit der Herrin dort unten schon fertig werden, wie ich fertig wurde mit Laban, und sie soll mir noch gute Worte geben! Warum muß ich sehen, daß du das Haupt schüttelst?«

»Ach, lieber Herr, ich gehe ein auf deine Bestrebungen soweit ich kann, und nehme an, daß für den Anfang alles nach deinen Gedanken gehe. Aber spätestens am siebenten Tore würde sich bei den Gebräuchen unvermeidlich herausstellen, daß du die Mutter nicht bist...«

»Allerdings«, erwiderte Jaakob und konnte sich in aller Not eines Lächelns der Genugtuung nicht ganz entschlagen. »Das ist unvermeidlich. Es wird ersichtlich werden, daß ich ihn nicht säugte, sondern ihn zeugte... Eliezer«, sagte er aus neuen Gedanken, welche, abgelenkt vom Mütterlich-Weiblichen, die Wendung zum Phallischen genommen hatten, »ich will ihn wiedererzeugen! Sollte das nicht möglich sein, ihn zu erzeugen noch einmal, ganz wie er war, genau den Joseph, und ihn auf diese Weise zurückzuführen von unten? Bin doch ich noch da, von dem er kam; sollte er da verloren sein? Solange ich bin, kann ich ihn nicht verloren geben! Ich will ihn neu erwecken und zeugend wiederherstellen sein Bild auf Erden!«

»Aber Rahel ist nicht mehr da, die dir entgegenkam beim Werke, und euer Beiderseitiges mußte sich einen, daß dieser Knabe entsprang. Wenn sie dir aber auch lebte, und ihr zeugtet wieder, so wär' es die Stunde doch nicht und der Sternenstand, die Joseph erweckten. Nicht ihn würdet ihr rufen, noch einen Benjamin, sondern ein Drittes, das noch kein Auge gesehen. Denn es ist nichts zweimal, und ist alles hier nur sich selber gleich für immer.«

»Aber dann darf es nicht sterben und nicht verlorengehn, Eliezer! Das ist unmöglich. Was nur einmal ist und hat kein Gleiches weder neben noch nach ihm und kein Großumlauf bringt es wieder, das kann nicht zernichtet werden und vor die Säue kommen, ich nehm' es nicht an. Es trifft schon zu, was du sagst, daß Rahel erforderlich war zu Josephs Erzeugung und die Stunde noch obendrein. Es war mir bekannt; wissentlich hab' ich die Antwort herausgefordert. Denn der Zeugende ist nur Werkzeug der Schöpfung, blind, und weiß nicht, was er tut. Da wir den Joseph zeugten, die Rechte und ich, zeugten wir nicht ihn, sondern irgend etwas, und daß es Joseph wurde, das tat Gott. Zeugen ist nicht Schaffen, sondern es taucht nur Leben in Leben in blinder Lust; Er aber schafft. Oh, könnte mein Leben in den Tod tauchen und ihn erkennen, daß ich darin zeugte und erweckte den Joseph daraus, wie er war! Danach geht mein Sinnen, und das meine ich, da ich sage: ich will hinunterfahren. Könnte ich rückwärts zeugen ins Vergangene und in die Stunde, die Josephs Stunde war! Was schüttelst du mißlich den Kopf? Daß ich's nicht kann, weiß ich selber; daß ich mir's aber wünsche, darüber sollst du den Kopf nicht schütteln, denn Gott hat es angestellt, daß ich da bin und Joseph nicht, was da ein schreiender Widerspruch ist und ist herzzerreißend. Weißt du, was das ist, ein zerrissenes Herz? Nein, sondern plapperst nur, wenn du's sagst, und meinst allenfalls: ›Recht traurig.‹ Mir aber ist buchstäblich das Herz zerrissen, daß ich genötigt bin, wider den Verstand zu denken und muß aufs Unmögliche sinnen.«

»Ich schüttle den Kopf, mein Herr, vor Erbarmen, weil du trotzest wider das, was du einen Widerspruch nennst: daß du nämlich bist und dein Sohn ist nicht mehr. Dieses zusammen ist eben deine Trauer, die du höchstgradig bekundet und ausgeübt drei Tage lang auf dem Scherbenhaufen. Danach nun aber wäre dir besser, du fingest allmählich an, dich in Gottes Rat zu ergeben, also, daß du dein Herz zusammennähmest und nicht länger Zerrissenes redetest von der Art: ›Ich will wiederzeugen den Joseph.‹ Wie denn wohl das? Da du ihn zeugtest, kanntest du ihn nicht. Denn der Mensch zeugt nur, was er nicht kennt. Wollte er aber zeugen wissend und kennend, so wär's Schaffen, und er vermäße sich, Gott zu sein.«

»Nun, Eliezer, was weiter? Muß sich der Mensch denn nicht also vermessen, und wäre er's noch, wenn er nicht allezeit danach geizte, wie Gott zu sein? Du vergissest«, sagte Jaakob gedämpft, indem er näher heranrückte an Eliezers Ohr, »daß ich mich insgeheim auf das Zeugungsleben besser verstehe als mancher Mann, auch wohl Mittel und Wege kenne, den Unterschied zu verwischen zwischen Zeugen und Schaffen, wenn es drauf ankommt, und etwas Schaffen einfließen zu lassen ins Zeugen, wie es Laban erfuhr, da ich die Weißen empfangen ließ über den geschälten Stäben und sie scheckig warfen zu meinen Gunsten. Such mir ein Weib, Eliezer, das der Rahel ähnelt an Augen und Gliedern, es muß solche geben. Ich will mit ihr zeugen, die Augen fest und wissend gerichtet auf Josephs Bild, das ich kenne. So wird sie ihn mir wiedergebären von den Toten!«

»Was du sagst«, erwiderte Eliezer ebenso leise, »stößt mich schauerlich ab, und ich will's nicht gehört haben. Denn mir scheint, es kommt nicht nur aus deines Jammers Tiefen, sondern noch tiefer her. Hochbetagt bist du obendrein und solltest würdigerweise ans Zeugen gar nicht mehr denken, geschweige an solches mit einem Einschlag von Schaffen, das ist ja ungehörig in jedem Betracht.«

»Irre dich nicht über mich, Eliezer! Ich bin ein lebendiger Greis und keineswegs schon wie die Engel, durchaus nicht, das weiß ich nun besser. Ich wollte wohl zeugen. – Allerdings«, setzte er kleinlaut nach einer Pause hinzu, »sind mir zur Zeit die Lebensgeister niedergeschlagen vom Jammer um Joseph, also daß ich vor Jammer vielleicht nicht zu zeugen vermöchte, da ich's doch unbedingt möchte gerade des Jammers wegen. Da siehst du, was für Widersprüche Gott anstellt, die mich zerreißen!«

»Ich sehe, daß dein Jammer gesetzt ist als Wächter zum Schutz gegen großen Frevel.«

Jaakob grübelte.

»Dann muß man«, sagte er, immer noch an des Knechtes Ohr, »den Wächter betrügen und ihm ein Schnippchen schlagen, was leicht geschehen mag, da er das Hindernis ist und zugleich der Wille. Denn es muß möglich sein, Eliezer, einen Menschen zu machen, ohne zu zeugen, wenn man an diesem behindert ist durch Leid und Jammer. Hat denn Gott den Menschen gezeugt in des Weibes Schoß? Nein, denn es war keins, und Schmach ist's, dergleichen auch nur zu denken. Sondern hat ihn gemacht wie er wollte mit seinen Händen, aus Lehm, und ihm den lebendigen Odem geblasen in seine Nase, auf daß er wandle. Wie, Eliezer, höre doch, laß dich gewinnen! Wenn wir eine Gestalt machten aus Lehm und ein Ding formten von Erde, einer Puppe gleich, drei Ellen lang und mit allen Gliedern, wie Gott sie erdacht und geschaut, da er im Geiste den Menschen empfing und machte ihn nach dem Bilde. Gott sah und machte den Menschen, Adam, denn er ist der Schöpfer. Ich aber sehe Joseph, den Einen, wie ich ihn kenne, und will ihn erwecken viel sehnlicher, als da ich ihn zeugte und ihn nicht kannte. Und es läge vor uns, Eliezer, die Puppe und erstreckte sich in Menschenlänge die Kunstfigur auf dem Rücken, das Antlitz zum Himmel gerichtet; wir aber ständen zu ihren Füßen und blickten in sein lehmiges Angesicht. Ach, Ältester, das Herz schlägt mir hoch und geschwinde, denn wie, wenn wir's täten?«

»Wenn wir was täten, mein Herr? Was denkt sich dein Kummer aus an Neuem und Fremdem?«

»Weiß ich's denn schon, mein Großknecht, und kann ich's sagen? Laß dich doch nur gewinnen und hilf mir zu dem, was ich recht noch nicht weiß! Wenn wir aber das Bildnis umgingen einmal und siebenmal, rechts herum ich und du links herum, und legten ein Blättchen in seinen toten Mund, ein Blättchen mit Gottes Namen... Ich aber kniete nieder und schlösse in meine Arme den Lehm und küßte ihn wie ich könnte, aus Herzensgrund... Da!« schrie er auf. »Eliezer, sieh! Rot färbt sich der Körper, wie Feuer rot, er glüht, er versengt mich, ich aber lasse nicht ab, ich halte ihn fest in meinen Armen und küsse ihn wieder. Da lischt er aus, und Wasser strömt in den Lehmleib, er schwillt und quillt von Wasser, und siehe, es sprießt ihm Haar auf dem Kopf, und Nägel sprießen ihm an Fingern und Zehen. Da küsse ich ihn zum drittenmal und blase ihm ein meinen Odem, der Gottes ist, und es machen Feuer, Wasser und Lufthauch, diese drei, daß das vierte, die Erde, zum Leben erwacht und schlägt mit Erstaunen die Augen auf gegen mich, den Erwecker, und spricht: ›Abba, lieber Vater‹...«

»Mir ist sehr, sehr unheimlich bei alledem«, sagte Eliezer mit leichtem Zittern, »denn es ist geradezu, als hättest du mich ernstlich gewonnen für so Neues und Zweideutiges und vor meinen Augen lebte der Golem. Du machst mir wahrlich das Leben sauer und dankst mir's sonderbar, daß ich ausharre bei deinem Jammer und dir treulich den Kopf stütze, da du nun schon angelangt bist bei Bildmacherei und Zauber und läßt mich dabei mitwirken, ob ich will oder nicht, daß ich alles mit Augen sehe!«

Und Eliezer war froh, als die Brüder kamen; sie aber waren nicht froh.

Die Gewöhnung

Sie kamen den siebenten Tag nachdem Jaakob das Zeichen empfangen, Säcke um die Lenden auch sie, und das Haar voll Asche. Es war ihnen übel zumut, und keiner von ihnen begriff, wie sie einmal hatten denken und sich bereden können, sie würden's gut haben, und des Vaters Herz werde ihnen gehören, wenn's nur den Hätschelhans nicht mehr gäbe. Diese Einbildung war längst und im voraus von ihnen abgefallen, und sie wunderten sich, daß sie sie je hatten hegen können. Schon unterwegs, insgeheim und auch in halben Worten, die sie tauschten, hatten sie sich eingestanden, daß, soweit Jaakobs Liebe zu ihnen in Frage kam, Josephs Beseitigung völlig nutzlos gewesen war.

Sie wußten ziemlich genau und konnten sich's denken, wie es in Jaakob aussah, was sie betraf; die verwickelte Unannehmlichkeit, in der sie leben würden, war ihnen klar. Auf irgendeine Weise, in seiner Tiefe und möglicherweise ohne sich klar dazu zu entschließen, hielt er sie gewiß für des Knaben Mörder, auch wenn er nicht annahm, daß sie den Bruder eigenhändig erwürgt hätten, sondern das Tier dafür einsetzten, das ihnen die Bluttat abgenommen und nach ihren Wünschen getan hätte, so daß sie denn in seinen Augen auch noch schuldlose, unangreifbare und also desto hassenswertere Mörder waren. In Wirklichkeit, wie sie wußten, verhielt es sich gerade umgekehrt: Sie waren schuldig, allerdings, doch keine Mörder. Das aber konnten sie dem Vater nicht sagen; denn um sich vom dunklen Verdachte des Mordes zu reinigen, hätten sie ihre Schuld einbekennen müssen, und dagegen stand allein schon der bündelnde Eid, den sie freilich in manchen Augenblicken schon ebenso dumm zu finden bereit waren wie alles übrige.

Kurzum, sie würden keine guten Tage haben, wahrscheinlich nicht einen mehr, – sie sahen es klar. Ein schlechtes Gewissen ist schon vom Übel, aber ein gekränktes schlechtes Gewissen beinahe noch mehr; denn es schafft eine mürrische Konfusion der Seele, albern und qualvoll zugleich, und macht betrübte Figuren. Als solche denn also würden sie dastehen vor Jaakob ihr Leben lang alle Zehn und keine Ruhe haben. Denn er hatte sie im Verdacht, und sie erfuhren, was das ist: ein Verdacht und Argwohn, und daß der Mensch damit sich selber mißtraut im andern und dem andern in sich, also daß er die Ruhe, die er nicht findet, dem andern nicht gönnen kann, sondern quängeln und lauern, sticheln, stochern und bohren muß ohne Rast und sich selber plagen, indem er den andern zu plagen scheint – das ist der Verdacht und ist der heillose Argwohn.

Daß es so stand und fortan so stehen werde, sahen sie auf den ersten Blick, da sie vor Jaakob traten, – an dem Blick erkannten sie es, den er, von seinem Arme, darauf er gelegen, sich etwas aufrichtend, ihnen entgegensandte, – diesem vom Weinen entzündeten, zugleich scharfen und trüben, bangen und gehässigen Blick, der sie durchdringen wollte, wissend, daß er's nicht konnte, und der lange währte, ehe das Wort hinzukam, das dazu paßte, eine Frage, unbeantwortbar und nur allzu beantwortet, leer-pathetisch, jammervoll-unsinnig, auf fruchtlose Plage bedacht:

»Wo ist Joseph?«

Da standen sie und ließen vor der unmöglichen Frage die Köpfe hängen, gekränkte Sünder, betrübte Figuren. Sie sahen, daß er gewillt war, es ihnen so schwer wie möglich zu machen und ihnen nichts zu ersparen. Da man sie ihm gemeldet hatte, hätte er sich wohl bereiten und sie aufrecht empfangen können; er aber lag noch danieder vor ihnen, eine Woche nachdem er das Zeichen empfangen, – lag da, das Gesicht auf dem Arm, von dem er es erst nach geraumer Zeit erhob – zu diesem Blick und dieser Frage, deren Wüstheit sein Jammer sich gönnen mochte. Er machte Gebrauch von seinem Jammer, das sahen sie. Er lag so vor ihnen, um also fragen zu dürfen, damit die Argwohnsfrage auch allenfalls für eine Jammersfrage hingehen mochte, – sie verstanden's ganz gut. Menschen haben einander allezeit scharf erkannt und leidend durchschaut, auf jenem Zeitengrunde nicht schlechter als heute.

Sie antworteten mit verzerrten Mündern (Jehuda war es, der für sie antwortete):

»Wir wissen, lieber Herr, welch Leid und große Trauer dich heimsucht.«

»Mich?« fragte er. »Nicht auch euch?«

Echt gefragt. Verfänglich quängelnd gefragt. Natürlich auch sie!

»Natürlich auch uns«, erwiderten sie. »Von uns mögen wir nur nicht reden.«

»Warum nicht?«

»Der Ehrfurcht wegen.«

Ein elendes Gespräch. Wenn sie dachten, daß es ewig so weitergehen sollte, so graute ihnen.

»Joseph ist nicht mehr vorhanden«, sagte er.

»Leider«, erwiderten sie.

»Ich gab ihm die Reise auf«, sagte er wieder, »und er frohlockte. Ich hieß ihn gen Schekem fahren, daß er sich vor euch neige und eure Herzen zur Heimkehr bestimme. Tat er so?«

»Leider und mehr als traurigerweise«, antworteten sie, »kam er nicht dazu, es zu tun. Ehe er's tun konnte, hat ihn das wilde Tier geschlagen. Denn wir weideten nicht mehr im Tale Schekem, sondern im Tale Dotan. Da hat sich der Knabe verirrt und ist geschlagen worden. Wir haben ihn nicht mit Augen gesehen seit dem Tag, da er dir und uns auf dem Felde verkündete, was ihm geträumt.«

»Die Träume«, sagte er, »die ihm träumten, waren euch wohl ein Ärgernis, schwer und groß, also, daß ihr ihm äußerst gram wart in euren Herzen?«

»Etwas gram«, erwiderten sie. »Gram allerdings, aber mit Maßen. Wir sahen, daß seine Träume dir Ärgernis gaben, denn du schaltest ihn ja und drohtest sogar, ihn am Haar zu zausen. Darum waren auch wir ihm bis zu einem gewissen Grade gram. Nun hat ihn, leider! das Untier gezaust weit über dein Drohen.«

»Es hat ihn zerrissen«, sprach Jaakob und weinte. »Wie mögt ihr sagen: ›gezaust‹, da es ihn zerrissen hat und gefressen? Sagt einer ›gezaust‹ statt ›zerrissen‹, so ist's Spott und Hohn und klingt nach Beifall!«

»Auch aus bitterem Jammer«, versetzten sie, »kann es geschehen, daß einer ›gezaust‹ sagt für ›zerrissen‹, sowie zarter Schonung halber.«

»Das ist wahr«, sagte er. »Ihr habt recht mit eurer Entgegnung, und ich muß schweigen. Da aber Joseph euch nicht die Herzen bestimmen konnte, warum seid ihr gekommen?«

»Um mit dir zu klagen.«

»Klagen wir denn!« erwiderte Jaakob. Und sie setzten sich zu ihm, eine Klage anzustimmen: »Wie lange liegst du da«; und Juda stützte dabei des Vaters Kopf auf seinen Knien und trocknete seine Tränen. Nach kurzer Zeit aber unterbrach Jaakob das Klagen und sagte:

»Ich mag nicht, daß du mir den Kopf stützest, Jehuda, und mir die Tränen trocknest. Die Zwillinge sollen es tun.«

Da übergab Juda den Kopf beleidigt den Zwillingen, und sie hielten ihn eine Weile beim Klagen, bis Jaakob äußerte:

»Ich weiß nicht warum, aber es ist mir unangenehm, daß Schimeon und Levi mir diesen Dienst erweisen. Re'uben soll es tun.«

Sehr beleidigt gaben die Zwillinge den Kopf an Ruben weiter, der ihn eine Zeitlang betreute. Dann aber sagte Jaakob:

»Es paßt und behagt mir nicht, daß Ruben mich stützt und trocknet. Dan soll es tun.«

Diesem aber ging es nicht besser; er mußte den Kopf an

Naphtali geben und dieser, sehr bald beleidigt, an Gad. So ging es weiter über Ascher und Issakhar bis zu Sebulun, und immer sagte Jaakob so etwas wie:

»Es geht mir unbestimmt wider den Strich, daß der und der mir den Kopf hält; ein andrer soll's tun.«

Bis alle beleidigt und abgelehnt waren, – da sagte er:

»Wir wollen zu klagen aufhören.«

Danach saßen sie nur noch schweigend um ihn herum mit hängenden Unterlippen; denn sie verstanden, daß er sie halb für Josephs Mörder hielt, was sie ja halb auch waren und nur zufällig nicht ganz. Darum kränkte es sie gewaltig, daß er sie halb für die ganzen hielt, und verstockten sich sehr.

So, dachten sie, sollten sie nun leben immerfort, verkannte Sünder unter einem unbelehrten und nie zu belehrenden Argwohn, und das war's, was sie gewonnen hatten durch Josephs Beseitigung. Jaakobs Augen, die braunblanken, geröteten Vateraugen mit den zarten Drüsenschwellungen darunter, diese bemühten Augen, vertieft sonst in Gottessinnen, sie ruhten auf ihnen, das wußten sie wohl, sobald sie nicht hinsahen, grübelnd und spähend, in trostlosem Mißtrauen, und wandten sich blinzelnd ab, wenn man ihnen begegnete. Beim Mahle fing er an:

»Hat aber ein Mann ein Rind gemietet oder einen Esel, und es tritt eine Berührung ein, oder ein Gott schlägt das Tier, so daß es gestorben ist, so soll der Mann schwören und sich von Schuld reinigen, ehe denn daß er unbehelligt bleibt.«

Ihre Hände wurden kalt, denn sie verstanden, wo das hinauswollte.

»Schwören?« sagten sie mürrisch und gedrückt. »Der soll schwören, wenn niemand sieht, wie's mit dem Tiere gegangen, und ist kein Blut da und keine Verletzung, wie der Löwe sie zufügt oder sonst ein reißendes Tier. Ist aber Blut da und Tatzenspur, – wer will den Mieter behelligen? Den Eigentümer geht's an.«

»Ist dem also?«

»So steht's geschrieben.«

»Es steht aber geschrieben: Wenn ein Hirte weidet des Eigentümers Schafe, und in der Hürde mordet ein Löwe, so soll der Hirt einen Eid schwören, sich zu reinigen, und soll dann der Schade des Eigentümers sein. Wie ist mir denn folglich? Soll nicht der Lohnhirt auch schwören, wenn's klar und gewiß scheint, der Löwe habe gemordet?«

»Ja und nein«, antworteten sie, und auch ihre Füße waren nun kalt. »Mehr nein denn ja, mit deiner Erlaubnis. Denn wenn's eine Hürde ist, in die der Löwe fällt, so schleppt er's daraus weg, und niemand sieht's, und es muß geschworen sein. Kann aber der Hirt das Getötete vorweisen und beibringen dies und das vom Zerrissenen, so soll er nicht schwören müssen.«

»Ihr könntet allzumal Richter heißen, so kennt ihr die Satzung. Wenn aber das Schaf des Richters war und war ihm wert, dem Hirten aber war es nicht wert, – ist's nicht genug, daß es nicht sein war und ihm nicht wert, daß er soll schwören müssen?«

»Noch nie in der Welt war das hinreichend zum Eideszwang.«

»Wenn aber der Hirt das Schaf gehaßt hat?« sprach er und sah sie mit wilden und scheuen Augen an... Wild, scheu und trübe begegneten sie dem Blick, und eine Erleichterung war es noch in dieser Pein, daß er seine Augen von einem zum andern konnte wechseln lassen, sie aber einer nach dem andern, und keiner lange, den Blick des Verdachts zu ertragen hatten.

»Kann man hassen ein Schaf?« fragten sie, und ihre Gesichter waren kalt und schweißig. »Das kommt nicht vor in der Welt und fällt aus aller Satzung, so daß sich nicht drüber reden läßt. Wir aber sind keine Lohnhirten, sondern des Herdenkönigs Söhne, und kommt uns ein Schaf abhanden, so ist's unser Leidwesen wie seines, und kann von Eideszwang allüberall nicht die Rede sein, vor keinem Richter.«

Feige, müßige, elende Gespräche! Sollte es damit immer so weitergehen? Dann war es besser, die Brüder zögen wieder davon, nach Schekem, Dotan oder anderswohin, weil sich erwies, daß ihres Bleibens hier ohne Joseph so wenig war wie mit ihm.

Zogen sie aber? Mitnichten, sie blieben, und ging einmal einer eigene Wege, so kam er bald wieder. Ihr böses Gewissen brauchte seinen Verdacht und umgekehrt auch. Sie waren aneinander gebunden in Gott und in Joseph, und war es wohl anfangs eine große Pein, zusammen zu leben, so nahmen sie's hin als Buße, Jaakob und seine Söhne. Denn diese wußten, was sie getan, und waren sie schuldig, so wußte jener sich schuldig auch.

Die Zeit aber verging und schuf Gewöhnung. Sie wischte das Spähen des Argwohns aus Jaakobs Augen hinweg und machte, daß die zehn Brüder nicht gar so genau mehr wußten, was sie getan; denn ungenauer unterschieden sie mit der Zeit zwischen Tun und Geschehen. Es war geschehen, daß Joseph abhanden gekommen war, – die Frage: wie? trat langsam zurück hinter der gewohnten Tatsache für sie und den Vater. Des Knaben Nichtmehrvorhandensein war das Gegebene, darin ihrer aller Bewußtsein sich fand und zur Ruhe kam. Die Zehne wußten, daß er nicht gemordet worden, was Jaakob glaubte. Der Wissensunterschied aber bewahrte schließlich nicht viel Bedeutung mehr, denn auch für sie war Joseph ein Schatten, der fern und außer allem Lebensgesichtskreis dahinwanderte ohne Wiederkehr – in dieser Vorstellung waren sie einig, Vater und Söhne. Der arme Alte, dem Gott sein teures Gefühl genommen, also daß es keinen schönen Frühling mehr gab in seinem Herzen, sondern Sommerdürre und Wintersöde darin herrschten und er im Grund immer noch »starr« war, wie anfangs im Krampfe, – hörte nicht auf, sein Lamm zu beweinen, und wenn er weinte, so taten sie's mit ihm, denn ihnen war ihr Haß genommen, und undeutlich nur, mit der Zeit, gedachten sie noch, wie sehr sie der Gimpel geärgert. Sie konnten sich's leisten, ihn auch zu beweinen, denn sicher wußten sie ihn im Schattenhaften und außer dem Lebenskreise geborgen in Abwesenheit, – und das tat auch Jaakob.

Er gab es auf, »hinunterzufahren« als Mutter und Joseph wiederzuholen; er ängstigte endlich niemanden mehr mit wirren Plänen, ihn neu zu erzeugen oder ihn nachzuschaffen aus Lehm und Gott zu spielen. Leben und Liebe sind schön, doch seine Vorteile hat auch der Tod, denn er birgt und sichert das Geliebte im Gewesensein und in Abwesenheit, und wo einst Sorge und Furcht war des Glückes, da ist nun Beruhigung. Wo war Joseph?

In Abrahams Schoß. Bei Gott, der ihn »zu sich genommen«. Oder was sonst der Mensch an Worten für letzte Abwesenheit findet, – alle gesucht, daß tiefste Geborgenheit sanft und sicher, wenn auch etwas hohl und öde damit bezeichnet sei.

Der Tod bewahrt, nachdem er wiederhergestellt. Was hatte Jaakob getrachtet, den Joseph wiederherzustellen, da er zerstükkelt worden? Das hatte der Tod gar bald aufs lieblichste selber besorgt. Er hatte sein Bild wieder ganz gemacht aus vierzehn Stücken oder noch mehreren, in lächelnder Schöne, – und so bewahrte er ihn, besser und holder, als die Leute des üblen Ägyptenlands den Körper bewahrten mit Wickeln und Drogen, – unverbrüchlich, ungefährdet und unveränderlich, den lieben, eitlen, gescheiten, schmeichelnden Jungen von siebzehn, der abgeritten war auf der weißen Hulda.

Ungefährdet und unveränderlich, nicht bedürftig der Sorge und immer siebzehnjährig, wie auch die Umläufe sich mehrten seit seinem Abreiten und die Jahre der Lebenden zunahmen: so war Joseph für Jaakob, und da soll einer sagen, daß nicht der Tod seine Vorteile habe, mögen sie auch etwas hohlen und öden Gepräges sein. Jaakob gewöhnte sich sehr an sie. Mit stiller Beschämung gedachte er seines ausgelassenen Haderns und Rechtens mit Gott in erster Jammersblüte und fand es durchaus nicht zurückgeblieben, sondern wirklich recht fein und heilig, daß dieser ihn nicht kurzerhand zerscheitert, vielmehr ihm den Elendsübermut in schweigender Duldsamkeit hatte hingehen lassen.

Ach, frommer Alter! Ahntest du, welch ein verwirrendes Belieben sich wieder einmal verbirgt hinter dem Schweigen deines wunderlich hehren Gottes, und wie unbegreiflich-glückselig dir soll die Seele zerrissen werden nach Seinem Rat! Da du jung warst im Fleische, zeigte dir ein Morgen als Trug und Wahn dein innigstes Glück. Du wirst sehr alt werden müssen, um zu erfahren, daß, ausgleichshalber, Trug und Wahn war auch dein bitterstes Leid.

Ende des zweiten Romans

Thomas Mann

Über mich selbst

Autobiographische Schriften

Band 12389

Umfassen die Jahre von 1875 bis 1955, Thomas Manns Zeit, auch eine wahrhaft schicksalhafte Epoche der deutschen Geschichte, so hatte er doch eine »Abneigung gegen die Autobiographie« als ein geschlossenes, sein Leben nacherzählendes Buch. Er brauchte sie nicht, hat er sich selbst doch derart in all sein Schreiben eingebracht, daß man bei ihm mit gutem Recht von einer Identität von Werk und Person sprechen kann. Darüber hinaus hat er, wenn der Tag und die Stunde es erforderten, bereitwillig Auskunft gegeben über sich selbst, selten als Skizze seines Lebenslaufs, eher in Form eines weitgefächerten Vortrags oder Essays, als Erlebnis- oder Reisebericht, in Vignetten und Episoden von Angehörigen und Freunden, in Beantwortung von Rundfragen über die Voraussetzungen für seine Arbeit, über sein Verhältnis zu Religion, Musik oder zur Psychoanalyse. Thomas Mann verstand sich zeitlebens als kultureller Repräsentant seiner Zeit. Mit seinen Äußerungen über sich selbst gab er beredtes Zeugnis von der geistigen Lebensform seiner Generation.

Fischer Taschenbuch Verlag

fi 1350 / 3